J'ose

Éditions J'ai Lu

GUY DES CARS	*ŒUVRES*
L'OFFICIER SANS NOM	*J'ai Lu*
L'IMPURE	*J'ai Lu*
LA DEMOISELLE D'OPÉRA	*J'ai Lu*
LA DAME DU CIRQUE	*J'ai Lu*
CONTES BIZARRES	
LE CHATEAU DE LA JUIVE	*J'ai Lu*
LA BRUTE	*J'ai Lu*
LA CORRUPTRICE	*J'ai Lu*
LES FILLES DE JOIE	*J'ai Lu*
LA TRICHEUSE	*J'ai Lu*
AMOUR DE MA VIE	*J'ai Lu*
L'AMOUR S'EN VA-T'EN-GUERRE	
CETTE ÉTRANGE TENDRESSE	*J'ai Lu*
LA MAUDITE	*J'ai Lu*
LA CATHÉDRALE DE HAINE	*J'ai Lu*
LE BOULEVARD DES ILLUSIONS	
LES SEPT FEMMES	*J'ai Lu*
LE GRAND MONDE	*J'ai Lu*
SANG D'AFRIQUE	*J'ai Lu*
DE CAPE ET DE PLUME	
LE FAUSSAIRE	*J'ai Lu*
(De toutes les couleurs)	
L'HABITUDE D'AMOUR	*J'ai Lu*
LA VIE SECRÈTE DE DOROTHÉE GYNDT	
LA RÉVOLTÉE	*J'ai Lu*
LA VIPÈRE	
LE TRAIN DU PÈRE NOEL	
L'ENTREMETTEUSE	
UNE CERTAINE DAME	
L'INSOLENCE DE SA BEAUTÉ	
LE DONNEUR	
J'OSE	*J'ai Lu*

En vente dans les meilleures librairies

GUY DES CARS

J'ose

Confidences que je n'ai pu faire qu'à mon fils

POURQUOI J'OSE...

... Parce qu'il m'a paru indispensable de faire une pause dans ma vie de romancier. J'en ai déjà fait une, il y a une dizaine d'années, en écrivant : *De cape et de plume.* C'était le premier entracte et le roman de mes romans. Voici le second qui est le roman du romancier ou, si l'on préfère, mon propre roman.

La grande différence entre ces deux ouvrages vient de ce que le premier a été écrit par moi, alors que celui-ci est, pour la première fois dans ma carrière, écrit avec le concours d'un autre. Un autre qui m'a posé mille et une questions auxquelles je n'ai fait que répondre. Des questions sur moi, sur mes proches, sur mon passé, sur mon travail, sur ma vie quotidienne. S'il a pris l'entière responsabilité de ses questions, je n'ai pas craint d'assumer celle de mes réponses.

Depuis quelques années déjà, divers éditeurs me demandaient de travailler, ne serait-ce qu'une fois dans mon existence, de cette façon pour que l'on pût me connaître tel que j'étais et pas seulement en romancier qui s'était toujours abrité et caché derrière l'affabulation du romanesque. J'avais toujours refusé sous prétexte que je ne voyais pas très bien, avec mon mauvais caractère qui n'a jamais pu supporter d'avoir le moindre collaborateur dans mes travaux d'écriture, à qui je pourrais me confier entièrement, sans retenue, sans réticence, sans gêne. C'est tellement délicat de livrer aux autres sa propre vérité...

Et un jour, on m'a dit :

« Nous pensons avoir enfin trouvé le journaliste auquel vous pourriez tout raconter et avec qui vous devriez pouvoir vous entendre. C'est votre meilleur ami depuis trente années...

— Qui est-ce ?

— Votre fils Jean qui travaille dans l'équipe le *Paris-Match.* »

C'était évidemment une idée qui pouvait me séduire. Il était certain que mon fils me connaissait mieux que personne, que nous ne nous étions jamais quittés et qu'il me serait très difficile de lui cacher quelque chose. Quand on chérit son fils et qu'on sait qu'il vous rend cet amour, on lui dit tout... Face à un autre, même s'il est le meilleur journaliste du monde, on devient prudent, on se méfie... A partir du moment où j'ai réalisé que cette méfiance ne pourrait pas exister dans nos dialogues à l'emporte-pièce, je me suis senti prêt à répondre à toutes les questions, même aux plus indiscrètes.

Car je ne me suis pas fait d'illusions. Connaissant bien Jean, je savais qu'il n'irait pas par quatre chemins pour m'interroger et qu'il ne serait satisfait que lorsqu'il m'aurait arraché des aveux complets. Lui et moi nous n'avons eu aucun mal pour rester honnête l'un vis-à-vis de l'autre pendant nos entretiens.

Il était venu me trouver comme tout fils qui a confiance en son père et qui vient lui demander quelque chose.

« Ne t'inquiète pas, m'a-t-il dit. Je sais bien que tu prépares un nouveau roman. Je ne te gênerai pas. Mes questions, que je grille de te poser depuis quelques années, sont toutes prêtes : tu n'auras qu'à y répondre. Et ce sera même pour toi une sorte de récréation qui t'arrachera à tes héros de fiction.

Nous parlerons beaucoup d'un personnage vrai que tu connais mieux que personne : toi-même !

— Mais toi, mon fils, comment le vois-tu, ce bonhomme ?

— Tel qu'il est, avec ses défauts et ses qualités, comme lui-même n'a jamais pris la peine, ou le temps, de se regarder. Veux-tu que nous fassions tout de suite un premier essai ? Tu as bien une heure à me consacrer ? Si ça ne donne rien, nous ne poursuivrons pas l'expérience : tu retourneras à tes romans et moi à mon journalisme. »

Il y eut cette première heure, suivie de beaucoup d'autres. Et ce fut bien une récréation. J'espère qu'il en sera de même pour le lecteur. Je le souhaite de tout mon cœur de père pour celui qui l'a écrit. Mais ce livre aura eu au moins un avantage pour mon fils et moi : resserrer encore, si c'est possible, notre amitié.

Guy des Cars.
7 Avril 1974.

1

MA VIE ? UN ROMAN

— Tu vas tout dire ?
— Sûrement ! A qui dirai-je tout si ce n'est à toi mon fils ? D'ailleurs, tu le sais, je dis toujours tout ce que j'ai à dire.
— Parole de père ?
— Parole d'homme.

Nous avons toujours été du même côté. Et aujourd'hui, pour la première fois, nous voilà face à face. Et comme toujours, quand je suis devant mon père, je suis fasciné. Je devrais être blindé, blasé. Je devrais peut-être me méfier. Il m'attend sûrement au tournant d'une question, au verso d'une page de ce livre. Pendant des heures, il va parler. Va-t-il me raconter la vérité vraie ou la vérité romanesque ? Il est capable de démonter une anecdote pour en faire quatre cents pages. Il aime dynamiter ses personnages, les bousculer selon son plan connu de lui seul, placer des rebondissements à la page 33, 117 et 293, exactement à l'endroit où il l'a prévu. De toute façon, même ses lecteurs les plus fidèles sont emportés par le maelström de son imagination. Et cela depuis plus de trente ans. Il n'y a d'ailleurs aucune raison pour que se tarisse ce Niagara de mots, d'histoires et de livres. La source est, je le crois, prometteuse : débit abondant, riche en illusions et évasions diverses, recommandée aux lectrices et lecteurs peu friands de politique, de psychanalyse et de problèmes métaphysiques, mais avides de phrases simples, d'évasion, d'histoires extraordinaires qui sont construites comme une mécanique d'horlogerie, même si c'est, d'après certains, « à coups de poncifs et de clichés ». A déconseiller aux critiques acides et aux confrères jaloux. Mon père a le choix des armes (le roman) et du terrain (le public). Il sait se défendre tout seul. Et je crois le duel égal. Avec un léger avantage pour le lecteur : c'est lui qui, finalement, se décide, à chaque fois, à entrer dans le jeu.

Donc, je suis sur mes gardes et j'attaque.

— Quel est ton souvenir d'enfance le plus lointain ?

— C'est un souvenir de guerre. En 1916, j'avais cinq ans. Et devant l'offensive allemande, ma mère avait décidé de nous emmener loin de Paris ma sœur, mon frère et moi, dans la Sarthe, à Sourches, le château de la famille.

C'était un matin d'hiver, très tôt. Nous avons quitté à pied le 20 rue Greuze où nous habitions et je devais pleurer à chaudes larmes, porté par la nurse qui traînait mon frère Louis. Ma sœur Marguerite, qui avait sept ans, guettait avec maman une hypothétique voiture. Peine perdue. Les véhicules étaient rares. On avait l'impression que, comme il l'avait fait pour les fameux taxis de la Marne deux ans plus tôt, Gallieni avait réquisitionné toutes les automobiles.

Il nous fallait pourtant gagner la gare Montparnasse pour prendre l'un des rares trains. Les soldats allaient vers l'est, nous, nous allions vers l'ouest.

Epuisée par une nuit à faire des paquets aussi compacts que possible, la nurse anglaise se laissa tomber sur sa valise en retenant mal ses larmes et annonça :

« Madame ! C'est impossible ! Nous n'y arriverons pas !... »

Maman, avec le courage obstiné qu'ont les mères lorsqu'elles veulent sauver leurs enfants d'une catastrophe, lui répliqua :

« Nous y parviendrons, ma fille ! Ce qu'il nous faut, c'est une voiture. Aidez-moi plutôt au lieu de geindre ! »

Et c'est là que se situe mon premier souvenir.

En plein milieu ou presque de la place d'Iéna, ma mère se planta les bras en croix, agitant comme une masse d'arme son manchon et le sac de la nurse.

Quelques voitures bondées, quelques fiacres surchargés étaient passés au large. Apparemment, leurs conducteurs ne pouvaient rien faire pour ces deux femmes entourées de trois enfants, tableau pathétique comme celui de toutes les familles démantelées par le départ des maris, des fils et de tous les hommes valides au front.

Soudain, descendant du Trocadéro à toute allure — c'est-à-dire à environ cinquante kilomètres à l'heure — une ambulance fonça vers ma mère.

Je me souviens d'un cri. Le cri que nous poussâmes tous les trois, un cri qui résonna sur la place vide :

— Maman !

La nurse, paralysée de peur, n'avait même pas eu un geste pour prévenir ma mère ou tenter de la retenir.

Dans un horrible grincement de freins, l'ambulance tangua et s'immobilisa à deux mètres de ma mère. Ses vêtements sombres se mariaient tragiquement avec la croix rouge peinte sur les flancs de la voiture.

Une tête pâle et moustachue hurla par la fenêtre : C'était le chauffeur :

« Madame ! Vous êtes folle ! J'ai failli vous écraser !

— Je ne suis pas folle, monsieur. Je vous ai forcé à vous arrêter. Il faut absolument que vous nous conduisiez à la gare Montparnasse. Avez-vous de la place ? Je vous en prie...

— Madame, c'est hors de question. Cette ambulance est vide mais je suis en service commandé. Je vais à la gare de l'Est chercher des blessés qui doivent être conduits au Val-de-Grâce. Je suis désolé.

— Avez-vous une femme et des enfants ?

— Oui... Mais pourquoi cette question ?

— Parce que mon mari est officier au front. S'il lui était arrivé de rencontrer les vôtres dans une situation semblable, il n'aurait pas hésité une seconde. Il se serait arrangé pour concilier son ordre de mission et le devoir de venir en aide à une mère désemparée.

— Montez, madame... »

Ce fut la seule réponse du conducteur, impressionné surtout par le calme avec lequel ma mère lui avait parlé.

Ce voyage imprévu au milieu de civières vides fut suivi d'un autre en chemin de fer. Comme j'étais le plus petit, on m'avait installé dans le filet à bagages. Ce fut d'abord très amusant parce que je dominais tout le monde mais j'eus rapidement l'impression d'être prisonnier de ces mailles brunes. Je ne pus me dégourdir les jambes qu'à Chartres pendant un interminable arrêt.

Et c'est là sur le quai que j'eus ma première vision des horreurs de la guerre. Je voyais des gens souffrir mais, évidemment, j'étais trop jeune pour comprendre. Des blessés, allongés sur les quais, qu'ils recouvraient de leurs pauvres corps ensanglantés, nous regardaient avec des yeux d'agonisants. Certains s'étaient traînés jusqu'aux toilettes et y rendaient le dernier soupir dans d'effroyables odeurs d'homme. Je serrai très fort la main de maman quand l'un de ces malheureux s'agrippa à son manteau et lui dit cette phrase que j'entendrai toute ma vie résonner à mes oreilles, bien que la voix ne fût plus qu'un râle :

« Madame ! Achevez-moi ! Tuez-moi ! Je souffre trop !... »

Et plus tard, quand j'entendis des anciens combattants raconter « leur guerre », ils disaient tous que si le ravitaillement avait toujours à peu près bien fonctionné, le service de santé avait, en revanche, été très vite démuni. « A part la teinture d'iode, remarquait un de mes oncles, nous n'avions aucun médicament. »

Pour aller du Mans à Sourches, soit vingt-sept kilomètres, nous fûmes installés dans un char à bœufs. Il paraît que j'étais ravi de ce voyage accompli à un rythme d'autrefois.

Ensuite, c'est le brouillard, ou plus exactement une existence sans histoire pour nous tous, les jeunes cousins réunis par la force des événements, surveillés par la nurse qui ne quittait jamais un petit paquet de lettres : celles que son fiancé avait réussi à lui envoyer. Ce fiancé que nous ne connaissions pas nous plaisait parce qu'il était anglais et maman nous avait expliqué qu'on disait un « tommie ». « Tommie », pour les gosses, c'était facile à prononcer. Mais quand il fut tué sur le front de la Somme, la gouvernante devint, paraît-il, folle. Elle fut rapatriée, je ne sais comment. Nous eûmes une autre nurse mais elle n'avait pas de « tommie »...

Il y avait une chose qui nous excitait beaucoup, nous les enfants. Cela nous excitait parce que toute les femmes et les vieux domestiques attendaient et redoutaient ce moment : c'était le fameux « communiqué de trois heures ».

Et quand par l'Etat-Major, on apprenait qu'un oncle ou un grand-cousin était mort, ma mère disait « Un héros de plus. Combien en faudra-t-il ? ». Cette phrase m'impressionnait beaucoup. Un héros, cela me semblait très important, formidable. Et c'est sans doute la raison pour laquelle matin et soir, je posais à ma mère cette affreuse question :

« Maman, quand papa sera-t-il tué ? »

Age sans pitié... Un héros, selon moi, devait mourir à la guerre. Mon papa était forcément un héros. Le plus grand des héros. Le plus grand des papas.

Et j'ai connu l'un de ces héros de la Grande Guerre. L'un des plus authentiques et des plus fameux, presque un dieu : Guynemer.

Il était notre voisin rue Greuze. Avec sa mère, il partageait le rez-de-chaussée de l'immeuble où nous résidions. Et pendant quelques mois — j'avais un peu plus de six ans — je l'ai vu régulièrement. Pas en avion, pas en « as des as » virtuose du duel aérien, non. Il était, en quelque sorte, un compagnon de jeux. Tous les samedis, il arrivait en permission dans une torpédo blanche. Il apparaissait vers quinze heures mais une bonne heure avant, mon frère et moi, nous étions intenables, guettant à la fenêtre du concierge le tournant de la rue d'où il allait jaillir. Toute la semaine, nous avions entendu parler de lui, de ses prouesses, de ses combats, de ses victoires, mais aussi de son courage et de sa grande allure.

Le samedi était donc un grand jour. Car l'une des premières choses qu'il faisait en arrivant était de nous enlever pour un petit tour, toujours le même, dans son bolide : rue Greuze, rond-point de Longchamp, avenue d'Eylau, place du Trocadéro, rue Greuze... C'était la joie. Peut-être croyions-nous qu'il allait faire décoller sa voiture ? Il repartait le dimanche après-midi et pour les enfants du concierge, comme pour nous, la semaine était longue jusqu'à samedi, le jour où notre « copain » Guynemer nous prendrait dans ses bras. Il nous rassurait. En abattant les appareils allemands il « rassurait » d'ailleurs tous les Français... Un soir d'alerte sur Paris, notre gouvernante voulut nous raconter une histoire pour nous endormir. Mais nous étions réveillés comme des souris et de grandes lumières se croisaient dans le ciel : les projecteurs avaient démasqué un dirigeable, un Zeppelin. Nous avions peur de ce monstre volant.

Alors, la nurse nous répétait : « Dormez. Votre ami Guynemer n'est pas loin. »

Hélas, il était très loin... Le samedi suivant, nous voulions l'attendre comme d'habitude en guettant la pétarade de sa voiture. Mais ma mère nous empêcha de descendre chez le gardien. Elle nous dit : « Mes enfants, faites une petite prière pour votre ami Guynemer. Il ne reviendra plus... »

Ce fut le désespoir, le premier chagrin dont je me souvienne. Nous comprenions mal pourquoi nous ne reverrions pas notre héros, mais nous ne voulions pas croire ce qu'avait dit notre mère. La France entière ne voulait pas croire cette nouvelle : « Guynemer porté disparu ! » Nous l'avons quand même attendu ce samedi-là, dans notre salle de jeux. La France entière l'attendait.

Au fur et à mesure que j'ai grandi, l'image de Guynemer s'est précisée. Si l'on y repense, je crois que sa carrière a été et restera exemplaire. Une santé fragile l'avait fait surnommer « fil de fer » par ses hommes de la fameuse escadrille des *Cigognes*. Officier de la Légion d'honneur (à l'époque cela avait une autre valeur qu'aujourd'hui...) et capitaine à vingt-deux ans, il est mort à vingt-trois ans, aux commandes de son avion « Le Vieux Charles » abattu sans doute dans le ciel de Poelkapelle, près d'Ypres, en Belgique. Je dis « sans doute » parce que sa mort demeure un peu mystérieuse. Et c'est tant mieux : les héros doivent rester une énigme pour la postérité. Ce qui est sûr, c'est le nombre de ses victoires dans les airs (cinquante-quatre officielles, quatre-vingts non homologuées parce que derrière les lignes allemandes et un total, en vingt-cinq mois, de près de six cents combats).

Ce qui est encore plus sûr, c'est qu'il était un moderne chevalier, le premier chevalier du ciel. L'as allemand Ernst Udet, qui affronta Guynemer et fut général de la Luftwaffe, a raconté qu'un jour au-dessus des Ardennes, sa mitrailleuse s'était enrayée. Il ne pouvait absolument pas se défendre et Guynemer pouvait l'abattre sans le moindre risque. Alors, comme il avait l'habitude de le faire, Guynemer s'approcha très près du *Fokker* de l'Allemand, à environ dix mètres, lui fit un signe de la main et disparut dans le ciel. C'est peut-être l'une des raisons qui ont poussé les autorités allemandes à l'inhumer avec les honneurs militaires... Il disait : « On n'a rien donné lorsqu'on n'a pas tout donné » et sa devise « faire face » lui allait très bien. D'après les enquêtes, il est mort d'une balle en plein front. Ce jour-là, 11 septembre 1917, « il est parti se ranger en silence à côté des siens ». C'est une phrase de Mermoz.

Les années ont passé. Et un jour, visitant le musée de l'Automobile de Compiègne, alors que je ne m'y attendais pas, j'ai vu, j'ai retrouvé exposée, la voiture de Guynemer, cette *Sigma* 4 cylindres dont la peinture blanche s'est jaunie avec le temps. J'ai voulu m'y asseoir un instant. Mais un vague sentiment de profanation et peut-être aussi la présence du gardien m'en ont dissuadé. Je n'ai pas insisté. Je me demande si je n'ai pas eu tort. De temps en temps, cela fait du bien de retomber en enfance...

— Parlons un peu famille. Je ne veux pas dire « vieux papiers », mais plutôt de quelques silhouettes. Y en a-t-il une qui t'attire plus que les autres ?

— Ah ! oui... Parmi ceux que j'ai connus, en dehors de mon père et de ma mère, il y en a un à qui je dois mes meilleurs souvenirs d'enfance et de jeunesse, car il était étonnant. C'est mon grand-père paternel, le duc des Cars. A l'époque, les années 1920-1925, les grandes vacances nous conduisaient à La Baule dont la vogue grandissait. Nous y habitions, avec ma mère, ma sœur et mon frère, dans l'une de ces gigantesques casernes surnommées « palaces », tenant plus du caravansérail mondain que d'un hôtel de villégiature. Mon grand-père décida à l'improviste de venir nous y embrasser. Petit déplacement pour ce grand voyageur spécialement amoureux des voyages en chemin de fer. Il ne pouvait pas voir un train partir sans sauter dedans, discuter des horaires et des correspondances avec le contrôleur, flatter les performances de la machine, jalouser le conducteur pour sa place de maître à bord, mais n'oubliant pas, bien avant Edouard Herriot, de lui serrer la main, lier conversation avec les voyageurs en leur vantant le plaisir de regarder passer les vaches. Il affirmait : « Je ne dors bien que dans le train », et, par humilité, ne fréquentait que les troisième classe. Par humilité et stratégie, car après avoir récité l'*Indicateur Chaix* — ou l'équivalent de l'époque — à ses voisins, il se livrait à de l'apostolat pratique et sortait des basques de son vêtement une incroyable collection de journaux bien pensants, de chapelets bénits et d'images pieuses. Il en inondait le compartiment en recommandant aux voyageurs d'aller à Lourdes. Je crois bien qu'il a conjugué sa passion et ses convictions en inventant le train de pèlerinage. Puis, si le train s'arrêtait, il disparaissait pour aller saluer le chef de gare d'un affectueux « Bonjour, vieil ami ! ». S'il ne le connaissait pas, ce dernier n'avait, de toute façon, aucune chance de l'oublier et de ne pas le remarquer. Ce vieux gentilhomme avait une barbe fleurie lui donnant un faux air du père Hugo. Mais surtout — et c'était d'abord cela qui nous fascinait, nous, ses petits-enfants — il s'habillait d'une façon étrange, mais qui, en réalité, lui permettait d'être toujours prêt à partir : redingote noire un peu verdie, chapeau melon, parapluie, imperméable, très long avec capuchon (on disait alors « caoutchouc ») et qui lui tenait lieu de manteau tous temps, toutes latitudes, et des bottines à élastiques. Il avait résolu le problème des bagages en n'en emportant aucun. En cours de route, il achetait le minimum indispensable, puis s'en débarrassait. Il faisait toutefois exception pour un col de celluloïd qu'il laissait mariner la nuit dans un pot à eau et sa brosse à dents dépassant perpétuellement de la poche gauche de son gilet ; j'allais oublier presque l'essentiel. A la manière des médecins militaires qui décident qu'on est en hiver ou en été et que l'uniforme sera aménagé en conséquence, il apportait un changement considérable à son vêtement permanent au retour des saisons : chaussettes noires l'hiver, chaussettes blanches l'été.

C'est donc avec ses chaussettes blanches qu'il débarque au petit matin d'une journée d'août à la gare de La Baule. Il laisse les clients de l'hôtel s'entasser dans l'omnibus à cheval et grimpe sur le siège à côté du cocher. Pour savourer la douceur de l'été ? Non, bien sûr. Pour discuter avec le cocher, et, disait-il, « écouter la philosophie de la voix publique ». A la réception, il se fait annoncer :

« Bonjour, mon ami. Je suis le duc des Cars. Voulez-vous prévenir ma belle-fille que je suis arrivé par l'express de nuit... »

Le concierge lui jette un regard olympien de mépris.

Il est vrai que mon grand-père avait encore amélioré son allure. Ayant un jour déclaré que « les pieds gonflent en voyage, spécialement en train », il avait retiré ses bottines et enfilé une vieille paire de pantoufles qui, elle aussi, ne le quittait jamais. Mais pour être sûr de ne pas oublier ses bottines, il n'avait pas craint de les relier au moyen d'une ficelle — c'étaient des bottines « à pattes » — et de suspendre le tout autour de son cou ! A huit heures du matin, dans le hall de cet hôtel élégant, le concierge fut persuadé qu'il avait affaire à un imposteur :

« Vous raconterez cette histoire à d'autres !

— Je vous répète que je veux voir ma belle-fille sur-le-champ ! Appelez-moi votre directeur ! »

Devant son insistance et sa colère, le concierge fait appeler le directeur qui dormait encore. Une demi-heure plus tard, ce dernier frappe timidement à la porte de la chambre de ma mère. En jaquette bordée et en pantalon rayé, véritable chef de rayon de grand magasin, tournant ses mains l'une dans l'autre et sa langue dans sa bouche, il bredouille sa confusion...

« Madame, je suis navré d'avoir à vous importuner à cette heure matinale. Mais il y a à la réception un individu qui se prétend votre beau-père. Or, tout me porte à croire qu'il s'agit d'un mauvais plaisant !

— Vraiment, monsieur ? Et pourquoi donc ? demande ma mère.

— Madame, cet homme a l'allure d'un vagabond. Il porte même une paire de bottines suspendues par une ficelle autour de son cou...

— Des bottines autour du cou ? Mais c'est le duc des Cars ! C'est bien mon beau-père ! Priez-le de monter ! »

Tu imagines l'embarras de ce pauvre directeur ! Il crut trouver la paix en faisant porter des fleurs à ma mère. Pourtant il n'était pas au bout de ses surprises avec ce duc déguisé en vagabond. Après une matinée où nous, les enfants, étions les plus heureux de la plage avec ce grand-père si peu conventionnel et tellement affectueux, nous nous retrouvons à midi dans l'immense salle à manger. Notre gouvernante — anglaise, bien entendu — n'a pas de peine à nous faire tenir tranquilles, car nous sommes fascinés par ce bon papa un peu loufoque.

Il se penche vers maman et lui dit :

« J'ai remarqué que cet établissement est rempli d'Israélites... Nous, catholiques, devons avoir le courage de nos convictions. » Et il se lève. Et il frappe un verre avec une cuiller. La cloche improvisée répand sa sonorité un peu sèche dans toute la salle. Les voix s'arrêtent. Tous les regards sont sur notre table, le personnel s'interroge : serait-ce un banquet improvisé ? Quand les bruits de vaisselle ont cessé, l'orateur dit simplement ces mots surprenants :

« Lecture du saint Evangile du jour... " En ce temps-là... " »

J'étais médusé, nous l'étions tous, clients et maître d'hôtel. Et personne ne proteste. La lecture terminée, aucun commentaire ne nous parvient des tables voisines. Mon grand-père ramasse d'une main son missel qui regagne la poche gauche de sa redingote et de l'autre fait disparaître quelques croûtons des petits pains que nous avions commencé à grignoter dans l'attente trop longue des hors-d'œuvre.

« Mon déjeuner ! dit-il avec malice.

— Mais où allez-vous ? lui demande ma mère, inquiète.

— A Jérusalem ! En passant par Bruxelles... Ma chère belle-fille, et vous mes enfants, vous m'avez fait une grande joie... »

Il se relève et n'oublie pas de nous bénir. Ses yeux très bons cachent mal une tristesse réelle. Mais il nous quitte sur une pirouette :

« J'ai juste le temps d'attraper le rapide de Paris ! »

Il disparaît comme un météore, nous laissant pleins de sourires mais le cœur gros.

En sortant de la salle à manger, il croise le directeur qu'on venait d'informer de la lecture de l'Evangile et qui s'était bien gardé d'oser l'interrompre.

« Ah ! vous voilà, mon ami ! lui lance mon grand-père. Décidément, vous vous faites attendre... Retenez bien ceci : je n'ai d'estime que pour les gens courageux... »

Et dans un tourbillon — celui de la porte-tambour —, « bon papa » disparaît.

Ce ne fut qu'à ce moment que les quelque deux cents personnes de la salle à manger se risquèrent à des commentaires sur son « incroyable toupet ». Vagabond chaleureux, il était déjà loin, hors de portée des sarcasmes. Je crois bien que tous, petits et grands, nous avions reçu une leçon de courage.

— C'était un personnage. Est-ce que d'après toi on trouve encore aujourd'hui, dans l'aristocratie ou ailleurs, ce type d'original qui ignore le respect humain ?

— Dans l'aristocratie, on en trouve de moins en moins, hélas ! Ailleurs, j'en connais de savoureux. Je crois que c'est la guerre, puis la démagogie qui ont tué cette espèce. Aujourd'hui, les personnages sont en voie de disparition. On parle des chefs-d'œuvre en péril ? Eh bien, je dis que les gens qui ont un caractère bien trempé se font rares. L'aristocrate d'aujourd'hui — il n'en reste pas beaucoup de vrais — est fréquemment ennuyeux. Il ne songe trop souvent qu'à être le personnage de classe. Je connais une foule de ces gens dont le seul souci réel est la carte de visite où figure leur titre, vrai ou faux. Quand ils ont fait cela, ils ont tout dit. Et quand on les voit, on a l'impression qu'ils ont un nom d'emprunt. C'est grave et c'est triste. Remarque bien que ce n'est pas nouveau comme état d'esprit, mais cela a pris des proportions affligeantes. L'aristocratie, ce n'est pas un droit ni un passe-droit. C'est un état d'esprit que chaque génération doit retrouver sous peine d'extinction. Ce grand-père qui m'a tellement fasciné pouvait tout se permettre. Pas parce qu'il était le duc des Cars. Au contraire. Sa discrétion sur ce point est pour moi une qualité de vraie noblesse. Il se permettait de dire aux gens ce qu'il pensait d'eux, car il ignorait et méprisait le qu'en-dira-t-on. C'était un homme droit. Sa franchise, souvent arrogante, n'avait d'égale que sa sincérité. Quand j'ai vu pour la première fois *Cyrano de Bergerac*, j'ai retrouvé mon grand-père : esprit, courage, honnêteté, poésie et tendresse, bref toutes les composantes du panache. C'est pour cela que je crois qu'il la méritait, son aristocratie, alors que tant s'en contentent, bien qu'ils n'y soient pour rien, et vous assomment avec leur généalogie. Cabot, mon grand-père ? On ne le lui aurait pas dit deux fois. Ses convictions religieuses lui auraient peut-être interdit de se battre en duel — je n'en suis pas sûr —, mais ce dont je suis certain, c'est qu'il aurait verbalement giflé celui qui l'aurait traité ainsi. Le cabot fait un numéro en public. En privé, en famille, il se dégonfle. Mon grand-père était partout et tout le temps le même. Il ne jouait aucun rôle. Il était nature. Pendant des années, il fut conseiller général de la Sarthe, ce département que nous aimons toi et moi. Il avait sur la politique et sur les politiciens en général des vues qui n'étaient guère conformes à celle de la majorité des électeurs. Là encore il ne mâchait pas ses mots. Au sein de l'assemblée départementale, il eut, pendant des années, un ennemi de poids : Joseph Caillaux, président du conseil général, l'époux volage de Mme Caillaux, celle-là même qui, le 16 mars 1914, déchargea son revolver sur Gaston Calmette, le directeur du *Figaro*. Chaque année, à la rentrée, « ce bon m'sieur Joseph », comme disaient les paysans sarthois, devait prononcer le discours d'ouverture de la séance du conseil général. C'était d'ailleurs le seul jour où mon grand-père prenait la parole, d'une façon imprévue à l'ordre du jour, mais qui revenait avec la régularité du *Delenda est Carthago* du vieux Caton. Il interrompait Caillaux par ces mots, toujours les mêmes :

« Monsieur le Président, vive Jeanne d'Arc ! »

C'était devenu un rite. Les farceurs attendaient le moment de ce fameux « Vive Jeanne d'Arc ! » lancé dans les gencives radicalement républicaines de Caillaux. Celui-ci n'a jamais digéré cet affront. Et quinze ans plus tard, à Mamers, son fief, il m'a confié son supplice : « Ce « Vive Jeanne d'Arc ! » empoisonnait tous mes discours. Je savais, au début de chaque séance inaugurale, que votre grand-père arriverait à le caser. Tous mes confrères attendaient ce moment avec anxiété et un malin plaisir... Un jour, je crus qu'il n'allait pas le dire. J'étais à la fin de mon texte. Je venais de terminer par un solennel « Vive la République ! » quand il se leva et enchaîna à la seconde même « *Vive Jeanne d'Arc ! Car c'est bien elle, la sainte de la patrie que vous devez applaudir !* » (On parlait alors de canoniser Jeanne d'Arc.) Il y eut un éclat de rire général et pas un applaudissement. Ce vieillard m'avait volé mon succès ! »

Il faut croire que ce « Vive Jeanne d'Arc ! » avait fini par empoisonner non seulement les discours de Caillaux, mais aussi sa vie privée, car la personne chez qui je l'ai rencontré à Mamers et qui était son amie de cœur, s'appelait... Mme Purifié !

La franchise de mon grand-père n'était pas à sens unique. Il aimait qu'on lui dise les choses en face. Et cela donnait souvent des résultats savoureux. Une fois par an, il conviait à sa table tous les maires de son canton. Obligation politique qu'il avait tout de suite aménagée par une double propagande : au même déjeuner, il invitait tous les curés des paroisses dudit canton. A la fin de l'un de ces fantastiques banquets dont aujourd'hui les repas de noces en province, pourtant copieux et bien arrosés, ne donnent tout de même qu'une pâle idée, on servit des bols d'eau tiède dans lesquels marinaient des rondelles de citron. Il s'agissait d'un rince-doigts marquant la pause avant le café. L'arrivée de ce breuvage inattendu provoqua une panique chez ces bons curés. Que pouvait bien être le liquide très clair dans un bol ? Une infusion ? Tout de même pas un consommé ? Leurs regards angoissés se portèrent vers leur doyen, l'archiprêtre de Conlie. Celui-ci, après quelques instants où il dut implorer l'aide divine, eut le courage de porter le rince-doigts à ses lèvres et d'en avaler le contenu, comme si cela s'était toujours fait. Ce geste héroïque fut immédiatement imité par tous les braves curés ! En sortant de table, le doyen s'approcha de mon grand-père et lui fit un éloge à haute voix :

« Monsieur le Duc, ce déjeuner était de qualité. Quelle table que la vôtre ! »

Puis, baissant le ton :

«... Mais je sais que vous n'aimez que la vérité. Alors vous ne m'en voudrez pas de vous faire un léger reproche... Voilà... Le petit grog servi avant le café, eh bien, il était un peu fade ! »

Cher bon papa... Avec lui, tout était merveilleux. Il m'avait appris l'art d'être petit-fils. Lorsqu'il fut gravement malade, il refusa un médecin et des infirmiers chez lui, dans son hôtel particulier, cet hôtel de la rue de Grenelle qui est aujourd'hui l'ambassade d'U.R.S.S.

— Cela te fait quelque chose ?

— Au moins, comme ça, on ne l'a pas démoli. On en a tant détruit avec une rage imbécile ! L'ancien ambassadeur Vinogradov, qui était un homme charmant, m'a un jour écrit pour me signaler qu'en effectuant des travaux, on avait retrouvé les armes de la famille sur un mur. Bref, malade, le duc a exigé d'être transporté à l'hôpital Saint-Joseph, dans la salle commune. Il y a rendu le dernier soupir, vêtu de la robe du bure du tiers ordre de Saint-François, que lui avait apportée le duc d'Alençon. Il est mort au milieu de la misère qu'il avait toujours combattue et dans la tristesse, lui qui était si gai. On pourrait dire : « Il est mort comme il a vécu : avec allure. » Moi je trouve, passe-moi le mot, que cela a de la gueule. Car, finalement, sa plus grande qualité (et qui devrait être la première de l'aristocratie) était l'humilité. A ne pas confondre avec la démagogie de ceux qui n'en font pas assez et la suffisance de ceux qui en font trop. Ce duc était bon et juste avec les humbles, féroce et implacable avec ceux de son monde qui le décevaient.

J'adorais mon grand-père. Avec le temps, je l'estime pour cette grande raison : il était toujours à sa place.

— Un aristocrate a-t-il sa place dans le monde actuel ?

— Oui. S'il est à sa place, il est un « phare », l'un des guides de sa génération. Là est sa vraie mission. Pendant des siècles, des hommes ont gagné leur place à la pointe de leur épée. Aujourd'hui, c'est avec des idées qu'ils doivent se battre. Ils ont, je le crois, un devoir absolu : ne pas se figer, ne pas se contenter d'être nés. Certains ont cru que cela suffisait. C'est médiocre. Je crois aux gens titrés lorsqu'ils ne font pas une activité de leur naissance. Je crois en eux lorsqu'ils sont mécènes, princes de la science, explorateurs, promoteurs de parcs attractifs, grands exploitants agricoles, bref lorsqu'ils font quelque chose qui a de l'envergure, lorsqu'ils ont compris que dans notre monde qui bouge, c'est à eux d'être le plus près possible de la tête du mouvement. Nous savons que peu à peu le travail remplace le capital. Il y a près de quarante ans, je me suis heurté à mon père à cause de cette vérité. Le duc n'était pas toujours commode, et le fait d'être colonel de hussards ne le disposait pas à être indulgent avec les indisciplinés. J'étais — je le suis toujours — indiscipliné. Les jésuites m'envoyaient d'une de leurs « maisons » à l'autre pour ce leitmotiv : « Brillant élève, mais mauvais esprit. » A chaque fois, le supérieur affirmait à mes parents : « Nous materons ce garnement. » Aussi quand, malgré leurs efforts, j'ai annoncé à mon père : « Je veux écrire », sa réponse cingla comme un coup de sabre :

« Tu auras un métier sérieux. Tu seras officier de cavalerie et, si tu as un peu de temps, tu rédigeras tes Mémoires. »

Si je l'avais écouté, je serais dans la garde républicaine ! Tu m'y vois ? Je devais être blanc de peur en osant lui répondre :

« J'écrirai, et si mes écrits me rapportent un peu, j'achèterai des chevaux. »

Je n'ai pas acheté de chevaux, mais je crois que j'ai bien fait de désobéir à mon père. Depuis, cela se fait beaucoup...

— Finalement, c'est en devenant Guy des Cars que tu estimes avoir le droit d'être aussi le comte des Cars. Est-ce que cela n'est pas de trop ?

— Cela prouve simplement qu'avec mon patronyme j'ai créé un pseudonyme. Et en plus, on m'a surnommé « Guy des Gares », ce qui ne me gêne pas.

Là, je sens qu'il est content. Il m'a sorti l'une de ces boutades qui agacent ses ennemis plus encore que ses livres. Pour la dixième fois au moins, il rallume le cigarillo qui s'éteint toujours sous le souffle de son verbe. Dans ce bureau de la rue d'Anjou, nous sommes seuls. Témoin silencieux, le magnétophone tourne. Un rideau de pluie tombe sur le square Louis XVI, dont les arbres montent jusqu'à notre vue. Dimanche d'automne, quartier désert : c'est un tendre moment pour les souvenirs... Je ne peux résister à l'envie de sortir quelques photos jaunies et des gravures d'époque pour jouer au jeu des portraits de famille.

— Et les autres, les ancêtres, il y en a que tu aurais aimé voir vivre de près ?

Un silence. Il fait son choix :

— Si la machine à remonter le temps existait, il y en a deux que j'aimerais avoir à ma table pour un dîner historique. Le premier est une femme, et même une maîtresse femme puisqu'elle a interdit à Molière de jouer avec sa troupe dans le Limousin. L'affaire s'est passée vers 1650. Molière n'était encore que l'animateur de la troupe de l'*Illustre-Théâtre*. Le Roi-Soleil ne l'avait pas encore réchauffé de ses rayons et de ses pensions. Molière — il n'a pas trente ans — arrive avec ses comédiens aux portes du Limousin. Comme tout ce qui touche au théâtre est mal vu et ses adeptes excommuniés, il semble que notre maîtresse femme, qui était une parente du gouverneur de la province, ait fait pression sur celui-ci afin que Molière installât ses tréteaux ailleurs. Il faut dire que Les Cars, le berceau de la famille, est un village à une trentaine de kilomètres de Limoges et que la famille a gouverné le Limousin jusqu'à la Révolution, date à laquelle tous ses représentants perdirent la tête, tous sauf un qui eut le bon esprit de sentir que les Conventionnels ne pardonneraient pas sept siècles de taille, de corvée et (peut-être) de droit de cuissage !

— Il a émigré. C'est une attitude de noble, ça ?

— C'est une attitude prudente ! Molière n'a, paraît-il, pas digéré l'affront subi. Vingt ans plus tard, il s'est vengé, avec la dernière œuvre que lui ait commandée Louis XIV. L'occasion était le remariage de Monsieur avec la princesse Palatine. Le Roi-Soleil ne détestait pas « donner un coup de pied dans la fourmilière de la cour », c'est-à-dire voir tourner en dérision certains travers des courtisans et ridiculiser des modes. Molière écrit donc *La Comtesse d'Escarbagnas,* où il met en scène notre mégère. Oui, à l'époque, des Cars s'écrit d'Escars. (Je n'ai pas découvert l'explication historique de cette coquetterie. Mais je préfère avoir un nom de transport en commun qu'un nom qui sent la maladie !)

La Comtesse est un acte en prose, qu'on pourrait sous-titrer : « Peintures d'un salon de province », mettant en scène une précieuse — aujourd'hui, on dirait : une snob — qui assomme tout le monde parce qu'elle est allée à Paris et qu'elle est encore éberluée d'avoir pu faire ce voyage. Elle déclare à propos de ses voisins de province — Molière a situé la scène à Angoulême : « *Où auraient-ils appris à vivre ? Ils n'ont point fait de voyage à Paris !* »

C'est donc une femme pédante et prétentieuse. Ce qui est amusant, c'est que le personnage de la comtesse et la pièce, créée à Saint-Germain le 2 décembre 1671, ont servi de modèle aux *Femmes savantes,* créées un an plus tard, en 1672.

Je ne sais pas si la vraie comtesse vivait encore à l'époque et si elle s'est reconnue. Elle avait, paraît-il, une réputation de procédurière. Pour un rien, pour un oui ou pour un non, elle assignait tout le monde en justice ; mais comme Molière était devenu le directeur de la *Troupe du Roy,* elle n'a sûrement pas osé se plaindre : on ne fait pas un procès à Louis XIV !

Chère *Comtesse*... On ne la joue plus depuis 1938, bien qu'elle soit théoriquement au répertoire du Français. Molière, lui, l'a fait jouer quarante-cinq fois, soit presque autant que *Les Femmes savantes.* En deux cent soixante-sept ans, *La Comtesse* n'est montée sur les planches que six cent vingt-quatre fois, soit environ deux cent trente fois par siècle. Ce n'est pas assez pour atteindre à l'immortalité. Mais elle s'est vengée : elle n'a pas salué Molière lors du programme du tricentenaire de sa mort...

— A moins que ce ne soit Molière qui se soit vengé en lui infligeant la pénitence de l'oubli ? Les des Cars sont rancuniers ?

— Je ne le pense pas. Mais certains, dont je suis, ont bonne mémoire...

— A propos de mémoire, est-ce que l'on se souvient mieux de ton autre invité à ce dîner impossible ?

— Les Pieds-Noirs ne peuvent pas l'avoir oublié. Il a donné Alger à la France, en 1830. D'ailleurs nous sommes de vieux amis, lui et moi... Son buste est à quelques pas de ce bureau, dans la salle à manger.

— Si nous allions lui faire une petite visite ? Tu pourras me parler de lui face à lui. Et qui sait, s'il n'est pas d'accord, il protestera peut-être ?

Sur un buffet — qui n'est pas Henri II —, il trône, taillé dans le bronze. C'est lui qui préside vraiment les agapes familiales.

— Fais les présentations...

— Amédée, François, Régis de Pérusse, duc des Cars, lieutenant général commandant la 3e division du corps expéditionnaire de l'armée d'Afrique, sous les ordres du maréchal de Bourmont. Franchement — et comme je ne lui ressemble pas du tout, je peux le dire — il est très beau. Bouche sensuelle, chevelure abondante et blonde, des yeux qui, paraît-il, étaient bleus, comme ceux de mon père — et des favoris discrets. Quant à ses décorations sur la poitrine, il a le bon goût de ne pas en abuser.

Tu vois, il nous regarde sans sévérité mais sans indulgence. Chaque fois que nos yeux se croisent, je pense à la devise de la famille — la sienne, la nôtre : « *Fais que dois, advienne que pourra.* » Franchement, elle ne m'enchante pas tellement, cette devise. Aujourd'hui, elle a un côté fataliste qui me déçoit. Seulement, de Saint Louis à 1830, cet « *advienne que pourra* », c'était la place de la volonté divine. C'était, écrit d'une autre façon : « Si Dieu le veut. » En revanche, « *Fais que dois* » me plaît beaucoup. Et notre conquérant a fait ce qu'il devait : il a conquis, et pour une fois ce ne fut pas une boucherie exagérée. Ce ne fut tout de même pas une promenade d'agrément. Avec ses dix milles hommes, il ne s'est pas ménagé. En quatre jours, du 25 au 29 juin 1830, sa seule division a perdu mille combattants. Il réclamait toujours l'honneur d'être en première ligne, et dans la prise d'Alger il a souvent tenu les positions les plus difficiles. J'ai retrouvé — et pourtant je ne suis pas un rat d'archives — un portrait de lui fait par le prince de Schwartzenberg, fils du maréchal qui commandait les armées de la dernière coalition en 1815. Il écrit ceci : « *Le général méritait complètement l'affection et la considération que chacun lui accordait. Brave devant l'ennemi, aimable dans ses manières, il réunissait les qualités du soldat à celles de l'homme du monde. Dans les combats, et à la manière dont il supportait la fatigue, on l'aurait pris pour un grenadier. C'était un vrai type de l'ancienne chevalerie française ; il était honoré même de cette partie de l'armée que ses opinions politiques éloignaient le plus de lui. Là où le péril était le plus grand, il donnait l'exemple de la plus belle bravoure et les ordres les plus sages. Il savait ménager la vie du soldat et exposer la sienne.* »

Oui, je sais, c'est un peu long, un peu laudatif, mais en le regardant je l'imagine bien ainsi. Ni brute ni lâche... Et quand Bourmont prit officiellement possession d'Alger, le 3 juillet, il s'engagea envers le dey d'Alger sur plusieurs points, notamment « *à respecter les femmes des habitants d'Alger. Le général en chef en prend l'engagement sur l'honneur* ». Je suis sûr que le duc des Cars fut très strict sur l'exécution de cet ordre. Pourtant, je pense qu'il savait également conquérir les cœurs.

Est-ce la flamme ravivée des souvenirs ? Il me semble que le visage de bronze s'est animé, éclairé d'un sourire presque complice...

— Aujourd'hui, il y a encore des conquérants ?

— Il n'y a plus grand-chose à conquérir par les armes. Mais il existe un pays qui est en train de se conquérir lui-même : c'est le Brésil. De Manaus à la frontière du Pérou et de la Colombie, l'Amazone est le théâtre d'une véritable conquête de l'Ouest de l'Amérique du Sud. Chose incroyable : on vient de découvrir un affluent de l'Amazone d'une longueur de cinq cents kilomètres. Une rivière comme la Seine et que personne ne connaissait ! C'est fascinant. Et c'est une leçon pour tous ceux qui prétendent que nous sommes mieux informés qu'il y a dix ans. Les hommes de l'espace, des conquérants ? Je ne crois pas. Il y a trop de technique et d'automatismes dans une mission. Je suis peut-être injuste, mais après les premiers pas sur la lune, l'enthousiasme des millions de terriens non arrachés à la pesanteur est retombé à zéro. Tiens, pendant que nous parlons, l'équipe de *Skylab* est toujours en l'air depuis un mois. Qui s'en soucie en dehors des spécialistes ? C'est devenu de la routine, presque une rubrique comme celle des accidents de la route. Tu ne trouves pas cela choquant, toi, le journaliste ?

— Il y a surtout une terrible loi : celle de la relativité de l'actualité. Dans les quotidiens de province, cette loi est constamment vérifiée : « Un facteur se noie dans la Sarthe » peut avoir droit à la première page à côté de « Trois mille morts de faim en Inde » ou « Skylab : ils reviennent ! »

— Justement, c'est peut-être pour cela qu'ils ne sont pas des conquérants, ces astronautes : on est sans cesse au courant de ce qui leur arrive. On peut les aider, on peut les sauver. Tandis que lorsque « l'information » n'existait pas, on ne connaissait que le résultat, souvent avec un grand décalage. Quand Stanley et Livingstone s'enfonçaient en Afrique, le tam-tam ne traversait pas la Méditerranée. Les conquérants, ce furent d'abord des gens dont on était sans nouvelles...

— Mais du général, il me semble que tu as eu des nouvelles ou plutôt des nouvelles de sa statue...

— Oui. Tristes nouvelles, d'ailleurs... Cela avait bien commencé, si je puis dire, par un décret présidentiel du 28 mai 1912 autorisant l'érection du buste du général, sur la demande du conseil municipal de Dély-Ibrahim, la proposition du préfet d'Alger et l'avis du gouverneur général de l'Algérie. Dély-Ibrahim, c'est le champ de bataille où le lieutenant général s'est illustré. Il avait installé son Q.G. dans un petit bois. Ce petit bois, avec le temps, a connu d'autres stratégies, d'autres tactiques. Les amoureux s'y sentaient en sécurité pour des ébats sans témoins. Il paraît même que le socle du buste était annoté d'émouvants « A toi pour la vie » ou « Toi et moi », le tout enserré dans un cœur digne de Peynet. Bref, le général voyait la vie en rose...

En signant le décret, M. Fallières s'était montré le président d'une République reconnaissante aux conquêtes coloniales de Charles X. Républicains ou monarchistes, sous le soleil algérien, on était entre Français. On sait ce qu'il advint. Avec l'avènement de la République algérienne, le duc des Cars — il ne fut pas le seul — fut déclaré *persona non grata*. Son buste avait cessé de « *conserver au milieu des populations rurales du Sahel le type du noble, distingué et généreux soldat* », pour devenir un symbole arrogant de la colonisation. Le général fut assassiné à titre posthume : un matin sanglant de l'indépendance, une balle de revolver traversa son buste. Plus tard, à Alger, on a voulu débaptiser la rue des Cars. Depuis, dans plusieurs pays d'Afrique, des dizaines de noms français ont disparu, même ceux de capitales. Par exemple, Fort-Lamy, c'est fini. C'est devenu Najamena. Il n'y a guère que le nom du général de Gaulle qui ait échappé à cette révolution culturelle. C'est là où l'on reconnaît l'indépendance des nations : dans leur faculté de se donner un nouvel état civil.

Après avoir été « assassiné », le duc fut « exilé ». Une scène d'émotion intense s'est déroulée dans la cour d'une caserne des environs d'Alger. Le colonel de Monclin, chef de cabinet du général Le Masson, commandant le corps d'Armée d'Alger, avait été chargé de rassembler à Reghaia, dans une cour de l'état-major, les statues et monuments transportables érigés en l'honneur des conquérants français, tous ceux qui avaient permis que pendant près de cent trente ans l'Algérie fût un département français et Alger la seconde ville de France. Environ une trentaine d'hommes. Leurs statues et leurs bustes furent alignés en bon ordre. Certains avaient déjà souffert de la décolonisation. L'officier les passa, en quelque sorte, en revue. C'était une forme particulièrement émouvante de l'appel aux morts... Il y eut, paraît-il, une minute de silence devant ces témoins figés, seulement couverts de leur poussière de gloire, et tous — en bronze ou en pierre — décapités, mutilés ou éventrés, mais dans un dernier garde-à-vous sous le soleil de la Mitidja. Peut-être pensaient-ils que l'expédition d'Alger avait été effectivement décidée un 13 mai — oui, le 13 mai 1830 ?... Les conquérants déboulonnés prirent le chemin de la France qui n'était plus la métropole. Le général voyagea aux frais de l'armée jusqu'à Marseille.

Retour sans faste, presque en hâte, d'un duc rapatrié lui aussi. Dans sa caisse, il attendit d'être dédouané. Puis la famille assura son transport vers Paris. Son voyage s'y termina un matin à la gare des Batignoles, où il fut démobilisé contre la remise de son titre de transport : Alger-Paris via Marseille.

Le général était en règle, prêt pour la retraite. Il l'a prise dans le château familial de Sourches, près du Mans, bien qu'il ait été convenu, à l'époque, qu'il nous reviendrait...

— Tu as donc hérité d'une copie ?

— Oui. Sa valeur historique est évidemment faible, puisqu'il ne vient que du grenier d'une vieille tante. Mais, finalement, je crois que je préfère le voir intact sans sa blessure au flanc gauche. Elle nous a fait à tous mal au cœur et pour nous elle saigne encore. Mais notre buste a connu une gloire que peut lui jalouser l'original : celle de la télévision. C'était en octobre 1971. Eliane Victor m'avait demandé, tu t'en souviens, de faire la dernière émission de la série : *L'Invité du dimanche*. Je fus heureux d'y réunir quelques amis : Gaston Bonheur, l'historien Arnaud Chaffanjon, le cher Roger Cazes, patron de l'inégalable brasserie Lipp qu'il m'arrive de fréquenter un soir sur deux, et Enrico Macias.

Sans faire de politique — je n'en ai jamais fait — j'avais envie de rendre hommage au général. Arrive le dimanche. Je transporte le buste au studio de la rue Cognacq-Jay. Le gardien, soupçonneux devant le bronze qui n'a pas de laissez-passer, m'interroge :

« Vous allez au magasin des accessoires ?

— Je vais sur le plateau de *L'invité du dimanche.* L'invité, c'est moi.

— Ah ! bon... C'est à vous, ça ?

— « Ça » ? Oui, c'est à moi. Un ancêtre...

— Remplissez tout de même le formulaire. Sinon vous ne pourrez pas le ressortir. »

L'O.R.T.F. était devenu prudent à la suite de certaines disparitions d'accessoires. Les instruments de musique, en particulier les pianos à queue, avaient tendance, m'a-t-on dit, à être déménagés par des Arsène Lupin de studios.

Je remplis : « Nom de l'émission, origine de l'accessoire, destination. » Et j'enfonce le papier dans ma poche.

On installe le buste au milieu des plantes vertes. Des pauses musicales avaient été prévues pour « aérer » l'émission. La première devait être fournie par un orchestre uniquement composé de femmes. Ensemble émouvant — l'un des derniers du genre qui charmait les clients de la brasserie Maxéville, boulevard Montmartre. Déversant leurs valses langoureuses sous l'œil du duc de bronze, ces dames répètent. L'une des violonistes, le regard perdu dans le fouillis de câbles et de projecteurs, glousse un petit cri :

« Mais c'est le général des Cars ! »

Native d'Alger, la violoniste venait de reconnaître ce Pied-Noir rapatrié lui aussi.

Puis Enrico Macias me fit l'amitié de chanter une chanson d'amour inédite. Les cameramen cadrèrent sur une même image celui que Paris avait pris dans ses bras avec celui qui avait pris Alger. Décidément, le général était en pays de connaissance...

Mais le fait de passer à la télévision a beau être

une carte de visite enviée, ce n'est pas un passe-partout. Quand quatre heures plus tard je me retrouvai devant la loge du gardien, il avait dû se produire un changement d'équipe. Le nouveau responsable me dit, en découvrant le buste :

« C'est un accessoire personnel ?

— Oui... Je l'ai apporté pour *L'Invité du dimanche.*

— Ici, vous savez, je ne regarde pas les émissions... »

Logique. Et, administratif, il poursuit :

« Vous avez dû remplir un formulaire d'entrée ? »

Je fouille mes poches. Rien qui ressemble à une déclaration d'importation temporaire en O.R.T.F. J'avais perdu ce papier !

« Je suis désolé... Je ne le retrouve pas. C'est stupide...

— Ah ! monsieur, c'est embêtant cela... Nous avons des ordres très stricts !... »

L'arrivée d'un réalisateur de l'émission me sauva...

Dans le regard du gardien, il me sembla voir ce commentaire laconique :

« Encore un général qui passe... »

Moralité : à la télévision comme ailleurs, il est facile d'être célèbre, il est beaucoup plus difficile d'être connu.

— Comme « fils de famille », tu as naturellement été élève des jésuites. Est-ce un bon souvenir ?

— Douze ans pensionnaire, levé à six heures trente, la glace à casser dans les lavabos les matins d'hiver, des versions grecques et latines de quatre pages, du poisson pas toujours frais le vendredi mais qu'il fallait mâcher pendant qu'un élève lisait la vie d'un saint, des châtiments durs et la messe considérée comme une distraction, cela ne constitue pas, à priori, de bons souvenirs...

C'est pourtant chez les « bons Pères » (dans « nos Maisons » comme disent les jésuites en parlant de leurs institutions) que j'ai pris goût... au théâtre.

Si aujourd'hui, j'aime aussi bien une bonne revue des Folies-Bergère qu'une bonne pièce de boulevard, c'est un peu parce que les jésuites étaient de grands organisateurs de spectacles. Avec une maestria digne de Cecil B. de Mille (« Cecil Billet de Mille » comme disait Henri Jeanson), ils transformaient leurs bons élèves en mauvaises troupes théâtrales. Des troupes dont le répertoire n'avait rien à envier à celui des tournées de province qui jouent sans avoir le talent éclectique de la Comédie-Française *La puce à l'oreille* en matinée et *Ruy Blas* en soirée.

Evidemment, chez les jésuites, on faisait plutôt dans le théâtre bien pensant.

Mon premier rôle — quand je dis premier, c'est par ordre chronologique — était une apparition modeste dans *Tarcisius,* une tragédie bien sûr, se déroulant au commencement de l'ère chrétienne. *Tarcisius* était une œuvre édifiante : cinq actes adaptés d'une légende par je ne sais plus qui. Un jeune praticien, Tarcisius, qui était chargé de porter l'Eucharistie pendant les persécutions de Néron, se faisait lapider par la foule des païens plutôt que de livrer son précieux Trésor. L'action emmenait le spectateur dans les catacombes où le pape Calixte disait une messe, et aussi au Forum où se déroulait une grande fête, c'est-à-dire un vague ballet pudiquement réglé par un bon père, sur les conseils du moniteur d'éducation physique.

J'ai dit que les bons élèves avaient le droit de jouer dans ces pièces. Or, mon assiduité aux études était plutôt relâchée. J'étais beaucoup plus intéressé par un projet de journal (qui est devenu celui des Anciens Elèves) que par les récits de Xénophon, les pages de Tacite ou le carré de l'hypothénuse. Rien donc ne me destinait à monter sur les planches du collège.

Au lieu de récolter des bons ou des mauvais points à la fin de chaque semaine, on obtenait des... voyelles de l'alphabet : A, E, I, O. A pour les élèves très gentils et très studieux, O pour les chahuteurs et les cancres. E, I pour les moyens. A cause du chahut — les jésuites disaient « mauvais esprit » — j'avais souvent des O, des zéros en quelque sorte. Mais quand je découvris la petite affiche placardée sur les murs de l'*atrium* (parloir) par le concierge qui annonçait que seuls les élèves A auraient un rôle dans *Tarcisius*, un zèle soudain me poussa à des efforts très intéressés. J'eus des notes bien meilleures. J'eus droit à la lettre A sur mon carnet. C'était un miracle, ce qui était normal s'agissant d'une tragédie chrétienne...

Tragédie à grand spectacle : nous étions plus de cent en scène ! La figuration était d'autant plus nombreuse qu'elle était gratuite. Le metteur en scène (soyons juste : c'était plutôt un metteur en place) qui était le président des Anciens Elèves, un certain baron de Berwick, nous réunit pour nous lire la pièce et, sa lecture terminée, conclut :

« Je tiendrai le rôle du pape. Qui veut être chrétien ? »

Tous les doigts se levèrent.

— Moi ! Moi ! Moi !

— Et qui veut être païen ?

Un silence pas catholique fut la seule réponse. Le metteur en scène se fit convaincant.

— Allons, mes enfants... Il nous faut tout de même des païens... Pas trop, bien sûr, mais tout de même...

Son regard lourd de reproches allait de l'un à l'autre.

Il continua :

— Bien. Dans ces conditions, je vais désigner un volontaire...

Et le premier « volontaire », ce fut moi.

— Toi ! Tu es le plus petit, cela ira. Passe à gauche, les chrétiens à ma droite... »

Le « pape » se prenait pour Dieu le Père. Les chrétiens à sa droite, les païens à sa gauche ; sa distribution prenait des allures de Jugement dernier.

Une heure avant la représentation, nous reçûmes l'ordre d'aller nous faire maquiller.

De ses mains onctueuses, le « pape » en personne enduisait d'un vague fond de teint les visages de collégiens se présentant devant lui. Et pour moi, le maquillage c'était la clé du théâtre. Pas de maquillage, pas de théâtre. Pierre Gaxotte, le souriant académicien, racontait qu'ayant un jour donné des places de théâtre à sa cuisinière, celle-ci n'était pas rentrée contente de sa soirée.

« — Mais pourquoi ? demanda Pierre Gaxotte. La pièce ne vous a pas plu ?

— Ce n'était pas du théâtre, monsieur. Pour moi, le théâtre, c'est une reine qui a des malheurs... »

Admirable formule... Eh bien, pour moi, à l'époque, le théâtre c'était d'abord des acteurs maquillés. Le « make-up » qui fut plus tard si élaboré à Hollywood était un véritable passeport pour les planches.

— Chacun son tour ! Ne poussez pas ou je consigne ! » menaçait le « pape » pour canaliser la marée humaine qui se bousculait devant ses pots de crème. Une consigne ? Etre consigné par le « pape » au lieu de jouer ? C'eût été comme une excommunication !

Ce fut le moment où le garçon qui me suivait me tapa sur l'épaule. Je me retournai.

— Tu es païen, toi ? » me demanda-t-il d'un air méfiant.

— Oui... pas toi ?

— Je suis chrétien ! Alors, je passe devant toi ! Les païens sont maquillés après les chrétiens... »

De chrétien en chrétien, je dus reculer jusqu'à la fin de la colonne.

Quand enfin j'arrivai devant « Sa Sainteté », elle me donna une tape amicale rappelant celle de la Confirmation et m'avoua :

« Je n'ai plus de fond de teint... Mais tu es tellement brun que tu n'as pas besoin de maquillage... Ça ira, ne t'inquiète pas. » Plus de fond de teint ! La rage me monta au cœur. C'était trop fort : j'avais cédé ma place et, païen, on m'avait persécuté. Un comble ! Jouer sans être grimé, quelle honte ! Tout le monde, c'est-à-dire mes parents, ma famille, tout le monde me reconnaîtrait...

Mon rôle était muet et je n'étais pas souvent en scène. Ce qui me fait penser au fameux sketch de Fernand Raynaud, l'histoire du hallebardier dans un sombre drame qui raconte : « *Je n'apparaissais qu'au cinquième acte !* »

Pourtant, malgré l'absence de texte, j'avais, si je puis m'exprimer ainsi, mon mot à dire : d'une mimique, j'indiquais à la foule que Tarcisius était un chrétien. Je le dénonçais. Et quand ce moment de grand suspense arriva, je mis toute ma rage de gosse qui a le cœur gros dans mon geste de délation... Et plus tard, je me suis vengé du baron qui m'avait persécuté en déclarant que c'était bien le plus mauvais pape que j'aie vu en scène...

Le théâtre était devenu une occupation privilégiée pour un petit groupe dont je faisais partie. Notre zèle aux études était intermittent. Dès qu'il était question d'une nouvelle pièce, je quittai provisoirement la zone des O pour gagner celle des A. J'ai ainsi joué *La Belle Hélène*, pudiquement transformée en *Voyage d'Achille*. C'était bien l'histoire d'une randonnée mais pas tout à fait celle imaginée par Meilhac et Halévy. Même les flonflons pétillants et la spirituelle musique d'Offenbach avaient été « arrangés » par le professeur de musique. Quand je vis la pièce intégrale beaucoup plus tard, j'eus quelques surprises.

J'ai aussi joué *Esther* et *Athalie*... en travesti. Les

jésuites semblaient raffoler des déguisements. J'ai joué (c'est fou ce que j'ai joué...) *Le Gendre de Monsieur Poirier* sans sa fille. Elle avait été remplacée par un « frère » dont le rôle était parfaitement grotesque. Le comble des combles a sans doute été l'adorable *Triple-patte* de Tristan Bernard : tous les rôles féminins y étaient supprimés !

Quand je pense qu'il y a aujourd'hui des gens pour se plaindre de la censure ! On aurait pu, en ce temps-là, constituer une nouvelle S.P.A. (Société de Protection des Auteurs) car certains auraient eu du mal à reconnaître leur prose ou leurs vers dans ces versions adaptées, édulcorées et asexuées. D'autres auraient sans doute été ravis : être joués dans les patronages, c'était tout de même une référence.

— Mais tout cela constitue de bons souvenirs...

— Aujourd'hui, oui. Mais sur le moment, je prenais tout très au sérieux.

— Tu n'as tout de même pas fait le conservatoire ?

— Loin de là... Et mon père, averti de mes penchants pour ce qui n'était pas encore la vie d'artiste, me dit un jour :

« Les études, c'est bien joli, mais il te faut un métier manuel. » Et mon frère et moi prîmes des leçons de cordonnerie et de menuiserie.

Cela se passait à Saint-Symphorien, ce village sarthois où nous nous sentons en famille, à deux kilomètres du château. Nous avions une dizaine d'années et pendant trois étés, nous avons travaillé chez des artisans du village. Inutile de dire que nous étions ravis. Nous nous sentions utiles et nous voyions le résultat de nos efforts. J'ai réussi à faire une paire de galoches, ces chaussures en bois qui viennent du fond de notre histoire puisque la galoche était la chaussure ou le sabot gaulois... Et je ne fus pas peu fier d'accrocher cette paire à côté de toutes les autres, pendues à un fil au-dessus de l'atelier qui sentait bon le cuir et la colle.

Ces trois ans de travaux pratiques de vacances furent sanctionnés par un brevet d'apprenti cordonnier. C'est mon plus beau diplôme. Mon frère était plus intéressé par le travail des planches et des lattes de bois.

Le menuisier, qui travaillait pour tout le monde, faisait aussi, bien entendu, les cercueils. C'était absolument passionnant. Nous adorions le voir préparer des modèles différents, de tailles diverses. Et un jour, nous sommes rentrés horriblement en retard pour déjeuner à Sourches. C'était épouvantable. La cloche avait sonné. Mon père qui supportait mal d'avoir faim, était à table et son accueil fut glacial.

« Pourquoi êtes-vous en retard ? Le menuisier sait très bien que vous devez être à l'heure... » tonna-t-il.

Nous n'eûmes pas à mentir.

« Père (je n'ai eu le droit de le vouvoyer qu'à ma majorité) c'est à cause de l'enterrement du cafetier... »

Mon père blémit. Pour le duc des Cars, ce n'était pas une raison.

« Comment ?

— Mais c'est la vérité... On l'a enterré tout à l'heure. Nous sommes allés jusqu'au cimetière... C'était normal. C'est nous, en grande partie, qui avons fabriqué son cercueil... »

Le soir est tombé avec le silence. Mais le musée de ses souvenirs est toujours ouvert. Il n'y a pas d'heure ni de jour férié pour la mémoire.

A l'autre bout de la pièce, entre deux fenêtres, un portrait en pied nous domine. Immense, magnifique. Un portrait de femme. Elle a l'allure d'une grande dame. On a l'impression de l'avoir rencontrée dans *A la recherche du temps perdu*. Elle est belle. D'immenses yeux noirs lui dévorent le visage qui est encore celui d'une jeune fille. Mais la taille bien prise dans une robe sévère atteste qu'elle est déjà femme.

— Tu regardes maman ? Elle fut l'une des plus

belles femmes de son temps. Un temps, d'ailleurs, où la mode habillait admirablement toutes les femmes. C'est ce portrait — il date de 1903 — qui m'a donné l'idée d'un roman : *La Tricheuse*. Quand, petit garçon, je regardais ce tableau, je trouvais que maman avait l'air plus âgée qu'en réalité. C'était encore le temps où la femme de trente ans était une femme plus que mûre. Vingt ans plus tard, en regardant ce même portrait, ma mère me semblait avoir rajeuni. Entre-temps, les femmes avaient toutes appris à tricher avec leur âge et leur beauté. *La Tricheuse*, c'est une femme qui ne vieillit plus, c'est-à-dire qu'à cinquante ans elle peut en paraître trente-cinq.

— Je crois que cette belle dame venait de très loin...

— Oui. Elle arrivait littéralement du bout du monde, d'un pays que peu de Français connaissent, mais que certains ont porté aux nues lorsqu'il s'est engagé dans une aventure politique désastreuse. Les mêmes ont d'ailleurs récemment tenté de mobiliser l'intelligentsia pour voler à son secours : le pays se trompait de révolution. Eh bien, oui ! c'est le Chili. Maman était chilienne, et je dois à cette nationalité lointaine d'avoir découvert une Amérique du Sud fabuleuse. Et pourtant, j'étais envoyé là-bas « en exil »...

— Ce n'était tout de même pas un bagne ?

— C'était le paradis ! Je ne te parlerai que du Chili que j'ai connu. On n'y faisait pas la révolution, mais des choses tellement plus agréables dans un décor qui est, je pense, l'un des plus beaux du monde. L'aventure a commencé... à Nancy. Théoriquement, j'y étais étudiant en droit. Le droit, dans les années 1930, c'était un paravent derrière lequel s'abritaient beaucoup de fils de famille qui ne savaient pas trop quoi faire et dont les parents ne savaient pas quoi faire non plus ! Mon père m'avait donné huit jours pour choisir une carrière, j'avais fait semblant de baisser pavillon. Car moi je savais très bien que je voulais écrire, et pas des actes notariés... J'aurais donc un alibi officiel tout en conservant mes rêves secrets. Heureusement, mes études se déroulaient davantage dans les brasseries que dans les amphis. Quelle pouvait être l'importance de savoir qu'en droit romain il y avait une différence entre le mariage *cum manu* et le mariage *sine manu ?* Pour moi, aucune. J'étais quotidiennement le témoin d'un nombre impressionnant de mariages de la main gauche. A force de vivre dans une atmosphère de mariages, je tombai amoureux. De bonnes langues avertirent mon père. L'avertissement fut aggravé par des résultats d'examen particulièrement désastreux.

Comme toujours, le duc prit une décision sur-le-champ :

« Mon garçon, cela suffit ! Tu vas partir très loin. Et je compte bien que cet éloignement te fera prendre la vie au sérieux. Tu as vingt-quatre heures pour préparer tes bagages... »

C'était dit, comme d'habitude, d'un ton militaire. C'était un ordre, excluant toute réplique. Mais je n'eus pas, ce jour-là, l'envie de répondre. Je passai une nuit de fièvre : je partais pour le Chili ! A vingt mille kilomètres de la Lorraine ! J'eus quelques larmes pour mes amies et pour mes nuits passées à griffonner des couplets de revue ou des nouvelles sur un coin de table, entre les demis et les assiettes de charcuterie. De la prose alimentaire en quelque sorte, qui ne me rapportait alors que des rêves de gloire... Mais l'aventure était là ! Partir sur les traces de Pizarre, traverser la cordillère des Andes, observer la Croix du Sud, se baigner dans le Pacifique, c'était fabuleux ! Le voyage aussi, d'ailleurs, car, bien entendu, à ce moment-là les moyens de transport ne vous laissaient pas sur votre faim. On avait le temps d'avoir l'impression de voyager... Une exquise impression que la rapidité des Boeing a rendue bien rare aujourd'hui ! On est frustré... Il n'y avait que quelques sacs de courrier qui prenaient l'avion. L'Aéropostale était créée, mais « la ligne » n'était pas encore pour les passagers. Pour moi : bateau jusqu'à Buenos Aires, train de Buenos Aires à Santiago, bref des semaines de voyage. A peu de chose près, l'expédition avait le rythme de celle des conquistadores.

— Quel fut ton premier « choc » d'Amérique du Sud ?

— Le Brésil, car Rio fut la première escale du *Conte Verde*, un paquebot italien sur lequel j'avais été embarqué. Mais Rio a été tellement décrit que je te renvoie à ta salle Pleyel habituelle. Sur le moment, ce fut à Santos, le port de São Paulo, que je fus très impressionné. Santos était l'un des grands centres d'exportation du café. Sur les docks, des centaines de Noirs déchargeaient des trains entiers de café et remplissaient des bateaux à destination de l'Europe. Sur les quais, une épouvantable odeur de brûlé assaillait les narines. Et je remarquai que toutes les locomotives des trains de voyageurs étaient à l'arrière des wagons. L'explication était simple : l'Europe ne pouvant plus livrer de charbon au Brésil, les locomotives marchaient au café ! Mais l'odeur était telle que pour ne pas incommoder les voyageurs, les machines poussaient les wagons au lieu de les tirer.

— Le grand-père à bottines autour du cou aurait été ravi...

— Sûrement ! D'autant que j'ai retrouvé une littérature ferroviaire à Buenos Aires. La librairie française avait consacré une vitrine entière à *La Madone des sleepings*. Je me devais d'y entrer. Il était charmant, le libraire, le señor Benavides, tout rond et portant des lunettes d'or...

« Ah ! monsieur ! Quelle joie de voir un Français !... »

Je le félicitai sur son manque d'accent espagnol.

« C'est que, me dit-il, je lis beaucoup dans votre langue.

— Et quels sont vos auteurs préférés ?

— Mais, voyons, cela ne fait aucun doute : les deux plus grands, c'est-à-dire Maurice Dekobra et Balzac ! »

Note l'ordre du choix. Il me rappelle une anecdote récente. En voiture, un soir, porte Maillot, je passe à un feu orange. Sifflet d'un motard que je n'avais pas vu. Je prends un air désolé, sincèrement navré. Je laisse entendre que je ne le ferai plus... Rien n'y fait. Je suis bon pour le procès-verbal. Quelques jours après, un ami intelligent doublé d'un producteur d'émissions littéraires, Pierre Lhoste, se trouve dans un café-restaurant du Val-de-Marne. Il habite à côté et vient souvent l'après-midi, quand la salle est déserte, lire un livre pour préparer son émission.

La patronne s'approche et lui dit :

« Ah, monsieur Lhoste, vous qui voyez les écrivains, vous connaissez peut-être Guy des Cars ?

— Je le connais très bien. Mais pourquoi ?

— Vous savez que Fernand, mon mari, est motard. Et il a mis un procès-verbal à Guy des Cars ! Pour un feu rouge !

— Mais... je ne vois pas ce que je puis faire ?

— Monsieur Lhoste, c'est épouvantable ! Il est mon auteur favori ! Je ne lis que Guy des Cars. Avant, j'aimais Balzac... »

Tout de même...

Et c'était vrai !... La femme du motard avait tous mes livres, soit une trentaine. Je les ai dédicacés au cours d'un merveilleux dîner organisé par Pierre Lhoste.

— Et la contravention ? C'était un peu un autographe du motard...

— Je l'ai réglée ! Mais finalement c'est moi qui ai été payé : j'avais rencontré une lectrice inconditionnelle. Je défie un confrère de prétendre que ce n'est pas là une réelle satisfaction...

— Et le Chili ? Où en sommes-nous ?

— Nous nous en rapprochons... à soixante kilomètres à l'heure. En train, bien entendu. Mais quel train ! Il est peut-être moins célèbre que le Transsibérien, mais il est de la même race et, bien qu'effectuant un trajet beaucoup plus court, il appartient à la même famille. C'est le Transandin, qui relie Buenos Aires à Santiago du Chili... Quinze cents kilomètres à travers la pampa des gauchos et les Andes tragiques de Mermoz et de Guillaumet. Vingt-six heures de fumée et de gorge sèche (parce que la voie, à cette époque, ne possédait pas de ballast) pour atteindre Mendoza, au pied des Andes, cette barrière de sept mille mètres, second toit du monde après l'Himalaya.

A Mendoza, je change de train : la voie de montagne est à crémaillère, et plus étroite. Dans mon compartiment, un homme élégant et qui n'arrête pas de me parler de l'Argentine depuis des heures — les bœufs, les gauchos, le tango — sort une caisse petite, rectangulaire, et la garde sur ses genoux comme un trésor fragile. Nous montons, lentement, une locomotive à l'avant, une autre à l'arrière. De temps en temps, d'effroyables grincements immobilisent le convoi. Des chèvres ou des lamas broutent l'herbe jaunie entre les traverses. Cela se passe en famille. Tout le monde descend, bat des mains, crie, chasse les troupeaux. Et l'on repart.

En tendant son index vers la cordillère, mon voisin me dit simplement ces mots :

« *El rey !* » (« Le roi »).

C'est bien d'un roi qu'il s'agit. Le roi des Andes, l'Aconcagua, deuxième sommet du monde après l'Everest et qui frise les sept mille mètres. Le panorama est fantastique. A perte de vue, des pointes glacées ; toutes font cinq mille mètres et plus.

Je n'ai pas remarqué que mon voisin avait ouvert sa caisse pour en sortir... une bouteille de champagne ! De champagne français, dans une feuille de *La Prensa*, le grand journal de Buenos Aires. Il s'amuse de mon étonnement. En espagnol, il m'explique :

« Dans cinq minutes, nous entrerons dans un tunnel. Sa traversée dure une demi-heure. Exactement au milieu, vous entendrez une sonnette. C'est la frontière. Nous serons au Chili. Chaque fois que j'y passe, je bois du champagne pour célébrer la réconciliation de mon pays, l'Argentine, avec le Chili. Il n'est pas très frais, mais cela ne fait rien. Tenez, voici *Le Christ des Andes.* Cette statue colossale a été érigée pour célébrer, elle aussi, cette réconciliation. »

Il avait à peine fini de parler que nous fûmes dans le noir. Nous avions des masses hautes de cinq mille mètres sur la tête, et pas de veilleuse dans le compartiment. Mais l'Argentin m'avait tendu son briquet. La flamme permettait de voir ses manches toutes blanches. Il s'affairait avec la bouteille. Il sortit deux gobelets et m'en tendit un lorsque, dans le vacarme amplifié de ces wagons en bois roulant sous la cordillère, une sonnette — actionnée par le passage du train — domina ces bruits sourds.

« Permettez-moi de vous souhaiter la bienvenue au Chili, le pays de votre mère. *Salud, amor, y pesetas !* » (« Santé, amour, et argent ! »).

Et il ajouta : « *Y tiempo para gustarlas.* » (« Et le temps d'en profiter ! »)

J'étais très ému. Le champagne — il n'était ni excellent ni frappé — me resta en travers de la gorge. Je n'attendis plus qu'une chose : la sortie du tunnel.

Quand elle arriva, je n'avais pas l'impression d'être dans un pays de soleil, mais plutôt dans les brumes anglaises, du côté de Manchester. Nous étions noirs ! Les manches toutes blanches avaient la couleur d'une vieille couverture passée et peluchée. Mais c'était féerique. Il y avait l'extraordinaire lumière des Andes. Il y avait, sur notre droite, le « lac des Incas », ancien cratère à la profondeur restée inconnue et dont les eaux vertes immobiles reflètent les glaciers de l'Aconcagua.

La première gare chilienne apparut comme une bénédiction : il y avait trente-deux heures que nous roulions.

Mon aimable compagnon de voyage me suggéra de venir me dégourdir sur le quai, ce qui nous réchaufferait un peu.

« Nous avons le temps : la machine est aussi desséchée que nous. Mais elle, c'est de l'eau qu'on lui donne. »

Il me tapa sur l'épaule en riant. Puis, soudain grave, me regarda :

« *Hombre !* vous voulez écrire des histoires ? Je vais vous en raconter une authentique. Cela s'est passé ici même... Aimeriez-vous l'entendre ? »

Il mourait d'envie de la raconter. Et moi je m'estimai comblé : quoi de mieux, lorsqu'on découvre un pays, que d'entendre un récit à l'endroit même où des hommes l'ont vécu ? Pas question de manquer cette chance !

« Cette gare où nous sommes est à quatre kilomètres d'une petite ville isolée : Altamasco. Quelques maisons, une seule auberge. J'y étais descendu avec des amis, il y a une dizaine d'années. Nous étions venus chasser la palombe, grande et unique distraction de l'endroit. Ce fut une nuit épouvantable passée en compagnie des punaises, des rats et des lamas. Nous étions serrés les uns contre les autres, presque asphyxiés par le poêle répandant plus de fumée que de chaleur. A l'aube, nous voilà sur la place de la ville pour respirer un air glacé mais pur. Personne dans les rues. J'interroge l'aubergiste :

« Mais où sont les habitants ?

« — Ah monsieur ! Altamasco est en deuil. Pedro, un fier garçon, a été assassiné il y a deux jours et ce matin on l'enterre. »

« En effet, quelques instants plus tard, un cercueil porté par six hommes et suivi d'une foule silencieuse passa devant nous. L'aubergiste me souffla :

« Ce cercueil... C'est une caisse maudite !

« Maudite ?

« Il me fit signe de me taire avant de désigner une femme dont les traits étaient voilés sous sa mantille et de murmurer :
« Conchita !
« Sa veuve ?
« — Non...
« Devant les regards terribles de mes voisins, je m'éclipsai. Le soir, après la chasse, devant un bol de maté, l'aubergiste parla :
« Pedro avait trente ans. Il était le chef de gare et l'unique employé de cette station depuis cinq ans. Cinq ans dans la solitude des Andes, cinq ans à vivre un peu deux fois par semaine : le mardi et le vendredi, à l'aller et au retour du Transandin. Pedro avait donc eu le temps de tomber amoureux de Conchita, la plus belle fille d'Altamasco. Mais un aventurier espagnol nommé Fernando Claro arriva. Ses poches étaient bourrées de pesos. Conchita, ambitieuse, se hâta de se faire épouser par lui. Et quand les cloches de la mission nous appelèrent tous au mariage, Pedro fut le seul à ne pas venir.
« Les mois passent.
« Un mardi, le chef de train cria à Pedro :
« Tu as trois colis pour Altamasco ! Et quels colis !
« Trois colis ? Pedro n'en revenait pas. En cinq ans, il n'y avait jamais eu une arrivée aussi importante. Le premier était une caisse plombée portant l'adresse de la modeste succursale du Banco de Chile à Altamasco.
« Tiens, signe-moi le reçu, Pedro. C'est de l'argent. Pas de blague : mets-le en lieu sûr avant de le porter à la banque. »
« Le second était une moto anglaise, venant de Londres, toute neuve, destinée à... Fernando Claro ! L'Espagnol allait encore éblouir Altamasco avec sa machine...
« La seule vue du troisième colis stupéfia Pedro comme elle avait étonné le chef de train. Destinataire : señor Alviras, menuisier-fossoyeur de la ville. C'était un cercueil.

« Alviras n'aurait-il plus de bois pour faire un cercueil ? questionna le chef de train.

« — Je ne sais pas...

« — En tout cas, il est lourd et pourtant vide : je l'ai essayé, cette nuit, dans le fourgon à bagages. On y est très bien : c'est un grand modèle... Bon... Pedro, à vendredi... *Hasta luego !* (Au revoir !)

« Le silence des Andes était retombé sur la gare.

« Pedro commença par enfermer la caissette de la banque dans l'unique meuble où il conservait ses biens les plus précieux : quelques billets, deux bracelets que sa mère lui avait laissés en mourant et une vieille photo craquelée de Conchita.

« En admirant la moto, il constate qu'un filet d'essence coule du réservoir. « Mais c'est interdit par les règlements ! pense Pedro. Comment ont-ils pu, à Santiago, enregistrer la moto avec le réservoir plein ? » Mystère... Il faut, de toute façon, prévenir le destinataire. Et le destinataire, c'est Fernando, son rival... Mais, finalement, Pedro bénit l'arrivée de cette moto : chez l'Espagnol, il aura peut-être la chance d'apercevoir Conchita. Il profitera du déplacement pour avertir la banque et le señor Alviras. Mais ce dernier ne pourra certainement pas venir chercher son cercueil avant dimanche.

« Sur la route d'Altamasco, Pedro s'arrête soudain. Il fouille ses poches. Il a oublié le reçu de la banque ! Il l'a laissé dans son coffre... Il fait demi-tour. La salle d'attente est sombre. Le cercueil est là. Au moment où il passe devant lui, Pedro entend un léger bruit qui semble provenir de la caisse. En même temps, sa jambe droite heurte un objet invisible. Il fait un bond pour se dégager, et n'a que le temps de voir une main disparaître dans le cercueil... *Madre de Dios !* Le couvercle reprend sa place. Les tempes battantes, Pedro court chercher sa boîte à outils et s'assoit, à demi fou, sur le cercueil dont il commence à clouer le couvercle à grands coups de marteau. Sous lui, il sent que l'on fait des efforts pour soulever la planche, mais bientôt il n'y a plus aucune résistance. Celui qui est caché là est pris au piège... Pedro, en sueur, court vers la ville. Une heure plus tard, une petite troupe d'hommes s'approche de la gare avec, en tête, Pedro et le chef des carabiniers. Tous les hommes sont armés, sauf un qui porte une mallette : c'est le médecin. Ils entourent le cercueil. Après deux minutes de silence total, le carabinier ordonne :

« Décloue, Pedro !

« Les clous sautent un à un. Quelqu'un tient une lanterne : un homme immobile est allongé dans le cercueil. Son visage convulsé est horrible. C'est Fernando ! Stupeur parmi tous les hommes. Le médecin se penche sur la poitrine de Fernando. Il est bien mort. Mais tous remarquent que sa main droite serre un poignard...

« Quand ils redescendent vers la ville, le chef des carabiniers porte la caisse de la banque, deux de ses hommes portent le cercueil beaucoup plus léger maintenant, deux autres ont installé le corps sur une civière improvisée. Pedro, lui, est hagard : il semble avoir été anéanti par la vision d'horreur.

« Le lendemain, Altamasco est en émoi. Pedro répète aux carabiniers : « Je n'ai pas tué Fernando ! J'ai seulement enfermé un homme. J'ai eu peur. Je ne savais pas qui c'était. Je le jure ! »

« Le poignard du mort plaide pour Pedro : légitime défense.

« Le juge d'instruction, spécialememt venu de Santiago par le train du vendredi suivant, rendit un non-lieu. L'affaire ne fut connue dans ses détails qu'un an plus tard. Fernando s'était toujours procuré de l'argent par des moyens douteux. Conchita, très dépensière, accrut ses besoins. Il demanda un prêt au directeur de la succursale du Banco de Chile. Ce dernier, imprudent, confia à Fernando que justement il attendait une importante arrivée de fonds venant de Santiago par le prochain Transandin. Fernando savait que dans ce même train se trouvait sa moto commandée six mois auparavant. Dès lors, son plan est simple.

Il déclare à Conchita qu'il part chasser la palombe. Il va jusqu'à Guenosca, la dernière station avant Altamasco, et où le Transandin s'arrête deux minutes. Il profite de la conversation du chef de train avec le chef de gare pour se faufiler dans le fourgon à bagages. Il voit sa moto, mais ne repère pas tout de suite la caissette, sans doute enfermée quelque part. Tiens, un cercueil !... Vide ? Pour Altamasco ? N'est-ce pas pour lui la cachette idéale ? Malheureusement, quelques minutes avant Altamasco et alors que Fernando s'y était installé, le chef de train passe une corde autour du cercueil pour maintenir le couvercle... C'est pourquoi Pedro a vu cette main qui essayait de couper la corde... Sans doute Fernando, s'il y était parvenu, se serait-il enfui avec la motocyclette et la cassette par le col de Los Andes pour gagner l'Argentine...

« Mais Pedro ? Comment est-il mort ?

« Ah !... ah !... vous aimez mon histoire ? me dit l'Argentin.

— Elle n'est pas complète : il manque la chute, la mort de Pedro...

— Nous avons encore quelques minutes... Venez dans la salle. C'est important pour l'ambiance... »

Nous entrâmes dans l'unique salle basse de la gare. Je croyais y trouver l'atmosphère de mystère indispensable au crime. La pièce n'était que banale, nue, et ripolinée. Il reprit :

« Oui, je sais... C'est un peu décevant. La compagnie a tout refait il y a deux ans... Après cette aventure Pedro acquit une popularité incroyable. Et Conchita commença à le revoir. Etrange femme, cette Conchita ! Elle avait demandé au magistrat l'autorisation de conserver le poignard trouvé dans la main de son mari et le cercueil que le menuisier lui vendit avec joie : aucune famille n'en aurait voulu pour l'un de ses morts. Le magistrat acquiesça à condition qu'elle conservât intacts le poignard et le cercueil pour les mettre si besoin était à la disposition de la justice.

« Elle vécut ainsi une année. Toute la ville lui disait : « Conchita ! tu es folle ! Débarrasse-toi de ces souvenirs macabres ! » En guise de réponse, ses yeux jetaient des éclairs. Un après-midi d'automne, elle vint à la gare, accompagnée de sa fidèle amie Luz. La salle — cette salle où nous sommes — était sombre. Pedro serait-il sorti ? Non, Pedro était étendu près du mur, les bras en croix, sa tête face au mur, le poignard planté jusqu'à la garde dans son cœur... Le poignard de Fernando ! Vous imaginez la stupeur des gens ici ! Pedro assassiné ! Comme il était sans ressources, Conchita offrit à son ancien amoureux le cercueil pour que Pedro ne fût pas enterré dans la fosse commune... La gare devint maudite. Les vieilles femmes, dans un incroyable mélange de mysticisme chrétien et de légendes indiennes, se mirent à prier à haute voix. Les yeux sombres parlaient de peur, du diable ou des mauvais esprits. Les gens étaient à ce point impressionnés que l'un de mes compagnons de chasse voulut trouver, pendant le trajet de retour, une explication du crime. Et il n'hésita pas à nous dire avec le plus grand sérieux du monde : « Fernando, le légitime propriétaire du poignard, est ressorti de sa tombe pour reprendre son arme et se venger en la plantant dans le cœur de son rival. « Explication que n'eût pas désavouée Mérimée.

— Etait-ce la vérité ?

— La vérité était, à mon sens, encore plus chilienne. Conchita n'avait épousé Fernando que pour quitter le désert glacé des Andes. Elle ne l'aimait pas, mais il était son mari. Et Pedro lui avait tué cette chance... Pedro devait donc mourir à son tour. Alors, diabolique comme le sont toutes les femmes, et particulièrement les Chiliennes, elle renoua avec Pedro. Redevenue sa maîtresse, elle réussit à endormir sa méfiance. Et comme elle clamait très haut son bonheur d'avoir retrouvé le seul véritable amour de sa vie, tout Altamasco pensa qu'elle n'aurait jamais dû quitter un garçon comme Pedro... Mais un soir, sans doute au moment où ils allaient s'étreindre, elle l'a poignardé. Ce ne fut là pour elle que le commencement de la vengeance. L'apothéose vint lorsqu'elle suivit le cercueil pour la seconde fois... Mais personne ce jour-là n'a vu son visage qui resta entièrement dissimulé sous la mantille... Un matin, elle est montée dans le Transandin en direction de l'Argentine. On ne l'a plus jamais revue...

— Et l'enquête ?

— Elle n'a rien donné. Aucune preuve. Affaire classée. Son seul résultat fut que pendant des années la compagnie ne put trouver un chef de gare... Il n'y a que depuis deux ans que la gare est à nouveau en service. Le chef de gare est venu avec toute sa famille, dont ses deux fils et un cousin. Et encore a-t-il fallu que les *Ferrocariles Chilenos* (1) lui aménagent cette maison que vous voyez de l'autre côté de la voie, et que cette salle fût débarrassée de toute impression lugubre...

L'Argentin m'observait. Il pouvait être content de son effet. J'étais fasciné.

Un coup de sifflet m'arracha au rêve...

« Venez, *amigo*, vous ne voudriez tout de même pas manquer le train et rester vous aussi dans la gare maudite ? »

Franchement, je crois que j'aurais aimé y passer au moins une nuit...

— Si je comprends bien, cette histoire a eu une influence sur tes projets ?

— Une énorme influence ! Elle confirmait mes goûts qui se résumaient à un verbe : écrire. Je savais déjà que j'écrirais des histoires semblables à celle, véridique, d'Altamasco, c'est-à-dire des aventures où l'amour tiendrait la première place. Une histoire où l'amour est constamment en filigrane, c'est un roman... J'ai d'ailleurs transposé cette histoire dans une nouvelle, *La Gare du crime*, et Conchita est devenue l'une des héroïnes de mon roman *Les sept femmes.*

(1) Chemins de fer chiliens.

— Tu arrivais dans un Chili très romanesque. Est-ce que la réalité n'était pas moins attirante ?

— Au contraire ! Cette histoire me sembla presque banale après quelques mois passés dans ce pays où tout est possible. Parce que rien n'est exagéré dans un pays de tremblements de terre et d'admirables femmes...

— Tu as vu vivre le Chili. Mais as-tu vécu comme un Chilien ?

— Je m'y suis efforcé. Autrement où serait l'intérêt du voyage ? Ça ne m'a d'ailleurs pas demandé un gros effort, ayant, grâce à ma mère, cinquante pour cent de sang chilien. Le naturel est revenu au galop... J'ai épousé le rythme chilien, mangé la cuisine chilienne, lu la presse chilienne, partagé la vie de mes innombrables cousins chiliens. Cela me convenait très bien, car à Santiago on avait compris depuis longtemps qu'il valait mieux travailler vite et bien que longtemps et mal. Santiago, c'était, au moment où j'y arrivai, un mélange de gratte-ciel new-yorkais et de *casas* sans étages. Les avenues y ont encore des dimensions californiennes. J'habitais au n° 1656 de l'Alameda (qui veut dire avenue) Delicias (l'avenue des Délices), une artère longue de six kilomètres.

Les habitants étaient comme les habitations : extrêmes. Très riches ou très pauvres. D'un côté, des grands propriétaires terriens, des banquiers, des industriels. La famille Edwards — celle de ma mère — appartenait à cette catégorie. De l'autre côté, le *roto chileno,* le bas peuple dont l'ignorance et la misère dépassaient alors tout ce qu'on pouvait imaginer en Europe. A cette époque, la petite-bourgeoisie, sans laquelle les vraies révolutions ne peuvent éclater, n'était pas encore très développée. Quand on la rencontrait, elle était d'origine allemande ou française. J'ai dîné plusieurs fois chez un certain señor Schœders. Malgré son nom, il était amiral de la flotte chilienne. Le Bolivar chilien, vers 1820, s'appelait O'Higgins. Et l'on ne peut pas dire que le général

Pinochet ait un nom qui évoque le Pacifique Sud...

Une certaine atmosphère d'insécurité baignait les journées et les nuits. Un soir de décembre, dans un luxe inouï, un banquet rassemblait deux mille couverts. Une personnalité politique importante que j'avais rencontrée l'après-midi m'avait dit : « On craint un attentat à la bombe ce soir. »

A vingt-deux heures, un déploiement de forces protège les accès du *Club de la Union*, le Jockey Club de Santiago, pas très loin du palais de la Moneda, l'Elysée chilien, qui a été bombardé en septembre dernier. Un escadron de cavaliers très impressionnants, les *Coraceros de Chile*, fait la haie. Une foule hostile est contenue à distance. Chaque femme en robe du soir qui descend d'une voiture est injuriée. Les insultes montent des rangs serrés. Certaines invitées prennent peur et s'engouffrent en hâte sous le porche ; d'autres, avec un courage certain, font face en souriant. A minuit moins dix, sur une terrasse qui domine Santiago et dans une ambiance tendue, le dîner s'achève. Soudain, une faible détonation retentit dans la rue. C'est la panique. Tables renversées, cris de femmes, course vers les ascenseurs. Mais le coup de feu est resté isolé. Pas de rafales ni de bombe. A grand-peine, les maîtres d'hôtel font revenir le calme en hurlant : « Ce n'est rien ! C'est un pétard d'enfant ! » Incroyablement, la peur disparaît aussitôt. Une sorte d'inconscience transforme la fausse émeute en gala très animé. Longtemps après, le cousin qui m'accompagnait me révéla que le pétard était bien une bombe, mal amorcée, dont l'explosion n'avait même pas tué un chat. Et il ajouta :

« Tant mieux ! Car si elle avait complètement explosé, tu aurais vu ce dont est capable la foule chilienne ! C'est effrayant !

— Toutes les foules sont aveugles...

— Ici, c'est pire. Au Chili, la foule va de l'insouciance au fanatisme. Tiens, sais-tu ce qui est arrivé lors du dernier tremblement de terre de Valparaiso ? On jouait au théâtre : *L'Abbé Constantin*. Le séisme survint en pleine représentation. Les murs s'écroulèrent, la scène s'ouvrit en deux, des dizaines de spectateurs furent broyés. Des centaines d'autres se retrouvèrent dans la rue lézardée avec les acteurs dans leur costume de scène et, parmi eux, celui qui jouait le personnage de l'abbé Constantin. Il était évidemment en soutane. Des femmes l'aperçurent et se précipitèrent sur lui en le suppliant de leur donner l'absolution. Le malheureux eut beau protester de son incompétence : « Je suis un acteur ! Je ne suis pas prêtre ! Laissez-moi ! » Mais toutes les maisons autour continuaient à s'effondrer comme des châteaux de cartes. La rue n'était plus qu'un gouffre. Les femmes se déchaînèrent : « Pitié ! L'absolution ! » Le « prêtre », pris à partie, se débattait, sa soutane en lambeaux. Après être parvenu à se dégager, il grimpa sur les marches du parvis de la cathédrale et, face à la meute enragée, il commença, en tremblant, à esquisser des bénédictions absolvantes devant des centaines de gens agenouillés qui croyaient vivre la fin du monde... Tu vois ce que c'est, la foule chilienne ?

— Je vois qu'au Chili comme ailleurs, il n'y a que la foi qui sauve... »

La misère chilienne ressemblait à celle de Naples : elle permettait des rackets organisés par des bandes de gosses contrôlés eux-mêmes par quelques adultes. Il était impossible de laisser sa voiture garée dans le centre de Santiago — même dix minutes — si elle n'était pas gardée par l'un de ces *chicos* aux grands yeux noirs. Il n'était pas rare de retrouver le gamin en sang : il avait dû se battre avec d'autres galopins qui voulaient voler quelque chose sur la voiture, le plus souvent le bouchon du radiateur. Cet accessoire était porté aux garagistes qui en donnaient un peso au gamin et en réclamaient cinq pour vous le revendre, celui-là ou un autre. Le sourire qu'ils affichaient devant leurs stocks de bouchons se passait de commentaires. Pour lutter contre ce commerce lucratif, florissant surtout le soir, les hommes avaient pris l'habitude d'enlever le bouchon en quittant leur voiture, et de l'enfouir dans leur poche. Curieux spectacle, en vérité, que ces habits ou ces smokings gonflés, déformés. Fernand Raynaud aurait dit qu'ils avaient « comme un défaut ».

— Est-ce que ce n'était pas le Chili tout entier qui avait « comme un défaut » ?

— Je te vois venir ! Il ne m'appartient pas de répondre à des questions politiques, même à des allusions. Je n'ai jamais fait de politique, je n'en ferai jamais ! Cela ne m'empêche pas d'avoir une opinion qui étonnerait peut-être beaucoup de mes lecteurs. Mais ils ne me lisent pas pour cela. Ils ont raison. Je ne suis là que pour les distraire en leur apportant l'évasion ; ce qui, à notre époque, n'est déjà pas si mal.

— Posons la question autrement : les événements récents t'ont tout de même fait quelque chose ?

— Ils m'ont attristé sans m'étonner : la moitié de mon sang a réagi puisque le Chili est vraiment ma seconde patrie. C'est pourquoi, à la différence des journalistes qui n'ont souvent raconté que ce qu'on leur avait raconté, j'ai préféré me taire et souffrir en silence. Il y avait d'ailleurs longtemps que le Chili était malade, longtemps que, personnellement, je pensais que cela finirait mal... Lorsque les grandes propriétés ont été morcelées par les lois d'Allende, on a réparti la terre entre les paysans, mais on ne leur a pas donné les moyens de la cultiver. D'où des échecs, d'où un certain dégoût de la terre. Beaucoup de choses sont venues de là.

— Et cette armée chilienne qui a joué le rôle d'arbitre dans une situation politique qui paraissait assez inextricable, qu'est-ce que tu en penses ?

— C'est une véritable armée parce qu'armée de métier. Elle a su, pendant de longues années, rester à sa place qui est d'assurer la défense du pays, et cela sans faire de politique.

— Pourtant la junte, ce sont tous les pouvoirs politiques exercés dans l'armée...

— Je suis persuadé qui si, au lieu d'un gouvernement de gauche, cela avait été un gouvernement d'extrême droite qui avait conduit le pays à la ruine, l'armée chilienne aurait agi de même. Le Chili est la première nation ibéro-américaine qui ait mis, dès 1830, l'armée au service du droit et de l'ordre.

— On a dit et écrit, on a vu que cette armée défilait, comme l'ancienne armée allemande, au pas de l'oie et qu'elle avait même, à une certaine époque, porté le casque à pointe...

— C'est exact. Et sais-tu pourquoi ? C'est à la suite d'une faute de la France.

— C'est du roman ?

— C'est la vérité, une vérité que beaucoup de journalistes ont oublié de rappeler. Remontons jusqu'avant la guerre de 1914-1918... A cette époque, ton arrière grand-père maternel, Agustin Edwards, qui était président du Sénat chilien et l'un des hommes politiques les plus importants du pays, voulait, en plein accord avec son gouvernement, moderniser l'armée chilienne... Il n'existait, en ce temps-là, que deux grandes armées au monde : l'armée française et l'armée allemande. Il s'adressa d'abord à la France pour lui demander de bien vouloir envoyer dans son pays quatre-vingts jeunes officiers — trente fantassins, vingt cavaliers, vingt artilleurs et dix marins, les quatre armes de l'époque, l'aviation étant alors inexistante — sortis récemment de Saint-Cyr, de Saumur, de Fontainebleau et de l'Ecole navale, qui viendraient en qualité d'officiers instructeurs pendant trois années avec une solde payée par le Chili, comparable à celle d'un colonel de l'armée française (alors que la plupart d'entre eux n'avaient en réalité que le grade de lieutenant) ; cette solde serait ajoutée à de nombreux avantages de vie.

Cela se passait en 1911, l'année de ma naissance. Le président du Conseil français était alors ce même Joseph Caillaux dont nous avons déjà parlé à propos d'un autre arrière-grand-père, l'homme « aux-bottines-pendues-autour-de-son-cou », celui qui répétait « Vive Jeanne d'Arc ! ».

Joseph Caillaux répondit à mon grand-père chilien dans une lettre, d'ailleurs très courtoise, que j'ai eu le plaisir de lire et qui est conservée précieusement au Chili. Il écrivait que le gouvernement de la IIIe République était très sensible à l'honneur qui était fait à l'armée française, mais que, malheureusement, la France ne pouvait pas se séparer d'un seul de ses jeunes officiers, car elle avait tout lieu de redouter un conflit imminent avec une grande puissance européenne.

Cela se passait au moment de l'affaire d'Agadir. La canonnière allemande *Panther* était venue faire une démonstration de force devant les côtes marocaines. Ensuite, l'Allemagne avait abandonné le Maroc contre une cession, par la France, d'une partie du Congo. Mais en réalité, Caillaux, qui détestait l'Angleterre et avait toujours manifesté des sentiments progermaniques, pensait sincèrement, je crois, que nous étions alors tout proches d'une nouvelle guerre contre l'Angleterre.

Le gouvernement chilien, très déçu d'une telle réponse de la France, s'adressa à l'autre pays ayant une grande armée : l'Allemagne. Le Kaiser Guillaume II ne perdit pas une seconde : il fit immédiatement sortir de ses grandes écoles militaires les quatre-vingts officiers instructeurs réclamés pour former la nouvelle armée chilienne. Et ils débarquèrent au Chili, jeunes, beaux, blonds, arrogants, monoclés, fêtés et reçus dans la meilleure société, presque comme des dieux de la guerre... Combien de fois n'ai-je pas entendu mes propres tantes, les plus jeunes sœurs de ma mère, me raconter que « *C'était épouvantable de danser dans les bals de l'époque avec ces officiers allemands qui tous conservaient leur sabre en valsant !* ».

Fût-ce le respect du sabre ou le prestige des uniformes ? Beaucoup de ces jeunes Chiliennes, très brunes, épousèrent ces jeunes Allemands qui, après avoir terminé leur temps d'instructeurs, restèrent au Chili et prirent — en plein accord avec le Kaiser — la nationalité chilienne pour devenir d'authentiques « officiers chiliens ». C'est pourquoi, s'il t'arrive à toi aussi d'aller au Chili, tu t'apercevras que c'est un pays où l'on rencontre des brunes, mais aussi d'admirables femmes blondes aux grands yeux noirs... Là, le mélange de la race des guerriers germaniques avec des descendantes de conquistadores ne pouvait donner que les plus heureux résultats...

Survint la guerre de 1914 et, avec elle, l'apparition dans les eaux territoriales du Chili de la fameuse escadre du *Graf von Spee*. Pourtant, le Chili était resté volontairement neutre puisqu'il fournissait du salpêtre, cette poudre essentielle alors pour les armes à feu, à tout le monde : aussi bien aux Alliés franco-anglais qu'aux Allemands.

Von Spee, aristocrate de bonne souche, doublé d'un très grand marin, commandait cinq croiseurs de bataille qui, pendant les premiers temps de la guerre mondiale, écumèrent le Pacifique Sud, coulant tous les transports de troupes venant d'Australie ou des Indes au secours de la métropole anglaise, ainsi que les cargos de ravitaillement. C'était très grave. Tellement catastrophique même que le jeune Winston Churchill, alors Premier lord de l'Amirauté, s'émut.

Emotion qui était d'autant plus compréhensible qu'il était pratiquement impossible de livrer bataille à la fameuse escadre ennemie. Dès que von Spee avait accompli sa tâche destructive, il allait, à toute vapeur, se réfugier dans le port accueillant de Valparaiso, où, en territoire neutre, il pouvait « charbonner » tout à son aise (le mazout n'existait pas alors), se ravitailler en tout et permettre à ses valeureux équipages de se détendre. Pour ces marins, Valparaiso était bien, comme son nom l'indique « la Vallée du Paradis ».

Ce qui arrangea les choses pour les Alliés fut que ton propre grand-oncle, le frère de ma mère qui fut aussi mon parrain, Agustin Edwards, fils du président du Sénat (les aînés de cette famille, d'origine anglaise, se prénomment tous Agustin), se trouvait être à la fois à l'ambassade du Chili à Londres et l'un des plus grands amis de Winston Churchill. Celui-ci lui fit part de ses inquiétudes concernant le Pacifique Sud. Et les deux amis décidèrent d'envoyer, rédigée en code ultra-secret, une dépêche au gouvernement chilien lui signifiant que s'il ne prenait pas la décision d'obliger l'amiral von Spee à quitter le port de Valparaiso dans les six semaines à venir, les Alliés anglais et français n'hésiteraient pas à déclarer la guerre au Chili.

C'était un ultimatum, s'abritant derrière une nouvelle « dépêche d'Ems ». Car ce n'était pas tout à fait la vérité... Non seulement les Alliés n'avaient nullement l'intention de rompre avec le Chili, pays neutre, dont le bon salpêtre leur était indispensable pour leurs canons, mais ils n'avaient pas non plus le moindre homme de troupe à envoyer là-bas, les leurs étant déjà suffisamment occupés comme ça sur le front du Nord et aux Dardanelles. La fameuse dépêche avait été fabriquée de toutes pièces par Churchill et retransmise par son complice, mon parrain, grâce à la voie diplomatique.

Elle produisit quand même un tel effet que von Spee fut contraint d'optempérer aux injonctions du gouvernement chilien. Six semaines plus tard, ses croiseurs levaient l'ancre et quittaient Valparaiso... Mais ce que l'amiral allemand ne savait pas — pas plus d'ailleurs que le gouvernement chilien —, c'était que ce délai de six semaines était exactement celui qu'il fallait aux cuirassés et aux croiseurs de la Home Fleet pour rallier le Pacifique Sud en passant par le détroit de Magellan...

Ils étaient là, les lourds croiseurs de l'amiral Cradock, arrivés dans le plus grand secret et attendant l'escadre de von Spee, à sa sortie des eaux territoriales chiliennes, au bout de leurs canons de 350... C'était le 1er novembre 1914. Ce fut la fantastique bataille navale de Coronel où la suprématie allemande dans le Pacifique Sud fut consolidée par la défaite de l'escadre anglaise. Toutefois il y eut, bien entendu, des pertes du côté allemand. Certaines familles d'officiers chiliens prirent le deuil. Comment s'en étonner ? Si la France avait envoyé en 1911 au Chili les jeunes officiers que ce pays lui demandait, il me semble qu'il y aurait eu peu de chances pour que l'escadre de von Spee vînt se ravitailler et se reposer dans la baie hospitalière de Valparaiso. D'ailleurs, ce passé a d'autres résonances actuelles puisque le Consul d'Allemagne à Santiago, le Dr Bohmuller, a remis récemment à l'un des généraux de la Junte un chèque de 25 000 Deutsche Mark offert par l'Union pour l'Amitié Germano-Chilienne... Qu'est-ce que tu en penses ?

— Je pense que j'aurais aimé t'avoir comme professeur d'histoire... Mais je ne vois pas très bien quel rôle ton autre grand-père, le duc aux bottines, a joué dans cette affaire ?

— J'y viens... La défaite allemande survint le 11 novembre 1918 et, en 1920, Joseph Caillaux passa en Haute Cour, puis fut condamné pour « correspondance avec l'ennemi pendant la guerre ». Après avoir été amnistié en 1924, il redevint ministre des Finances en 1925... Mais oui ! La France n'est pas tellement rancunière. Mon grand-père paternel, lui, avait de la mémoire.

Rencontrant Joseph Caillaux en 1920 sur le quai de la gare du Mans après qu'il eut été condamné, il lui dit :

« Monsieur le Président, je suis désolé de ce qui vient de vous arriver, mais cela ne me surprend pas : déjà, en 1911, quand vous avez refusé d'envoyer des instructeurs français à l'armée chilienne, c'était parce que nous allions avoir une nouvelle guerre contre les Anglais... Alors, avouez-le : vous n'aimez pas les Anglais ? »

Et comme Caillaux se taisait, il reprit :

« Moi non plus, je n'aime pas les Anglais...

— Vous, monsieur le duc ? Pourquoi ?
— Parce qu'ils ont brûlé Jeanne d'Arc ! »

Je reprends : ce fut donc avec une très nette impression de détente que je quittai Santiago pour le Sud. Je voulais vivre dans un *fundo*, l'équivalent chilien de l'*hacienda* argentine. Le *fundo*, c'est une immense propriété, rarement inférieure à deux mille hectares, atteignant parfois les cinq mille, animée par les *huasos*, ces cow-boys d'Amérique du Sud, isolés du monde sous leur sombrero et dans leur poncho si le vent de la cordillère est vif. Comme son émule du Far West, le *huaso* est inséparable de son cheval. Il a tout de même une femme qui, elle, porte six jupons et trois fichus à franges sur les épaules. Une femme qui adore tout ce qui brille parce qu'elle pense que les bijoux d'or et d'argent sont faits pour saisir les rayons de soleil et s'entre-choquer à chaque pas.

La campagne chilienne, c'est le pays des grands espaces. C'est là qu'on se représente le mieux ce territoire, tout en longueur sur les atlas, qui s'étire vers la Terre de Feu et le détroit de Magellan. A peine cent cinquante kilomètres de large sur quatre mille de long ! Coincés entre les Andes et le Pacifique, résignés à manger une herbe maigre de savane, les moutons de la Compagnie lainière se comptaient par millions, descendants des vingt mille qui avaient été importés d'Australie dans ce désert au début du siècle. J'étais au cœur de ces *fundos*. Sur une grande carte, des petits drapeaux numérotés étaient piqués. Ils représentaient jour par jour l'emplacement exact d'un troupeau. C'était un matin d'été, en janvier. Il était huit heures. L'un des directeurs de la compagnie me montra un drapeau. Il portait le n° 73.

« C'est le troupeau le plus proche de nous, me dit-il. Il est à sept heures de marche [en moutons-kilomètres/heure].

— Comment en êtes-vous sûr ?

— Nous savons... »

Dans les dix minutes, un petit avion (avec un

moteur Ford, je crois) décolla vers le sud. Vingt minutes plus tard, le pilote de retour confirmait que le troupeau n° 73, composé de dix mille têtes, était à l'endroit indiqué. Je lui demandai :

« Mais comment ramenez-vous toutes ces bêtes ?

— Ici, nous ignorons le berger. Nous n'avons que les chiens. Ils travaillent deux par deux. Vous allez voir le résultat. »

Du chenil, il fit lâcher deux chiens à poil ras également importés d'Australie. C'étaient, m'expliqua-t-on, deux chiens de liaison, ne connaissant que le troupeau n° 73. Je les vis partir en courant vers l'horizon, devenir deux petits points noirs et disparaître. Leur arrivée au troupeau avertirait les chiens de garde qui, eux, ne quittaient jamais le troupeau. Et les moutons se mettraient en marche vers la *casa* principale où nous étions. Ils y arriveraient dans un temps prévu à l'heure près.

Je passai toute la journée à cheval, et le soir, vers dix-neuf heures, le miracle se produisit. Presque subitement, l'horizon sembla s'obscurcir. Une sorte de gigantesque nuage de poussière, un vent de sable inattendu, se dirigea vers nous. Quarante mille pattes de moutons foulaient le sol brun. Telle une vague immense, la masse ondulante s'avançait. Les moutons gris anthracite étaient devenus blancs.

« La poussière part avec la tonte », me dit un spécialiste.

Et cela, ce n'était rien : certains troupeaux marchaient vingt jours et vingt nuits !

Et dans les grandes manœuvres de la laine, on ne trouvait pas un être humain. Sans embouteillage, sans erreur et sans dommage, des milliers de moutons n'avaient pour seuls guides que leurs chiens. Ce fut la première fois de ma vie que j'eus vraiment l'impression que l'homme, s'il le voulait, pouvait être un chef d'orchestre invisible.

— Comment as-tu quitté le Chili ?

— Comme j'y étais venu : à cause d'une femme...

— Incorrigible !

— Pour me corriger, il était déjà trop tard. Je partis après un séjour à Valparaiso, le grand port sur le Pacifique, sorte de San Francisco d'Amérique du Sud. J'y ai fait ample provision d'histoires, de légendes et de contes des mers du Sud racontés avec un talent inné par Papa Vengotchea, vieux loup de mer descendant des premiers Basques émigrés, personnage à la Jack London. Il tenait ses assises dans un bouge à la superbe enseigne : *La luz del Mundo.* Cette « Lumière du Monde » était avant tout une tour de Babel. On y entendait toutes les langues. Papa Vengotchea donnait l'exemple : il racontait dans un jargon hispano-français, jurait en hollandais et buvait, bien sûr, comme un Polonais. J'ai passé avec lui mes derniers moments au Chili. En revenant de Vina del Mar — le Deauville chilien — où j'avais apprécié la peau idéalement brune des señoritas, je trouvai un télégramme de France. Encore une fois, mes sentiments ne convenaient pas à mon père. Une fois de plus il avait eu d'autres nouvelles que celles que je prenais soin de lui envoyer. « *Retiens ta place sur prochain paquebot pour l'Europe. Il est grand temps que tu rentres faire ton service militaire. Pater.* »

C'était ainsi que mon père signait toujours les dépêches qu'il m'envoyait. Sans doute pour m'obliger à ne pas perdre le peu de latin que j'avais conservé de mes innombrables versions latines chez les jésuites... Papa Vengotchea s'amusa beaucoup de ma tristesse.

« Mais heureusement que tu es tombé amoureux ! me lança-t-il. Nos filles sont belles. Elles sont faites pour être aimées. A vingt ans, on doit être fou. Sinon, on n'a pas vingt ans !... »

Puis, d'un ton plus grave, il me fit cette remarque, entre deux volutes de fumée rejetées de son brûle-gueule :

« Si tous les hommes qui ont traversé les mers pouvaient dire la véritable cause de leur départ, sur le quai on trouverait toujours une femme... »

Je ne devais avoir attrapé qu'une petite maladie d'amour : à l'arrivée à Cuba, j'étais déjà guéri. Il est vrai qu'à l'époque, La Havane avait une solide réputation de Babylone des Caraïbes. C'était peu de temps avant qu'un petit colonel trapu, Fulgencio Batista, ne devienne le dictateur de Cuba, celui-là même que Fidel Castro a chassé dans la nuit du 1er janvier 1959. Au temps de mon escale, tous les commerces étaient prospères à La Havane et les Américains les bienvenus. Chaque jour, un navire blanc de *l'United Fruit* déversait son contingent de milliardaires qui, après avoir résisté à la crise économique, s'étaient embarqués à Miami. Fuyant les séquelles de la prohibition, ils venaient savourer le bon rhum qu'ils mélangeaient sans scrupule au whisky. Cuba était pourrie par l'argent. C'était l'île de tous les plaisirs.

Dans le centre de La Havane, dès que la nuit venait, les rues se transformaient en véritables lupanars à ciel ouvert. Les filles presque nues se vendaient en grappes. Et, pour arriver à leurs fins, elles avaient appris l'art de cacher partiellement leurs visages sous des demi-voilettes. Ce qui permettait de deviner leurs yeux tout en ne voyant que leurs bouches... Méthode de charme qui ne faisait que préluder à celle qui est couramment employée par les belles d'aujourd'hui — et même par les moins belles : le port de grosses lunettes de soleil.

Ce qui est certain, c'est que dès qu'il s'agit de femmes dans le monde, on retrouve l'influence française. Oublions les dancings poisseux où l'odeur du rhum était à vomir et où la rumba déhanchait tous les corps, bouges portant nom *Moulin-Rouge* ou *Sans souci*. On les a trop connus. Ce qui le fut moins, c'était le trafic très folklore de films français projetés dans des salles basses. Mon chauffeur de taxi me vantait ces *pelliculas especiales*. Et comme je lui répondais en espagnol, il fit semblant de me prendre pour un Sud-Américain en ajoutant :

« Señor, vous devriez allez voir un de ces films français... Les actrices y sont belles et elles font des choses tellement extraordinaires ! »

C'était tentant. Il était même impossible de ne pas y aller, comme il serait inconcevable qu'un Français qui va aujourd'hui à Bangkok ne goûtât pas aux délices des « instituts de massage », et cela toujours grâce à la complicité d'un chauffeur de taxi. Bref, je me laissai conduire dans l'une de ces officines de rêve...

— Le souci de la documentation ?

— La curiosité, mon fils ! Et ne dis surtout pas que tu n'aurais pas fait comme ton père ! Soyons francs : ma surprise fut totale... Le film annoncé à l'extérieur était un classique : je l'avais déjà vu à Paris, cinq années plus tôt. Mettons que c'était un long métrage de la classe d'un Pagnol, d'un Feyder ou d'un Renoir. Les quelques photos craquelées affichées à l'extérieur ne montraient que des vedettes célèbres en France. Mais à voir tous ces hommes très excités, qui s'engouffraient dans l'étrange établissement, il devait y avoir un mystère, une autre raison de succès.

J'entrai sous les commentaires gras de mon chauffeur qui s'était octroyé lui-même un substantiel « pourcentage » dans le prix de la course.

« Vous ne le regretterez pas, señor ! Vous allez voir ! »

Je vis. La séance commençait. Rien d'exceptionnel au début. C'était bien un film que j'avais vu à Paris. Mais assez rapidement il devint méconnaissable. Les acteurs nus, et sans que l'action ne l'ait exigé, faisaient l'amour avec une conviction sauvage qui déchaînait l'hystérie des spectateurs électrisés par ce qui se passait sur l'écran. Et il s'en passait ! Puis le jeune premier, genre Charles Boyer, et l'amoureuse, du type Danielle Darrieux, se retrouvaient habillés on ne savait comment. Quelques plans sages et, hop ! à nouveau Sodome et Gomorrhe se faufilaient dans le scénario original. C'était stupéfiant !

Je n'en revenais pas ! Les séquences pornographiques revenaient, elles, toutes les cinq minutes avec une insistance épuisante. Un seul détail expliquait tout. Dans ces scènes « osées », on ne voyait jamais le visage des acteurs. On ne pouvait apprécier que la partie de leur corps qui seule comptait à ces grands moments de l'action directe... Des pirates d'un genre nouveau avaient coupé les films pour intercaler entre deux scènes originales des séquences « jouées » par des gens certainement très doués, mais qui n'avaient aucun rapport avec nos vedettes. Voilà pourquoi toute une génération de comédiens et de comédiennes français avaient à Cuba une réputation qu'ils ne soupçonnaient pas. Ils y étaient célèbres parce que leur talent allait jusqu'au-dessous du nombril ! Une façon astucieuse d'éviter les problèmes de doublage et de sous-titrage...

— Tu as raconté ça à ta famille ?

— Non. Je ne tenais pas à aggraver mon cas ! Remarque bien que Cuba a longtemps soutenu cette réputation de ville très libre... Même après la guerre, alors que plusieurs capitales du plaisir s'étaient enlisées dans la sagesse, La Havane continua à maintenir très haut le flambeau de la licence. Quand Batista fit son second coup d'Etat, en mars 1952, il promit de « délivrer l'île du gangstérisme sous toutes ses formes ». Ce fut tout le contraire qui arriva : les lupanars, les cinémas cochons, le vice et la corruption y connurent un regain d'expansion...

La fin de mon voyage fut plus reposante. A bord de la *Reina del Pacifico,* paquebot de la Pacific Steam, on voyait que l'Angleterre était toujours maîtresse des mers. Le contingent de dames octogénaires veuves quelque part dans Mayfair ou dans le Sussex, ajouté à la fadeur de la cuisine bouillie, n'incitait guère à être polisson. Sauf, peut-être, par dévouement sur une île déserte, après naufrage...

Sur ce navire, je fis la connaissance d'un homme très fin et très drôle : l'un de ces esprits charmants qui se trouvent partout à l'aise et sont curieux de tout. C'était Noel Coward, le Sacha Guitry anglais, qui a laissé des comédies brillantes parmi lesquelles se trouvent ces *Amants terribles* qui viennent de faire récemment une nouvelle carrière à Paris. Entre l'acajou et les profonds fauteuils du bar, Noel Coward parlait. Pour moi ce fut un régal...

« Connaissez-vous la meilleure histoire anglaise d'Amérique du Sud ? me demanda-t-il.

— Non, mais je sens que cela ne va pas tarder... »

Il fit signe au barman qui s'approcha :

« Sir ?

— Voulez-vous avoir l'obligeance de me prêter pour quelques instants la carte que vous m'avez montrée l'autre jour ? »

Le barman sortit d'un placard une carte enroulée d'Amérique du Sud dressée à la fin du XIXe siècle. Une carte strictement anglaise.

« Que remarquez-vous ? » me demanda Coward.

Cela sautait aux yeux : la Bolivie ne se trouvait pas sur la carte. Ou plutôt à son emplacement, on lisait un mot inattendu : « Désert ».

« Mais c'est incroyable !

— N'est-ce pas ? Figurez-vous que lorsque nous (il s'agit, bien sûr, de l'Angleterre) avons voulu nouer de sérieuses relations commerciales avec ce pays, notre représentant a été fort mal reçu. On l'a promené sur un âne et, circonstance aggravante, face à la queue de l'animal ! Il y eut un incident diplomatique. Pour beaucoup d'Anglais, nous aurions dû déclarer la guerre. Vous, Français, ne l'avez-vous pas faite pour un coup d'éventail à votre consul d'Alger ? Notre vengeance fut plus discrète. Des cartographes zélés, inspirés par des sentiments d'indignation, estimèrent que la Bolivie n'était qu'un pays de sauvages. Ils le débaptisèrent et en firent le « désert » que vous voyez... Evidemment, avec les fantastiques richesses des mines d'étain et la position de la famille Patino, le Foreign Office a fait la chasse aux cartes pirates comme celle-ci. Le barman refuse de me la vendre...

Il a raison. La Bolivie pourrait décider à son tour que ce « désert » est une insulte et porter ailleurs qu'à Liverpool la plus grande partie de son étain. Voyez-vous, c'est un document historique qui pourrait encore créer des histoires... »

Noel Coward, dont la misogynie était célèbre, m'inspira une pièce de théâtre. Cela tombait bien : j'avais envie de me détendre avant de rentrer en France. Je n'avais rien écrit depuis des mois ! Je n'en pouvais plus. Je m'enfermai donc douze jours et douze nuits dans ma cabine. Le résultat fut une comédie : *Croisière pour dames seules*. Evidemment, je n'avais pas été chercher le sujet plus loin que le pont supérieur du bateau. Mais l'histoire d'un célibataire tenace embarqué sur un paquebot qui fait le tour du monde pour fuir les femmes et se retrouve, face à une meute de veuves joyeuses ou hystériques, enfermé dans sa prison flottante, m'amusait. Un an plus tard, cela amusa aussi un directeur de théâtre parisien. Il devait être à court de manuscrits. A ma grande surprise, *Croisière pour dames seules* s'est joué cent quinze fois, soit près de quatre mois, à la Potinière. Petit théâtre, petit succès. J'en ai retenu que ce n'étaient pas les œuvres écrites le plus vite qui sont les plus mauvaises.

— Mais avant cela, tu es, selon l'ordre de ton père, « sous les drapeaux »...

— J'étais plutôt sous les sarcasmes et les corvées. Il faut dire que j'avais tout pour indisposer mes chefs, et surtout mes sous-chefs. D'abord affecté au 30ᵉ Dragons de Metz, je fis part de mes regrets à un brave abbé, l'abbé Vidis, alors vicaire à Saint-Pierre de Chaillot. « Mais pourquoi, mon petit Guy ? C'est très bien, les Dragons ! » m'assura-t-il. Il m'appelait « mon petit Guy » depuis toujours, mais Metz ne m'enchantait pas. J'avais espéré le 1ᵉʳ Chasseurs à cheval d'Alençon, qui avait succédé au 14ᵉ Hussards décimé pendant la Grande Guerre. Cette unité avait été commandée par le colonel de Hautecloque, oncle de Leclerc. Mais surtout, mon père y avait été chef d'escadron. « Ah ! mais notre rencontre tombe à merveille ! » s'exclama l'abbé. Et onctueux, il ajouta en baissant la voix : « Je m'en charge. Je vais de ce pas confesser le sous-secrétaire d'Etat à la Guerre... Sa pénitence ne sera pas trois « pater » et dix « Ave Maria », mais l'impérieuse obligation de vous faire transférer des Dragons chez les Hussards ! Tant que ce ne sera pas fait, il ne recevra l'absolution que « sous condition ».

Tu imagines que ma mutation, huit jours plus tard, n'incitait pas mes nouveaux supérieurs à m'attendre avec un comité d'accueil. J'avais le triple tort d'être pistonné, d'avoir, selon le médecin-major, « un-nom-qui-se-dévisse » et d'être « intellectuel ». C'était trop !

Dès mon arrivée, je tombai dans les griffes de l'adjudant-chef. Courteline aurait pu le baptiser : il s'appelait Troussecoc. Je ne suis pas près d'oublier son premier ordre : « Vous avez fait du droit, des belles-lettres ? Beaucoup de théorie, en somme. Je n'aime pas cela ! En attendant, vous allez me faire un peu de pratique en balayant toutes les feuilles de la cour du quartier ! »

Je te jure que j'ai exécuté l'ordre avec cette même conscience qu'ont tous les professionnels du balai. Mais pour Troussecoc, ce fut lamentable. Deux heures plus tard, il me dit, cramoisi de rage :

« Qui vous a appris à tenir un balai ?

— Personne, mon lieutenant ! (Coquetterie des adjudants-chefs de cavalerie : ils se faisaient appeler mon lieutenant !)

— Ça se voit ! tonna-t-il. Tous ces intellectuels, ça ne fait que des pauvres types ! Garde à vous ! »

Mon balai à la main, j'obéis, sentant venir l'orage. Après m'avoir dévisagé et toisé d'un mépris qui me sembla républicain, il me lâcha le mot suprême, l'apostrophe qu'il cherchait depuis le début de sa colère :

« Espèce d'imbroglio ! »

Je n'ai pas su ce qu'était exactement un imbroglio

en uniforme, mais j'ai compris ce qu'était un balai...

— En somme, tu jouais *Les Gaietés de l'escadron ?*

— Il y avait de ça. Passons. La veille de ma démobilisation, mon capitaine me convoqua :

« Alors, des Cars ? Qu'allez-vous faire dans la vie civile ? »

J'osai lui répondre :

« Du journalisme, mon capitaine ! »

Silence. Il était consterné :

« Mais voyons, ce n'est pas sérieux ! Un métier pareil ! Voyez-vous, des Cars — et j'en vois beaucoup des garçons comme vous —, tel que je vous connais, je vous verrais plutôt dans le commerce...

— Mais, mon capitaine, le journalisme se rapproche de ce métier. Un bon reporter, un bon rédacteur a toujours quelque chose à vendre ! »

C'était une « sortie », mauvaise d'ailleurs, une façon de ne pas lui dire que lors de ma dernière permission à Paris, je m'étais précipité rue de Verneuil à la direction d'un nouvel hebdomadaire qui allait paraître : *Pantagruel.* Déjà, à l'époque, la seule chance de débuter pour un jeune était de se glisser dans l'équipe d'un journal nouveau. Quand il tourne bien depuis longtemps, les places sont chères. J'y étais donc arrivé essoufflé, plein d'idées de reportages, débordant de « textes inédits ». Bref, je me croyais comme on se croit à cet âge : j'avais plus de « génie » que d'expérience...

Je fus reçu très aimablement, et même courtoisement. Le directeur — fine cravate et fine moustache — me congédia d'une phrase qu'il faut avoir entendue : « J'ai votre adresse. Je vous écrirai... » Ce n'était pas la dernière fois que je l'entendais ! Et ceux qui ne l'ont jamais entendue dans ce métier ne sont pas tout à fait de vrais journalistes.

— Pourquoi faut-il avoir entendu cette phrase ? La « vache enragée », c'est donc obligatoire ?

— On s'en passerait, mais c'est utile. Cela joue le rôle d'un révélateur photographique. Une vie est faite d'échecs, dit-on. Une vocation aussi. L'échec

— aujourd'hui, on dit « un bide » — c'est la meilleure des mises à l'épreuve. Cela permet de voir ce qu'on a dans le ventre. Mon capitaine n'avait pas confiance en moi. Ma famille non plus puisqu'elle me coupa immédiatement les vivres. J'étais seul à croire que j'écrirais un jour ou l'autre (plutôt l'autre, pour le moment !) Et personne — surtout pas moi — n'y pouvait rien. J'avais le virus d'une fièvre dont on ne guérit jamais.

— Vouloir écrire, c'était donc, d'après tes parents, une maladie honteuse ? T'ont-ils pardonné ?

— Mon père est mort pendant la guerre, juste après la parution de mon premier livre : *L'Officier sans nom,* ce récit de notre guerre jusqu'au 25 juin 1940. Le livre partait très fort. Mon père ne refusa pas de le lire. Et il eut ce mot : « Tu as tout de même réussi quelque chose de militaire ! » Il est sans doute mort persuadé que je n'écrirai plus que des chroniques de guerre.

Maman, ce fut autre chose. Elle a vécu plus longtemps. Elle a eu le temps de lire une quinzaine de mes romans. Le temps de voir, au cas où elle ne s'en serait pas aperçue avant, que j'étais entêté.

— Bon, sans argent, sans appui, tu n'étais donc plus un fils à papa...

— C'était pire. J'étais « fils de duc » ! Evidemment, aujourd'hui, tout le monde travaille, ou presque. Dans les années 1932-1936, c'était une habitude ignorée de mon milieu. Je portais un nom gênant pour m'imposer ailleurs que dans l'armée (tu as vu ce que cela avait donné !...), le clergé (les jésuites m'avaient dit : « Quand on sort de nos Maisons, ou l'on devient soi-même jésuite ou l'on tourne mal »), le Quai d'Orsay (la diplomatie n'est pas innée chez moi !) ou l'agriculture (je ne voulais vivre déjà qu'à Paris). Bref, selon les critères aristocratiques, je n'avais aucun avenir. Mon père disait à ma mère : « Il veut écrire des âneries ? Cela lui passera quand il aura faim. » J'ai crevé de faim jusqu'à *L'Officier sans nom,* qui a donné un nouveau sens à mon nom.

Jusque-là, quelques petits miracles se sont quand même produits. Le jour même de mon retour à la vie civile, le directeur de *Pantagruel*, ce futur journal où je m'étais précipité, me convoqua. C'était un homme de parole. Et de mots. Il me demanda :

« Voulez-vous tenir la rubrique de la mode masculine ? »

Je m'attendai à tout sauf à ça ! J'eus du mal à ne pas rire. Il ne fallait surtout pas rire. C'était grave. Pour me convaincre, il enchaîna : « Trente lignes au maximum. » Et il termina par cette boutade dont il sembla très fier : « Ce n'est pas pressé, mais il me les faut demain matin... » Plaisanterie qui a toujours cours dans les journaux, du moins en ce qui me concerne. Chaque fois qu'on me demande un papier, c'est tellement urgent que c'est pour hier.

— Dans la presse, on est pressé...

— Je m'en suis aperçu. Je n'avais, bien entendu, aucune compétence en matière de mode. Ce genre de lacune n'empêche pas un journaliste de faire un papier. C'est même sans documentation qu'il prouve ses dons réels. Ma documentation, ce soir-là, se résumait à un vieux catalogue de La Belle Jardinière. Il datait de 1930, mais j'y trouvai quelques termes techniques qui feraient sérieux. Je « pondis » l'histoire burlesque d'un monsieur vêtu comme les Marx Brothers. Voulant être chic, il avait innové. Voulant être moderne, il avait utilisé des trucs comme le nœud de smoking tout fait. Mais une série de catastrophes vestimentaires le ridiculisaient au milieu d'une foule réellement élégante.

A minuit, j'étais fier de mon papier. A neuf heures du matin, je l'étais beaucoup moins. Timidement, je le laissai à une dactylo de la rédaction et commençai à vivre les affres du jour de parution. Huit jours d'angoisse. Aucune nouvelle. J'avais beau me répondre « Bonne nouvelle », je n'en pouvais plus. Et un vendredi, dans le premier numéro de *Pantagruel*, mon papier, mon premier papier (non, je disais encore : « article ») paraissait.

— Il était signé Guy des Cars ?

— Pas question ! Mon père m'avait interdit de disposer du nom de la famille. Mes écrits devaient rester discrets. J'avais un pseudonyme : « Giglio. » Pas très reluisant à côté de mes confrères et aînés qui pouvaient signer : Marcel Aymé, Roger Vercel, Pierre Véry, Claude Farrère ou Daniel-Rops, qui, déjà, tenait la chronique religieuse. Tant pis ! J'avais atteint ce premier stade officiel du métier : être imprimé. J'en appelle à tous ceux qu'une signature a rendu célèbres et à ceux, bien plus nombreux, que cela n'a pas sorti de l'anonymat. Tous ont connu ces palpitations à se voir pour la première fois noir sur blanc.

— « Giglio », c'était un « nom de guerre ». Mais, sinon, es-tu pour ou contre les pseudonymes ?

— Ecoute, franchement, signer X ou Y me mettait mal à l'aise. Mais c'était ça ou rien. J'étais dans la clandestinité. Je crois qu'il faut faire une différence entre le pseudonyme honnête et celui qui est malhonnête. Le pseudonyme honnête est celui qui n'induit pas le lecteur en erreur ; cela ne lui dit rien, au lecteur, Maxime Dupont au lieu de Théodule Durant. Qu'est-ce que cela change ? Rien. C'est une coquetterie, sans plus. Parfois, elle est imposée par plusieurs collaborations à différents journaux, et même à l'intérieur d'un même journal. Cela permet d'ailleurs des économies de personnel.

C'est seulement une façon de se multiplier, voire de se spécialiser. Quand on lit Jacques Laurent au bas d'une page ou sur un livre, on attend un texte politique, pamphlétaire peut-être. Mais si on lit Cécil Saint-Laurent, c'est *Caroline chérie* qu'on va retrouver. Dans les deux cas, c'est le même homme qui est l'auteur. Et justement, c'est honnête de rester le même homme. Quand on lit *Loin de vous ce printemps*, roman rose et rassurant, on ne se doute pas que son auteur, Mary Westmacott, est en réalité Agatha Christie, la grande dame du roman policier. Cela n'a aucune importance : ce sont deux facettes, deux talents d'un même auteur. Mais si, par exemple, un M. Cohen se met à signer d'Estissac — je l'ai vu ! — il y a tromperie. Et si Cohen écrit dans *Le Nouvel Observateur* et signe La Rochefoucauld dans *Le Figaro*, il y a escroquerie. En d'autres termes, cela s'appelle manger à deux râteliers. Et ça, c'est inadmissible. D'autant plus inadmissible que c'est pratiquement admis dans la presse et l'édition. On pourrait dresser des listes de gens qui s'octroient des noms en accord avec l'article ou le livre qu'ils vont écrire. Si tu veux, je comprends le pseudonyme lorsqu'il est mesuré dans son choix et dans son utilisation. Les différents noms de plume d'un même auteur doivent tous être dans le même ton et servir la même cause. Sinon, je ne suis plus d'accord. Un auteur, un journaliste doit avoir le courage de son nom. Et de ses origines. On s'appelle Rothschild ou Cohen, on signe Rothschild ou Cohen. On s'appelle Dupont, on signe Dupont. C'est un terrible pouvoir, une terrible responsabilité que d'écrire. Un pseudonyme trop mensonger, c'est une dérobade, une lâcheté qui ne fait honneur à personne. Vraiment, quand je sais qu'un des « phares » de l'intelligentsia de gauche, « grand reporter » — il y en aurait donc des « petits » ? — au *Nouvel Observateur*, a signé sous un nom d'emprunt des papiers dans un magazine aux antipodes de ses idées et cela parce que l'argent bourgeois ne sentait, après tout, pas si mauvais que ça, je dis : c'est tricher. C'est même plus grave : c'est un peu se renier soi-même. Evidemment, ce que je raconte n'a rien à voir avec les changements de nom, notamment en début de carrière. On peut les assimiler au choix d'un pseudonyme définitif. Bien entendu, l'hypocrisie n'a rien à voir avec ceux-ci. Aucun lecteur du *Canard Enchaîné* ne croira qu'une ou un journaliste s'appelle réellement Valentine de Coincoin. Chère Valentine... Elle me rappelle le début particulièrement féroce d'un papier d'Henri Jeanson. « L'homme qui apprit à parler au cinéma français » en lui donnant des dialogues étincelants, le polémiste qui, un moment, prêta sa plume à l'amie Valentine, tenait peu de temps avant sa mort une chronique savoureuse dans *L'Aurore*, chaque mardi. Un mardi, donc, Jeanson, qui s'en prenait toujours à l'O.R.T.F., avait dans le collimateur je ne sais plus quelle émission. Il égratignait la productrice de ladite émission par ces mots (je cite de mémoire) : « Connaissez-vous Lucile de Guyencourt (la productrice) ? Qui est-ce ? C'est, sans doute, une standardiste... » Lucile de Guyencourt, joli nom d'héroïne de roman, est peut-être le vrai nom de cette dame que je ne connais pas. Mais ce que voulait dire Jeanson, c'était, je crois, qu'il y a des cas où un nom trop léché, même authentique, arrive à sonner faux. D'ailleurs, je peux me mettre dans le même sac. J'ai reçu, il y a quelque temps, une lettre d'une lectrice embarrassée qui m'écrivait : « *Monsieur, je lis tous vos livres. Il y en a qui me plaisent beaucoup. Mais, vraiment, il y a une chose qui me gêne : c'est votre nom. Il est ridicule ! Pourquoi avez-vous choisi un pareil pseudonyme ? Je suppose qu'il est trop tard pour en changer. Quel dommage !* »

Navré, chère lectrice... J'ai reçu ce nom à ma naissance, je le porte.

— Tu dis ça aujourd'hui, mais tu ne l'as pas porté tout de suite...

— Tu veux m'épingler ? Ecoute, trois jours après la parution du numéro un de *Pantagruel*, mon directeur m'appelle et me dit : « Très bon, votre papier. Il a fait rire ma femme, c'est tout dire ! Elle m'a toutefois fait un reproche qui tient au journal : il n'y a pas de courrier du cœur. Voulez-vous le faire ? » Evidemment, je saute sur l'occasion. « Parfait ! Faites-moi cent lignes, on coupera. Pour demain, comme d'habitude. Avec un autre pseudonyme, bien sûr ! » Pour le courrier du cœur, déversoir des amours contrariées ou déçues, le titre de rubrique s'imposait dans mon esprit : « Mes Epanchements. » Et, bien entendu, je signerais : « Synovie. » La naissance de « Synovie des Epanchements » — on dirait un nom d'héroïne de Claudel ! — m'avait mis en joie. Il fallait pourtant écrire dans le grave, jouer du violoncelle. Evidemment, je dus me renseigner sur quelques aspects de la psychologie féminine qui m'échappaient encore. Etant loin d'être antiféministe, ce fut facile. J'inventai donc trois lettres de lecteurs, deux de femmes, une d'homme, ce qui était audacieux dans ce genre de rubrique, car en principe, seules les femmes avaient le droit de pleurer par la poste. Deux des lettres étaient des « cas désespérés », la troisième, celle de l'homme, traitait d'un « amour à l'avenir incertain ».

— Les lettres de courrier du cœur sont-elles toujours inventées ?

— Non, bien sûr. Seulement, mon exemple est celui de tous les journaux qui débutent. Si, après le numéro un, ils reçoivent de tout — encouragements, félicitations, colère, indignation — dans ce lot de lettres on trouve rarement de quoi faire un premier courrier du cœur. Il faut bien commencer. On peut être presque certain que les lettres publiées dans un numéro un sont fausses. Et souvent aussi celle du deuxième. A cause des délais de fabrication, il faut écrire le numéro deux dans la foulée du premier. Après, dans les journaux sérieux, il n'y a plus qu'à ouvrir les lettres reçues : on y trouve de quoi faire un courrier du cœur. Disons que les deux premiers « courriers » constituent un appel d'offres. Les gens adorent se raconter. Ils écrivent. Et tout ce qu'on aura pu inventer dans des « lettres bidon » est encore au-dessous de ce qu'un journal peut recevoir. C'est très important, le courrier du cœur. C'est une rubrique qui a ses enragés, comme l'horoscope et les mots croisés. Il faut la manier avec précaution et talent. N'est-ce pas une petite soupape de fraîcheur, d'humour, de tendresse, ouverte dans une atmosphère de confession, une sorte de rendez-vous fidèle donné aux solitaires, aux perdus, aux abandonnés, ou qui croient l'être, ce qui revient au même ? Marcelle Segal, qui tient le courrier du cœur de *Elle*, le fait avec une finesse, une émotion tout à fait remarquables.

— Tu lis donc les courriers du cœur. Les lectrices de Guy des Cars écrivent au courrier du cœur ?

— Je lis tout ce qui m'intéresse. Et ce qui m'intéresse, c'est la vie, les femmes, les hommes. Si ce sont mes lectrices ? Peut-être. Toutes les femmes aiment se raconter. Depuis près de trente ans — disons plutôt : depuis trente-trois romans —, je rencontre chaque semaine des femmes (ou je reçois leurs lettres) qui me disent : « Accordez-moi cinq minutes, je vais vous raconter ma vie, c'est un vrai roman ! » Malheureusement, un journal ne peut pas publier toutes les lettres qu'il reçoit. Dans certains cas, le courrier du cœur deviendrait le courrier du corps. Il y a quatre ou cinq ans, le rédacteur en chef d'un magazine féminin m'a montré une lettre qui avait toutes les apparences de l'authenticité, et dans laquelle une lectrice posait une des questions clés du courrier : « Mon mari se détache de moi. Que dois-je faire ? » Et, en post-scriptum, cette autre question posée à la rédaction de la rubrique « Beauté » : « J'ai un creux dans le bas du ventre. Que me conseillez-vous ? » Sans doute, cette lectrice avait des problèmes délicats, mais la façon dont elle les avait formulés était cocasse. Les réactions et commentaires de la rédaction furent ce que tu peux penser. Mais les plus fleuris furent ceux des ouvriers de l'imprimerie du journal. Ils firent composer en lettres énormes — aussi grosses que celles d'une manchette de *France-Soir* — la question et, en dessous, dressèrent une liste de « suggestions » pour venir en aide à cette lectrice décidément bien embarrassée. La réponse qu'elle a reçue devait sensiblement différer de ces « conseils » qui restèrent affichés des semaines aux murs de l'atelier de composition...

— « Synovie » donnait-elle de bons conseils ?

— Je me suis beaucoup amusé à répondre aux vraies lettres. Mais c'était souvent pathétique, angoissant. Je sentais une impression de responsabilité très grave. Qui sait si une réponse ne peut pas pousser un lecteur ou une lectrice au suicide ou à une folie comme, par exemple, se marier parce qu'il (ou elle) a peur de la solitude ? La rédaction d'un courrier du cœur devrait être asexuée, c'est-à-dire qu'il n'est pas toujours bon qu'une femme réponde à une femme. En général, c'est une journaliste qui tient cette rubrique. Question d'intuition et de sensibilité, dit-on. C'est d'ailleurs pour respecter ce domaine réservé en principe à la femme que j'avais choisi « Synovie ». Mais, après tout, un journal très organisé et soucieux d'aider sa clientèle devrait pouvoir faire répondre, selon les lettres, selon les cas, par une femme ou par un homme. Quand je signais « Synovie », je m'efforçais d'endosser les réactions d'une femme devant la lettre à laquelle je répondais. Mais, souvent, j'aurais aimé donner mon point de vue d'homme. Quelquefois, je trichais...

— C'est-à-dire ?

— J'avais reçu une lettre qui disait ceci : « *... Je suis plutôt belle et je n'ai que dix-huit ans. Mon plus grand rêve est de devenir meneuse de revue comme au Casino de Paris. Cela ne me gênerait pas d'être peu vêtue en scène. Mes parents y consentent à condition qu'être danseuse nue soit une situation très rémunératrice. Pouvez-vous me conseiller ?* » J'ai répondu : « *A votre âge, on ne se découvre pas.* »

— Et tu étais content de cette réponse ?

— Ma foi, oui...

— Tu appelles cela un « bon conseil » ? Je le trouve sommaire.

— Il en vaut d'autres... Aujourd'hui, j'aurais peut-être répondu à cette lectrice que devenir une « O.S. de l'escalier - bien - descendu - avec - des - plumes - et - du strass » est l'un des métiers les plus exténuants qui soit. Quant à l'argent, il est, là comme ailleurs, rare pour les débutants. Henri Varna, l'inégalable et toujours inégalé directeur du théâtre Mogador et, justement, du Casino de Paris, en était persuadé. J'aimais beaucoup Varna. Il était incroyable, invraisemblable, génial et tonique. Il était vrai et plein d'astuces. Ainsi, lorsque Line Renaud menait tambour battant une des revues du Casino, malgré son courage et sa résistance physique, elle ne jouait pas toujours en matinée le dimanche. Mener une grande revue à longueur de semaine, crois-moi, « il faut le faire ». Le dimanche, donc, Varna, faisait remplacer Line par une inconnue, pleine de punch et qu'il avait extraite du bataillon de girls, baptisée : Zazie Varnel. Varna... Varnel : un parrainage, en quelque sorte. Devant la boîte à sel du Casino, juste au moment de l'arrivée des spectateurs, un écriteau discret apparaissait les dimanches après-midi : « *Mme Line Renaud est remplacée par Mlle Zazie Varnel.* » Les Américains, les Hollandais et autres touristes en pleine digestion ne voyaient pas toujours la différence, surtout s'ils étaient assis loin de la scène. Ils le pouvaient d'autant moins que de nombreuses chansons étaient en play-back. Ils entendaient bien la voix de Line, à défaut d'admirer sa plastique et son talent. Eh bien, Zazie Varnel, « doublure » du dimanche et simple danseuse les autres soirs, restait, malgré sa promotion, toujours payée, à peu de chose près, au tarif de danseuse.

Quand j'étais « Synovie », je faisais comme Zazie dans le Casino : je me multipliais. Car, quelques jours après m'avoir confié le courrier du cœur, mon directeur me fit appeler à nouveau et m'annonça : « Cette semaine, des Cars, je vous donne la critique dramatique. Il y a un tas de pièces que l'on vient de monter. Je vous laisse le choix. » J'étais abasourdi de joie. Et aussi d'inquiétude ! Une vague angoisse me tenaillait... D'un côté, je me disais : « C'est ce que tu voulais, découvrir peu à peu les différents aspects du métier... Et voilà une grande chance ! A toi de jouer... » De l'autre, je me posais la question : « Est-ce que par hasard, malgré les apparences, je ne ferais pas l'affaire ? Je change tout le temps de spécialité : « Giglio », « Synovie », et maintenant le théâtre... Peut-être qu'on m'essaie partout avant de me mettre cycliste ?... » Rapidement, avec une totale inconscience, j'ai chassé cette seconde hypothèse. Il n'y avait qu'une chose qui comptait : je devais écrire, pour le lendemain toujours, deux cents lignes. Et comment la signerais-je cette critique, ce premier vrai papier ? Il se rapprochait de mes buts, je prendrais donc un pseudonyme très proche de mon nom : « Guy Desrac ». C'est d'ailleurs mon père qui m'avait consenti cette largesse en me disant : « Desrac, ce n'est pas ridicule et cela n'engage pas ouvertement la famille. » Le duc, mon père, me cédait en réalité son pseudonyme : c'est sous ce nom qu'il s'était inscrit à vingt ans pour faire des courses cyclistes au Vélodrome des Arts libéraux qui est devenu, plus tard, le Vélodrome d'Hiver, le célèbre « Vél' d'Hiv' ». Des coureurs avaient pourtant réussi à démasquer sa véritable identité, et le futur duc — son père vivait encore — avait été baptisé « le Marquis de la Petite Reine ».

Après Guy Desrac, j'ai utilisé un quatrième pseudonyme et qui est en réalité ton nom...

— Le mien ?

— Quand tu es né, j'ai souvent signé Jean Cardes, Jean des Cars, en un sens. L'envers ne vaut peut-être pas l'endroit, mais c'est comme cela que j'ai dû t'inoculer ce fameux microbe... Revenons à cette critique dramatique (deux mots tristes, par parenthèse : « Critique » associé à « dramatique », cela fait rarement des personnages gais !). J'avais eu la chance d'applaudir une pièce d'Alfred Savoir : *La Voie lactée*, jouée par Harry Baur et Alice Cocéa au théâtre des Mathurins. Mes confrères, mes aînés, bref les critiques dramatiques patentés, avaient porté cette pièce aux nues. Elle m'avait déplu parce qu'elle mettait en scène la vie privée de Sacha Guitry. Je trouvais le procédé ignoble. Et je l'écrivis dans mon papier qui fut plutôt une critique des critiques. Un flot de lettres — pas des lettres pour « Synovie » ! — m'approuva. L'une d'elles m'alla droit au cœur : elle était de Francis de Croisset, le délicieux auteur de *La Féerie cinghalaise*, qui me disait : « *C'est une honte de s'attaquer à la vie intime d'un confrère.* » Comme Croisset était à la veille de faire jouer sa nouvelle pièce *Le Vol nuptial*, à la Michodière, j'en profitai pour lui demander un papier d'avant-première. Mon directeur, ravi, me fit venir une fois de plus dans son bureau et m'appela, pour la première fois, « mon cher ami ». Ce fut là que les ennuis commencèrent...

— Il te congédiait poliment ?

— Il me donnait du galon en ces termes : « Je compte sur vous. Occupez-vous de la totalité du prochain numéro. Sauf, bien entendu, de ma page de politique étrangère. Elle est sacrée ! »

Tout le journal ! Enfin, presque..., et pas la moindre augmentation de mes appointements ! Je me suis jeté dans ce qui fut ma première bataille de presse. Car, déjà, à cette époque, les journaux vivaient dans le paradoxe. Gros tirages n'allaient pas et ne vont pas toujours de pair avec des recettes publicitaires importantes. *Pantagruel* avait eu un démarrage foudroyant. Au numéro quatre, nous vendions plus de cent mille exemplaires. Un beau début, je crois. Malheureusement, le chef de publicité n'était pas un foudre de guerre. Les annonceurs, comme on dit aujourd'hui, n'arrivaient que timidement dans nos pages.

— C'était peut-être à cause du ton du journal ?

— Je ne crois pas. *Pantagruel* était, avant tout, un journal gai, « *l'hebdomadaire d'esbaudissante fantaisie et de substantifique moelle* ». En somme, Rabelais était notre directeur spirituel. Ce n'était pas bien méchant... Le problème était simple : les Messageries Hachette ne versaient les rentrées de vente que six mois après la parution du premier numéro. Il fallait donc de l'argent pour tenir six mois. Au bout de trois mois, la situation était catastrophique : nous n'étions pas payés et l'imprimerie réclamait le versement immédiat de solides acomptes. C'était dans ces conditions que mon directeur m'avait donné du galon : la promotion du bouc émissaire avant que le navire ne sombre.

— C'était donc un cadeau empoisonné ?

— Je ne le savais pas et c'était quand même passionnant. Tous les espoirs de l'équipe, toutes mes forces étaient dans ces pages. Il nous fallait tenir encore trois mois, et nous serions sauvés. Quand je suppliai notre estimable directeur de soutenir par ses moyens divers et puissants son journal, il prit un air très détaché pour me déclarer : « Mon cher ami [décidément, cette appellation était mauvais signe !], j'ai besoin de repos. Je pars dans le Midi avec ma femme. J'ai perdu trois cent mille francs dans cette aventure. Ce n'est pas terrible. Pour moi, c'est un coup de baccara. Débrouillez-vous comme vous le pourrez... » J'étais atterré, et pris le parti de ne pas rapporter aux autres collaborateurs les propos exacts de ce directeur qui confondait tapis vert et pages blanches. En plus, il s'appelait Mill, Henri-Louis Mill (à ne pas confondre avec Hervé Mille qui fut le conseiller de Jean Prouvost). Si j'avais raconté son point de vue, sa belle cravate aurait risqué d'être froissée par la colère de tous les collaborateurs du journal. Il fallait continuer de paraître, même sur une pagination réduite. Il fallait surtout être dans les kiosques ! A n'importe quel prix et surtout au prix le plus bas... J'entrepris de faire le tour des « commanditaires » du journal, ces gens invisibles qu'on ne voit que lorsque les affaires sont mauvaises. Ils me font penser à cette définition du banquier : « Un monsieur qui vous prête une ombrelle lorsqu'il y a du soleil, mais qui vous refuse un parapluie quand il pleut. » Il y avait en quelque sorte un triumvirat de commanditaires : la source principale de fonds était protestante, la publicité contrôlée par des Israélites, et la « valeur morale » garantie par un jésuite.

— C'était un journal œcuménique...

— C'était plutôt la guerre : celle des portes closes. Il ne me restait plus qu'une solution : en parler à mon père. Il n'appréciait pas mes activités, mais savait que ce n'était pas un caprice ni une passade. Il voyait que je m'accrochais. Père fut très sport et très efficace : « Alors le prochain numéro ne paraîtra pas ? me dit-il. C'est dommage. Combien te faut-il pour payer l'imprimerie et paraître ? » Il me prêta la somme, ce que je n'ai pas oublié. Quand je le quittai pour me précipiter chez l'imprimeur, mon père ajouta : « Cette sacrée publicité, il faut qu'elle vienne... Vous avez eu douze numéros. C'est donc le treize qui va paraître ? C'est bon signe... »

Dans la sueur du mois de juillet, en deux jours, le numéro treize fut prêt. Tristan Derême y donna un de ses plus beaux poèmes, Pierre Véry, l'homme qui a écrit *L'Assassinat du Père Noël* et *Goupi Mains Rouges*, s'exerça à une étonnante « Variation sur les faits divers », les caricaturistes, tels qu'Alain Saint-Ogan, le père de *Zig et Puce*, taillèrent leurs crayons pour avoir la mine la plus féroce, les secrétaires de rédaction passèrent la nuit au « marbre » à corriger les morasses. Et le vendredi matin, *Pantagruel* était dans les kiosques. Brillant, tonique, réussi, je crois. Le collaborateur direct de M. Mill — devenu invisible — un vieux brave homme qui s'appelait Georges Champenois, me répétait, en tapotant les accoudoirs du fauteuil de directeur fantôme :

« J'ai confiance ! Nous avons eu, grâce à votre père, un miracle. Nous en aurons d'autres. J'ai un frère qui est père blanc en Afrique. Je suis sûr qu'il prie pour nous. Et puis nous sommes vendredi ! Pour un numéro treize, on ne peut demander mieux... »

Hélas ! il n'y eut pas de numéro quatorze.

— Tu es superstitieux ?

— Non, cela porte malheur. Malgré le père blanc, malgré le geste de mon père, *Pantagruel* était bien mort ! L'aventure rabelaisienne s'était transformée en déroute : les bureaux de la rue de Verneuil furent désertés. Les dactylos avaient été les premières à s'être envolées comme des moineaux. Il n'y avait rien à espérer : les caisses étaient désespérément vides, les frais ayant été trop lourds. J'étais écœuré, dégoûté, blessé dans mon orgueil — oui, je l'avoue — et embêté par une dette morale vis-à-vis de mon père et des dettes réelles pour chacun de nous. En tant que rédacteur en chef, j'avais commandé des papiers qui ne pourraient être pigés... Mais tous mes amis furent extraordinaires de compréhension : aucun des collaborateurs ne vint réclamer quoi que ce soit. Nous avions joué le jeu et perdu. Les indemnités n'existaient pas. Nous travaillions en pleine insécurité sociale. Nous n'avions aucun droit. A cette époque, la presse était une totale aventure : c'était à la fois un métier « actuel et d'avenir »... Aujourd'hui, les indemnités — quand il y en a — diluent sérieusement le risque.

Je n'oublierai jamais ce soir d'été où je quittai, effondré, l'immeuble de feu notre journal. Sur la plaque dorée où on pouvait encore lire, en lettres noires, l'enseigne prometteuse « *Pantagruel, l'hebdomadaire d'esbaudissante fantaisie et de substantifique moelle* », je collai une pancarte improvisée : « *Requiescat in passif* »...

— Une oraison funèbre dans le style du *Canard Enchaîné ?*

— Plutôt l'adieu à un ami... dans des termes qui avaient été ceux de nos relations.

— Tu m'as parlé, tout à l'heure, du paradoxe de la publicité et des gros tirages...

— J'ai repensé à ce pauvre *Pantagruel,* il y a un an et demi, lorsque fut annoncée la mort du géant de la presse mondiale : *Life.* Il n'est évidemment pas question de comparer *Pantagruel* et *Life !* Mais c'est encore la publicité, ou plutôt son absence, qui est à l'origine de la fin de la plupart des journaux. Dans le cas de *Life,* il est tout de même stupéfiant de voir qu'un périodique qui tirait à plus de six millions d'exemplaires — ce qui est fabuleux — n'arrivait plus à attirer les annonceurs ! Ceux-ci n'y croyaient plus et le journal continuait, géant lézardé, mais géant. Toutefois ce n'est pas la seule raison de sa disparition : sur les six millions d'exemplaires, il n'y en avait que quelques milliers vendus au numéro. Tout le reste l'était par abonnements. Et là, on a vu un double problème. D'une part, cette immense marée de papier transportée par train et avion coûtait une fortune parce que les tarifs postaux avaient, je crois, augmenté de cent cinquante pour cent. D'autre part, une politique de relance avait proposé ces mêmes abonnements à des conditions très avantageuses, du genre : « Economisez cinquante pour cent. Un an pour le prix de six mois. » Beaucoup de journaux le font. C'est un appât. Je crois que c'est une erreur de brader un journal. Ce qui est à peine valable pour la presse spécialisée et technique l'est encore moins pour l'information générale. Abaisser les prix abaisse la valeur de ce qu'on vend. L'essentiel est de maintenir la qualité. Quand Hugh Hefner, le fabuleux propriétaire de *Playboy*, a augmenté son prix, c'était pour maintenir une qualité constante. Il n'a pas perdu un lecteur. Et pourtant il est passé d'un demi-dollar à un dollar ! En bref, ce qui est terrible, c'est le décalage entre les réactions des lecteurs et celles des annonceurs. Un journal démarre, ou redémarre. Ses ventes montent, sa position se confirme. Les annonceurs enregistrent cette faveur du public, incluent ce journal dans leurs programmes, mais l'arrivée des pages de publicité ne se fera peut-être pas avant deux, trois ou même six mois. Si entre-temps le journal retombe, au moment où il connaîtra un afflux publicitaire, il connaîtra en même temps la désaffection du public... C'est comme cela qu'à certains moments, des journaux apparaissent comme de vrais catalogues et qu'on entend cette phrase signal d'alarme : « Il n'y a plus que de la publicité ! »

— Si tu dirigeais un journal, tu serais obligé d'avoir de la publicité. Alors que ferais-tu ?

— En admettant que je sois compétent. Et je pense être beaucoup trop indépendant pour diriger un journal d'aujourd'hui... Si cela m'arrivait, je crois bien que je serais comme tous les autres directeurs de journaux : je rêverais de ne plus avoir à choisir entre Renault et Volkswagen et d'avoir un journal où il n'y aurait que des pages de rédaction. De ce point de vue, il n'y a plus qu'un seul vrai journal en France : *Le Canard Enchaîné*... Il vit bien — et même très bien — sans annonceurs. Tous les autres sont devenus — ce sont les publicistes qui dictent leur loi et leur langage — des « supports rédactionnels » ! Quelle triste expression !

— Après l'échec de *Pantagruel*, tu es retourné chez « papa et maman » ?

— Oui, mais pour leur annoncer que je continuais... Un journal est mort, vive un autre journal ! Et j'eus raison. Un bruit des plus agréables commençait à courir à Paris. Léon Bailby, ce grand patron de presse, préparait un nouveau quotidien : *Le Jour*, qui devait prendre la relève de son *Intran*, concurrencé par *Paris-Soir*. Il avait fait dire qu'il cherchait des nouveaux talents... Des « nouveaux », Paris en regorgeait ! Quant au « talent », eux seuls y croyaient ! Cette fois, je jouai cartes sur table avec mon père et lui annonçai : « Je vais demander un rendez-vous à Bailby. Sous le nom de Desrac, bien sûr... »

Hélas ! toute la presse parisienne avait déjà pris rendez-vous avec Bailby avant moi... y compris les journalistes qui le critiquaient depuis des années, mais qui — chômage oblige — tentaient une percée dans cette mêlée de rugby qu'est la naissance d'un journal. L'antichambre et les salons de l'hôtel particulier de la rive gauche où résidait Léon Bailby étaient devenus des salles d'attente. J'arrivai en avance, bien sûr, pour un rendez-vous fixé par un secrétaire à la voix mécanique qui m'avait dit : « Soyez là à quinze heures. » A dix-huit heures, j'y étais toujours. Un bruit de portes qu'on ouvre et qu'on ferme martelait ces heures qui ne m'apportaient, pour le moment, que des crampes. Enfin, un monsieur très suave, calamistré et bien manucuré, vint m'annoncer que le « Patron » ne pourrait me recevoir, mais qu'il me convoquerait dès que ce serait possible. Je bredouillai : « Cela ne fait rien », mais en réalité cela me faisait beaucoup. J'étais furieux et affolé. Mon père prit, comme toujours dans sa vie d'officier de cavalerie, une décision immédiate : « Nous partons après-demain pour la Sarthe. Fais tes valises. L'essai que tu viens de faire à *Pantagruel* et la fin de non-recevoir de Léon Bailby prouvent mieux que mes avis que tu n'as aucun avenir dans le journalisme. »

Et moi qui croyais que mon père avait compris !

Mais un nouveau miracle se produisit vers neuf heures ce même soir... Miracle qui avait pris la forme d'un pneumatique signé Léon Bailby : « *Toutes mes excuses pour aujourd'hui. Venez me voir demain matin à neuf heures.* » Je bondis chez mon père en brandissant le petit bleu. « Evidemment, dis-je, M. Bailby est un homme très absorbé. On doit lui pardonner ses contretemps. Mais puisqu'il m'attend demain, il est à peu près certain qu'il m'engagera dans sa nouvelle équipe... »

— Tu ne doutais de rien ?

— Croire en soi quand personne ne croit en vous, c'est un tonique indispensable. Et il faut être feu et flamme pour ce que l'on fait ! On n'embrase pas le monde avec des veilleuses.

A neuf heures précises, je pénétrai dans le vestibule de l'hôtel de Bailby. J'y étais encore à treize heures, après avoir vu défiler tout ce que Paris comptait de personnalités politiques et littéraires. Il avait dû se passer un événement important pour que mon rendez-vous fût retardé. Parce qu'enfin le petit bleu froissé que j'avais dans ma poche me prouvait que je n'avais pas rêvé ! Il arriva pourtant ce que je redoutais : le monsieur compassé de la veille revenait vers moi, en exécuteur des basses œuvres d'antichambre : « M. Bailby est vraiment navré. Pouvez-vous revenir vers quinze heures ? Peut-être pourra-t-il alors vous recevoir... »

J'étais ivre de rage, mais mon plan était fait : il fallait que je voie Bailby ! Seule cette entrevue pourrait débloquer l'engrenage. Quand, pendant le déjeuner, mon père me demanda, d'un air soupçonneux, comment s'était passé mon rendez-vous, je mentis pour sauver mon honneur ! « Nous avons parlé pendant deux heures, lui assurai-je en évitant son regard. Comme il voulait évoquer d'autres problèmes avec moi, il m'a prié de revenir à quinze heures... Je ne sais à quelle heure j'en sortirai ! » Cette dernière phrase était la seule vérité : je ne savais pas, mais j'attendrais. Et ce mensonge m'avait fait du bien.

J'aurais pu dire aussi : « Nul n'est prophète en sa famille. » Il fallait absolument que, à ses yeux, je ne passe pas pour un raté ou un saltimbanque, comme disait l'une de mes bonnes tantes... A trois heures, je retrouvai « ma » chaise et enfin, alors que je me cramponnai aux rêves les plus fous, le secrétaire aux allures d'employé de chez un « Borniol-de-luxe » me lâcha la phrase sésame : « M. Bailby va vous recevoir. Si vous voulez bien me suivre... » Et je me retrouvai dans le bureau du Patron, face au grand bonhomme qui était tout petit, mais cambré comme un coq qui voudrait dominer... Pendant quelques secondes, sans rien dire, il me fixa de ses yeux bleu clair, très perçants. Par la suite, j'ai pu constater, comme tous ceux qui ont approché et connu Léon Bailby, qu'il se livrait toujours à cette sorte de joute silencieuse pour mesurer l'adversaire, c'est-à-dire le visiteur. Quatre-vingt-dix-neuf fois sur cent, il sortait victorieux de ce duel d'intimidation. C'est sans doute cette raison humaine, beaucoup plus que des motifs professionnels ou financiers, qui incitait ses collaborateurs subjugués, et même ses ennemis, à l'appeler Patron. Mais dans la bouche des frondeurs, ce mot magique et un peu servile passait mal... Ils se croyaient sans doute supérieurs et s'estimaient humiliés de dire : « Oui, Patron... Non, Patron. »

— Tu l'as appelé Patron, toi aussi ?

— Pas le premier jour, bien sûr, puisque, moi aussi, j'étais un frondeur voulant oublier le milieu dans lequel il avait été élevé. N'en avais-je pas entendu autour de moi, quand les gens s'adressaient à mes parents, des « Oui, monsieur le Duc... Oui, madame la Duchesse... ». Alors, Patron, pour un grand bourgeois comme Bailby, cela me gênait... Ce qui prouve que j'étais aussi bête que tous mes copains. Nous pensions que nous savions tout, que nous avions la science infuse... et que tout ce que les autres avaient fait avant nous ne valait rien. Nous avions l'orgueil de notre jeunesse allié au mépris de nos aînés. Au fond, comme tous les jeunes qui gueulent aujourd'hui — qu'ils soient de droite ou de gauche —, nous n'étions que des petits cons...

Seulement, après que Léon Bailby m'eut pris dans son équipe du *Jour*, j'ai fait comme tout le monde. C'était normal. Pas de faire comme tout le monde, mais de l'appeler ainsi. Ce n'était ni de la veulerie ni de la reconnaissance du ventre. C'était le respect doublé de l'admiration pour un grand type qui savait être à la fois un vrai journaliste et un vrai directeur de journal, deux choses qui ne vont pas forcément de pair : un soliste doué n'est pas obligatoirement un bon chef d'orchestre. Léon Bailby était un authentique « lord » de la presse au sens des magnats anglo-américains comme Hearst, Luce ou Beaverbrook, l'un de ces géants qu'Orson Welles a symbolisés dans son film *Citizen Kane*. Ce n'était pas du tout gênant de l'appeler Patron, car c'en était un. Ce qui aurait été agaçant, c'eût été de dire Patron à quelqu'un qui ne le méritait pas. En France, le dernier homme de presse qui mérite aujourd'hui cette appellation contrôlée de Patron est Jean Prouvost le dernier géant d'une race en voie de disparition. Il est le dernier dinosaure de la presse. Pierre Lazareff était un grand journaliste, un directeur au grand flair, mais pas un patron. Marcel Dassault est un industriel qui a lancé un hebdomadaire qui n'est pour lui qu'un pion de plus sur un échiquier où l'on trouve déjà des avions et des salles de cinéma. J'admets que c'est aussi une question d'usages. En chirurgie, par exemple, « un grand patron » est appelé « Monsieur » par ses assistants. Il y a peut-être là de la coquetterie... Et j'en arrive à me demander si Françoise Giroud, directrice de *L'Express*, ne caresse pas elle aussi, dans le secret de ses pensées, le rêve d'être appelée à son tour « la Patronne » ?

— Cette première entrevue avec Bailby, elle a duré deux heures comme tu l'avais prétendu ?

— Elle n'a pas duré plus de trois minutes. Il me demanda :

« C'est vous Desrac ? J'ai lu vos papiers dans *Pantagruel.* Ils avaient de la vie. Quel âge avez-vous ?

— Vingt-deux ans, monsieur.

— Et comment un jeune de votre âge conçoit-il un journal moderne, un quotidien comme celui que je vais lancer ? »

La question était à la fois nette et embarrassante. Je cherchai une formule, mais elle me restait dans la gorge. Je pus quand même articuler :

« Permettez-moi de vous poser à mon tour une question : sur combien de pages désirez-vous paraître ?

— Douze pages.

— Dans quarante-huit heures, je vous apporterai sept maquettes de douze pages, une par jour de la semaine. »

Il n'eut pas l'air étonné. J'étais déçu...

« Bien, je les attends. Vous n'aurez qu'à les remettre à l'huissier... »

Evidemment, j'avais bluffé. Comment réaliser ces maquettes aussi vite et sans argent ?

Je parvins à joindre quelques compagnons de *Pantagruel,* et le soir même, dans un café de la rue La Fayette, nous ébauchions à grands coups de crayon des pages et des pages. Dans l'euphorie des bières-sandwiches, nous décidâmes de faire composer ces maquettes. « Cela impressionnera Bailby », pensai-je... En douce, dans un coin du marbre du *Petit Journal* et grâce à des complicités internes, nos maquettes prirent une forme présentable. Raymond Patenôtre, alors propriétaire du *Petit Journal* et l'un des grands rivaux de Bailby, n'aurait peut-être pas apprécié cette utilisation de son matériel. Soûlé de confiance, je présentai l'immense carton à l'un des huissiers du directeur du *Jour*.

« Encore des maquettes ! me dit le cerbère. Vous n'avez qu'à les déposer là, sur le tas... »

Et moi qui croyais être le seul à avoir étonné Léon Bailby ! Vingt, trente jeux de maquettes étaient déjà entassés... Je déposai les miennes sur le dessus, car il m'avait semblé que dans les journaux les derniers étaient souvent mieux traités que les premiers... Deux jours plus tard, un nouveau « petit bleu » de Bailby m'annonçait que j'entrai au service des reportages du *Jour*. Je n'étais pas peu fier. Je me suis précipité dans le premier train pour Le Mans et j'ai brandi ce télégramme qui me dédouanait aux yeux de mon père. Il eut cette réponse : « Tu vas donc travailler avec Léon Bailby. C'est très bien. Et après ? » Je n'eus que le temps de regagner Paris pour pénétrer dans ce hall des Champs-Elysées où se préparaient de grandes choses...

Plusieurs jours passèrent. Je faisais « les chiens écrasés » et interviewais des « personnalités littéraires »... Un matin, par la fenêtre du bureau du chef des informations, je regardai le soleil. Un soleil peint sur d'immenses affiches et qui symbolisait la naissance du *Jour*. Les murs de Paris en étaient recouverts. Le suspense avait été bien orchestré. Bailby avait un sens indéniable de la publicité. N'a-t-il pas inventé et exploité à fond le truc des « petites annonces » ? Ces petites annonces qui apportent des lecteurs assidus. *Le Figaro* en sait quelque chose.

La matinée n'en finissait pas. La « conférence », où seuls étaient admis les chefs de service, devait être passionnante.

Je sortis un instant dans le couloir et butai contre une tornade : le chef des informations, chargé de former les jeunes reporters, et agitant des papiers. Il me dit : « J'ai un coup formidable pour vous ! Le patron vous a gâté. Mais je vous l'expliquerai quand nous serons seuls. Venez ! » Il entra dans son bureau en poussant le cri de rappel « Au travail ! ». Quinze têtes se relevèrent, celles de quinze jeunes gens qui entouraient le bureau. La meute au cœur battant qui espérait sa pâtée... « Silence ! » hurla l'excellent homme. Personne, d'ailleurs, n'avait rien dit. Ce bon Braconnier-Hennequin — c'était son nom — distribuait les reportages : interviewer une star américaine à son arrivée gare Saint-Lazare, « couvrir » un fait divers sensationnel à deux cents kilomètres de Paris, filer au Salon de l'Auto, bref le tout-venant du quotidien. Au fur et à mesure que les belles affaires passaient, mon impatience grandissait... Quand la volée de moineaux fut dispersée, Braconnier-Hennequin me tapa sur l'épaule et me dit : « Vous avez de la chance ! »

Quelques bons scandales couvaient dans Paris. Un nom surtout hantait les journaux et les esprits : Stavisky. Je me frottai les mains d'avance.

« Le Patron veut que vous fassiez un grand reportage sur le chauffage urbain... »

J'étais stupéfait !

« Le... quoi ?

— Le chauffage urbain !... Comment, vous ne savez pas ce que c'est ? Vous ne savez pas qu'à New York et à Berlin les immeubles sont chauffés par ce système ? Paris est très en retard sur ce point, mais enfin des expériences ont eu lieu et vous allez les raconter ! »

Adieu l'affaire Stavisky, adieu le gros coup, adieu les scandales ! J'étais à nouveau sur la voie de garage des bons à tout faire...

« C'est très simple, continuait le brave homme convaincu. Filez quai de Bercy. Il y a là une usine désaffectée du métro. On y a installé les premières chaudières spéciales qui chauffent une partie du boulevard Henri-IV. Voici le nom du directeur de l'usine. On dit que les résultats sont surprenants. Le Patron veut passer votre papier demain... Il me le faut ce soir à vingt et une heures au plus tard. »

La bousculade, d'accord, mais ce sujet ne me réchauffait pas du tout le cœur...

Le directeur de l'usine était un homme ennuyeux,

bigleux, pointilleux, un admirable polytechnicien. Il me parlait chiffres, cubages, calories, gain de chaleur, économies, et pensait sans doute que le reporter du *Jour* avait un solide bagage mathématique et physique.

Il parlait. Je le laissai faire en griffonnant ce que je pouvais comprendre. Lorsqu'il m'eut dit : « Voilà, vous savez tout ! » je pris congé de lui. Ses paroles s'étaient voulues rassurantes : « Avec les renseignements que je viens de vous donner, vous avez de quoi écrire un article de premier ordre ! »

Pour moi, c'était la catastrophe ! Je n'avais rien compris. Ou plutôt j'avais compris que cette invention était, selon ses propres termes, en train de révolutionner la vie quotidienne d'un quartier de Paris et que bientôt ce serait Paris tout entier qui aurait chaud grâce au chauffage urbain. Mais les Parisiens du boulevard Henri-IV, les utilisateurs — on ne disait pas encore consommateurs — qu'en pensaient-ils ? Peu m'importait, en vérité, mais leurs réactions me permettraient peut-être de faire un papier humain, vivant, et donc compréhensible ?

Je m'engouffrai sous un porche du boulevard Henri-IV. La concierge était, bien sûr, dans l'escalier, mais apparemment pas pour son plaisir :

« Le chauffage urbain ? Mais c'est épouvantable ! Regardez-moi mon escalier... Il est toujours dégoûtant ! Ah ça ! je ne leur ferai pas de réclame ! » répondit-elle.

Tiens, tiens... Je tenais là un élément fondamental de mon papier : chacun sait que le point de vue d'une concierge est la synthèse de ceux des habitants de l'immeuble. Il fallait tout de même vérifier. Le locataire du premier se plaignait d'étouffer, celui du deuxième avait chaud dans son salon et froid dans la salle de bains, celui du troisième vivait avec trois chandails, celui du quatrième... Plutôt celle du quatrième, une ravissante petite brune, avait résolu la question : « Moi, me dit-elle, je préfère les radiateurs électriques ! » Apparemment, elle n'avait pas froid... Elle était en pyjama et comme j'avais moi-même besoin de chaleur, elle sut me réchauffer... Quand, vers sept heures du soir, elle me dit : « Je croyais que tu faisais un reportage ? » je bondis ; il faisait si chaud chez elle que j'avais oublié le chauffage urbain ! « Vite ! Donne-moi du papier !... » En une heure, j'avais noirci une quinzaine de feuillets. Le papier était écrit... en vers ! L'accueil chaleureux de mon hôtesse m'avait poussé à réveiller une muse que je n'aurais pas dû déranger... Les vers n'étaient pas très riches : « Calorie » rimait avec « Eugénie », son prénom. Mais ces rimes avaient eu l'avantage de me donner la force d'affronter le jugement du Patron. Mon pensum était devenu une épopée du chauffage urbain à travers les rues, les boulevards et les avenues de Paris. Un Paris qui avait de nouvelles rues chaudes... Je remerciai sincèrement Eugénie : grâce à elle, les lecteurs du *Jour* trouveraient un peu de poésie dans les chaudières.

Le rédacteur en chef portait un nom qui aurait dû éveiller mes inquiétudes : il s'appelait Destin.

« Vous tenez absolument à parler du chauffage urbain en vers ? me demanda-t-il avec ironie.

— Mais c'est indispensable ! Cela changera un peu.

— Bon. Je vais d'abord le montrer au Patron avant de l'envoyer à composer. C'est « son » sujet. Il décidera. »

Pour moi, cela ne faisait aucun doute : Léon Bailby serait enchanté. Mais le lendemain, j'eus une cruelle déception : mon papier n'était pas dans le numéro. Quand j'arrivai au journal, Braconnier-Hennequin m'y accueillit sèchement :

« Vous vous croyez malin avec vos vers calorifiques : Le Patron est furieux. Il vous a déjà demandé une fois... »

Etre en retard était la plus grave erreur que l'on pût commettre à l'égard d'un Léon Bailby. En entrant dans son bureau, je comptai bien me défendre. Le Patron ne m'en laissa pas le temps :

« Mon cher ami [on m'avait déjà appelé comme ça...], vous m'étiez très sympathique [ce qui prouvait que je ne l'étais plus]. C'est l'unique raison pour laquelle je vous avais confié un sujet que personne n'a traité. Vous avez préféré faire une élégie sur les mésaventures de quelques locataires. Vous aviez un excellent thème de reportage, vous l'avez gâché. Maintenant, il est grillé : je ne peux pas renvoyer quelqu'un réinterviewer l'ingénieur qui vous a reçu. De quoi aurais-je l'air ? Vous manquez de psychologie. Vous savez pourtant que *Le Jour* doit être éclatant. Il ne le sera pas avec des poèmes ridicules ! Vous n'appartenez plus à la maison. » Et il m'acheva par le coup de grâce : « Vous aurez du mal à vous caser dans un autre journal quand on saura que j'ai dû me séparer de vous... »

La guillotine était tombée. Le couperet avait également réglé le sort d'un autre débutant d'origine belge, mais congédié pour d'autres raisons. Il avait fait un papier sur je ne sais plus quel événement. Bailby, enthousiaste, était ravi. Mais un mouchard s'était cru obligé de préciser au Patron que ce jeune homme n'avait pas vu l'événement qu'il relatait et qu'il avait écrit le tout à la table d'un bistrot voisin... Bailby fut, paraît-il, furieux. Il avait tort, je crois, car sauf si ce reporter avait dit des énormités, il prouvait qu'il avait encore plus de talent que les autres. Bref, Bailby l'avait congédié. C'était Georges Simenon. Et quand, beaucoup plus tard, un ami, René Lignac, dit à Léon Bailby : « Vous avez tout de même renvoyé Simenon et des Cars. Ne les avez-vous pas regrettés ? » Léon Bailby répondit, superbe : « Eux, c'était différent. Quand je sentais que des garçons avaient une grande personnalité, je préférais leur rendre tout de suite leur liberté... »

La liberté, c'était la porte.

Ce furent là mes adieux à Léon Bailby. Les premiers. Par la suite, j'ai travaillé pour lui et, en 1941, il me demanda des extraits de *L'Officier sans nom* pour *L'Alerte,* un hebdomadaire qu'il avait créé à

Nice. Après la guerre, j'ai pris sa succession à la tête de l'organisation du bal des Petits Lits Blancs, quand cette œuvre avait encore un sens. Je l'ai raconté dans *De cape et de plume,* mais je peux redire que malgré et peut-être à cause de son autoritarisme, Léon Bailby était un grand monsieur. Comme directeur de journal, il connaissait à fond l'art de rassembler les gens qui n'ont aucun point commun pour en extraire l'opinion du public. Il appliquait la méthode du brassage autour de sa table — excellente — où il réunissait les gens les plus divers : Marlène Dietrich, l'archevêque de Paris, Mary Marquet, Mermoz, le secrétaire perpétuel de l'Académie française, un médecin célèbre et un jeune rédacteur dans mon genre. Il appelait cela : « La politique des déjeuners. » Bailby savait que ces gens, si différents, finissaient par échanger des idées, et que ces idées seraient le reflet de l'opinion. Il branchait ses invités sur le sujet du jour, recueillait leurs avis, et lorsqu'ils étaient partis, disait au débutant : « Vous avez entendu ce qui les intéresse ? » Il en tirait l'éditorial du *Jour* du lendemain, ces fameuses cinquante lignes en deuxième colonne de la « une ». Le papier du patron représentait la réaction de soixante-quinze pour cent des Français devant les événements qu'ils avaient appris la veille. Ces lecteurs étaient satisfaits ; ils se disaient : « Bailby pense comme moi », ce qui revenait à dire : « Je suis intelligent comme Bailby, il écrit ce que je pense. » Même si les fines plumes éditorialistes d'aujourd'hui ne pratiquent pas la politique des déjeuners, c'est dans un éditorial qu'on retrouve le plus cette vérité première qui est qu'on n'achète pas un journal pour se faire une opinion, mais plutôt pour y retrouver la sienne, ou à défaut, une qui vous convienne. Quand l'opinion du journal ne plaît plus au lecteur, le journal perd un lecteur.

— En quittant *Le Jour,* tu n'es pas rentré au chauffage urbain ?

— Non ! Je préférerais avoir froid. Et j'ai eu très

froid cet hiver-là. Il y eut bien le petit miracle de *Croisière pour dames seules,* ma comédie jouée au théâtre de la Potinière. Cette pièce eut pour première conséquence de faire sauter le dernier pont qui me reliait à ma famille. Mon père explosa : « Que mon fils écrive dans les gazettes, passe encore, mais le théâtre de boulevard, cela non, jamais ! » Il ne vint pas m'applaudir. C'était pourtant, je l'ai dit, un gentil succès. D'autant que le théâtre où l'on me jouait venait d'essuyer une série de fours noirs. La comédie qui avait précédé la mienne s'était jouée vingt fois. S'étant très vite aperçu que sa pièce n'attirait pas la foule, l'auteur avait contacté un garagiste voisin près du marché Saint-Honoré :

« Combien avez-vous de voitures de clients entre sept heures du soir et sept heures du matin, et qui ne sortent pas ? lui avait-il demandé.

— Une cinquantaine, répondit le garagiste. Pourquoi ?

— Je vous les loue toutes ce soir entre huit heures et minuit. Vous les conduirez une par une, rue Louis-le-Grand, devant l'entrée du théâtre de la Potinière. Arrangez-vous pour que la file des voitures se prolonge dans la rue Daunou et l'avenue de l'Opéra. Allumez leurs feux de position et fermez-les à clé... Combien ? »

Là-dessus, l'auteur engagea deux compères qu'il habilla en agents de la circulation. Des agents surprenants qui avaient pour mission d'orienter tout le trafic vers le théâtre ! En un quart d'heure — aujourd'hui, une minute suffirait —, il y eut un embouteillage incroyable. Les automobilistes, les badauds s'interrogeaient. Les agents leur répondait : « C'est la foule qui va à la Potinière. On y joue une nouvelle pièce... » Les promeneurs attirés qui se dirigeaient vers le théâtre trouvaient l'écriteau « Complet ». Le chef contrôleur trônant dans la boîte à sel les consolait en leur disant : « Venez demain matin dès l'ouverture de la location, à onze heures. Vous aurez peut-être des places. » Rassuré, le futur spectateur quittait le hall illuminé sous l'œil du marchand de programmes qui prenait soin de lui dire d'un air navré : « Je n'ai même plus un programme ! Ils sont tous vendus ! » Ce que le futur spectateur ne savait pas, c'était que la salle était plongée dans l'obscurité des soirs de relâche et les fauteuils recouverts de leurs housses, mais pourtant ce n'était pas un jour de relâche. Aucun spectateur n'était venu ! Situation exceptionnelle qui vient de se reproduire récemment au théâtre Fontaine avec *L'Honneur des Cipolino.* Quant aux programmes, il n'en avait pas parce qu'il avait semblé inutile d'en faire réimprimer... A minuit, les voitures repartaient une à une, conduites par le garagiste et son veilleur de nuit. A cette heure-là, personne ne s'intéressait à ce qui se passait dans la rue Louis-le-Grand. Le manège dura trois soirs de suite. Trois soirs pendant lesquels ce théâtre « joua à bureaux fermés » tout en ne jouant pas. Le matin du quatrième jour, jugeant qu'il avait attiré assez de monde, l'auteur fit réellement ouvrir le théâtre. Il n'y avait plus de voitures dans la rue, mais le théâtre était plein de vrais spectateurs payants. Et furieux ! A la sortie, aucun ne parvenait à répondre à cette question troublante : comment se fait-il qu'il y ait eu tant de monde aux précédentes représentations ? L'auteur n'a pourtant pas réussi que dans la publicité. Adroit vaudevilliste devenu l'auteur à succès de *Bichon* et de *La Fessée,* son nom s'identifie au théâtre du Palais-Royal dont il fut le directeur : Jean de Letraz.

Mes modestes droits d'auteur fondirent en quelques dîners avec des compagnons d'infortune. Et vite, je dus vendre mon bien le plus précieux : un cabriolet noir et blanc, dernier cordon ombilical prouvant que j'avais eu une famille. J'emménageai sur la rive gauche, l'un de ces lieux « où souffle l'esprit », comme aurait noté Maurice Barrès. Dans ce septième arrondissement hanté par des fonctionnaires, des vieilles filles allant et revenant à la messe, des missionnaires allant et revenant en

Afrique ou en Asie, dans ce quartier où l'on entendait sonner l'heure toutes les minutes, je trouvai un hôtel pas cher dont le nom m'avait séduit : *Hôtel Jeanne d'Arc et des Déménageurs réunis*... J'avais déjà rencontré à Caen l'hôtel de la Place Royale situé sur la place de la République, mais là... Jeanne d'Arc mariée, et mariée à des déménageurs, c'était historiquement nouveau !... et pratique. Parce que pour être franc, il n'était pas loin de l'appartement de ma marraine, la sœur de mon père, la seule personne de ma famille qui acceptait de voir « le saltimbanque ». Elle habitait rue de Bellechasse. Elle s'appelait Augustine. Je l'avais baptisée « Tante Titine » et n'ai jamais oublié qu'elle veillait à régler ma note d'hôtel quand celle-ci me donnait droit à un regard soupçonneux du « tôlier », un regard que je prenais soin d'éviter parce qu'il voulait dire : « Vous me devez deux semaines. Quand allez-vous me les payer ? »

Malgré la générosité discrète de ma marraine, mes fins de mois duraient trois semaines. Si elles durent aujourd'hui moins longtemps, je n'oublie pas les petits déjeuners, déjeuners et dîners de café-crème et croissant.

Un jour, ma situation fut critique. J'avais mangé, dans les deux sens du mot, les quelques libéralités de « Mademoiselle Augustine », comme disait son homme d'affaires. J'avais passé des heures à noircir ce qu'Audiberti a appelé « les feuillets de la nuit », et qui avaient nom « roman » ou « comédie en trois actes ». Mais personne n'en voulait. Le tôlier me menaçait d'expulsion et m'avertissait : « Vous irez à l'Armée du Salut ! »

Il me fallait six cents francs. Puisque je ne les trouvai pas dans mon imagination et ma mansarde, je devais chercher dehors. Le désespoir me conduisit tout naturellement au Quartier latin, dans ce haut lieu de la bohème qu'était le café Dupont. « Tout est bon chez Dupont », on le sait, surtout quand on sort d'une pièce mal éclairée au chauffage des plus rudimentaires. La vie était là, va-et-vient des garçons, bruit d'assiettes, de verres, rires, et même l'éclairage qui donnait presque bonne mine aux affamés. Je venais de m'asseoir à une table quand je remarquai un groupe très animé. Au centre, un personnage étrange, que j'avais déjà aperçu plusieurs fois, pérorait et tenait des propos dignes du Café du Commerce. Portant monocle et guêtres blanches, la soixantaine bien accusée, il avait le bon goût de ne jamais régler une consommation. Il préférait que les étudiants qui l'écoutaient — êtres pleins d'avenir — s'acquittassent de ces détails. En échange, il leur prodiguait des conseils. Comment faisait-il ? Il avait l'arme absolue : la carte de visite. On y lisait d'abord son nom qui évoquait un personnage de Feydeau : « Philibert de Maisontout. » En dessous, en lettres anglaises, on apprenait avec admiration qu'il était *« homme de lettres, rédacteur aux principaux quotidiens et hebdomadaires parisiens, chroniqueur mondain, secrétaire perpétuel de l'Association des poètes indépendants* ». S'il n'avait pas mis « abonné au gaz », c'était sans doute parce que le gaz devait être coupé chez lui depuis longtemps...

Devant son auditoire béat, il laissait entendre qu'il n'y avait plus de bons journalistes. Mais que, si nous voulions bien suivre ses conseils, les jeunes, arriverions peut-être à rehausser le niveau de la profession. En réalité, il envoyait des échos éculés à des gazettes littéraires de province et parfois alimentait des revues libertines en informations douteuses ou frisant le chantage. Il allait ainsi dans la vie, sur la corde raide depuis quarante ans, mais il n'était jamais tombé. Astucieux, parfois brillant, il cachait mal une paresse viscérale. Ce qui lui assurait un public fidèle : la cohorte navrante des gens qui racontent leurs œuvres et ne les écrivent jamais. Au point où j'en étais, avec son don de la pirouette, il pouvait peut-être avoir le trait de génie qui me sauverait. Il se leva. La « leçon du jour » était achevée ; ses disciples, nourris d'illusions, étaient repartis.

Je vins vers lui et lui expliquai l'urgence de mes problèmes.

« Combien te reste-t-il en poche ? me demanda-t-il en guise de solution.

— Douze francs.

— C'est plus qu'il n'en faut pour réussir ! Viens avec moi aux *Deux Magots.* »

Arrivés à cet autre temple de la littérature orale, Philibert commanda d'une voix forte :

« Garçon, deux demis bien tassés, sans faux col ! Et de quoi écrire ! »

Deux demis, cela faisait trois francs, soit le quart de mon capital, « notre » capital, car bien sûr Philibert était « un peu gêné en ce moment ». Voyant mon angoisse muette, il entreprit de me raisonner :

« Il faut bien boire quelque chose si l'on veut avoir le papier de l'établissement à l'œil. Bon, tu veux être journaliste ? Avant tout, dans quelle branche ? Politique ?

— Non, c'est aléatoire et inintéressant.

— Sportif ?

— Je n'aime pas le sport.

— Je t'approuve. Il n'y en a qu'un digne de l'homme : le cheval. A propos, veux-tu un tuyau pour la première demain à Auteuil ?

— Je ne crois pas que ce soit le moment...

— Il reste donc les rubriques littéraires. Voyons donc *Paris-Soir.* Si dans ce journal non littéraire nous trouvons un entrefilet littéraire, c'est que vraiment *Paris-Soir* n'a pas pu faire autrement ! Et si cela intéresse *Paris-Soir,* cela intéressera tout le monde, y compris les concierges et les midinettes. Cherchons !... »

Il passa tout en revue : scandales, faits divers, crise du franc, et soudain me dit :

« Voilà ce qu'il nous faut ! »

Le doigt pointé sur la troisième colonne de la quatrième page me montrait un petit titre : « *Juliette Adam va être centenaire.* »

Aujourd'hui, Juliette Adam est un nom qui ne dit

peut-être pas grand-chose. Elle avait été une reine de salons littéraires, fondatrice de *La Nouvelle Revue*, une sorte de Marie-Laure de Noailles. Elle vivait retirée dans l'abbaye de Gif, enfouie dans la vallée de Chevreuse, au milieu de souvenirs étincelants. Pendant mon bref passage au *Jour*, Léon Bailby m'avait envoyé recueillir quelques confidences tombées de cette bouche d'or. Cela n'avait pas été simple. Ratatinée, recroquevillée dans une petite voiture, cette femme qui avait été si brillante était gâteuse. Son cerveau usé ne s'éclairait que lorsque venait pour elle l'heure du... guignol ! Oui, un vrai guignol qui prouvait bien qu'elle était retombée en enfance. Unique spectatrice, elle écoutait les textes des pièces qu'elle avait écrites autrefois, cinquante années plus tôt, pour des marionnettes dont les garde-robes avaient été tissées et brodées par des amies de choix, telle la duchesse d'Uzès. La gardienne ânonnait ces textes, le gardien agitait les pantins et Juliette Adam, l'œil vague, avait le front serein de ceux qui s'apprêtent à aller vivre dans un monde meilleur. Ce qui n'était pas étonnant : elle avait quatre-vingt-dix-neuf ans ! Je connus alors les affres du reportage impossible : celui où l'interviewé ne dit rien. J'appris aussi qu'impossible n'était pas journalistique. Mon papier était paru sous le titre : « *Juliette Adam a confié à notre envoyé spécial...* » Elle ne m'avait rien confié, mais son infirmière m'avait montré l'« Arbre de la Victoire », celui que le maréchal Franchet d'Esperey, commandant le premier groupe d'armées en août 1914, avait fait transplanter d'une forêt d'Argonne dans le jardin de cette abbaye. Sur l'arbre était fixée une plaque où l'on pouvait lire :

« *A celle qui a toujours conservé une foi inébranlable dans les destinées de la France. Puisse cet arbre, l'un des rares ayant survécu à l'hécatombe d'Argonne, refleurir dans la terre calme d'une abbaye. Sa place ne pourrait être nulle part ailleurs. A l'endroit où il fut déterré, dorment des milliers de nos soldats.* »

Ce couplet émouvant, c'était tout ce que Juliette

Adam m'avait, si j'ose dire, appris. J'avais l'impression d'avoir déterré un cadavre. Mais, c'est bien connu, les cadavres parlent. Dans les journaux et dans les romans policiers...

Philibert de Maisontout avait enregistré mon témoignage avec satisfaction.

« Parfait ! m'assura-t-il. Ponds-moi un petit papier sur elle. Toi, au moins, tu l'as vue. Si tu arrives à vendre ton papier cent francs, c'est que tu as quelque chose dans le ventre, sinon vends des bretelles ! Comprends-moi : le journalisme est un métier où le matériel ne manque pas. Du papier, on en trouve partout. Tandis que le capital, il est là, dans ta tête. Ou il n'y est pas et tu ne feras rien de bon sans idées, sans imagination, sans observation. »

A coups de ratures, j'écrivai, surveillé par l'étonnant Philibert faussement perdu dans des volutes de fumée. Il lut les deux pages et, très assuré, déclara :

« Nous pouvons aller dormir, tout marchera bien demain.

— Dormir ? Mais je ne peux pas rentrer à mon hôtel ! lui rappelai-je...

— Allons donc ! Ce soir, tu logeras chez moi. »

Le logement de Philibert ne valait guère mieux que le mien, mais il avait, selon lui, l'avantage d'avoir un bon voisinage : celui de la Sorbonne. Dans cet hôtel de la rue Cujas, au sixième étage, Philibert était un grand seigneur de la mouise, vivant cousin du *Marquis de la Dèche* de Roland Dorgelès. Comme il n'y avait qu'un lit et que le froid pinçait, il me demanda, très mondain :

« Veste ou pantalon ? »

Il parlait de son unique pyjama. Nous le tirâmes à la courte paille, et j'héritai de la veste. Le calme n'était pas de rigueur dans l'immeuble qui aurait dû s'appeler l'hôtel du Libre-Echange. L'escalier sonore et une robinetterie indiscrète racontaient de brèves rencontres. Philibert n'y faisait plus attention. Du haut de son sixième étage, il planait sur toutes les faiblesses humaines.

Le soleil d'Austerlitz — dixit Philibert — brillait quand il me demanda :

« Il te reste bien huit francs ?

— Pas un centime de plus...

— Commençons par un petit déjeuner digne de ce nom.

— Mais enfin, lui demandai-je agacé, que vais-je faire ?

— Patience ! Il faut savoir attendre et puis foncer, tout d'un coup ! »

Il me demanda mes derniers francs, et revint triomphant avec un jeton de téléphone en précisant :

« Ton avenir est là !

— Qui va-t-on appeler ?

— Le directeur de *Gringoire*... »

Gringoire était un hebdomadaire de droite dirigé par Horace de Carbuccia. Dans l'histoire de la politique française, *Gringoire* restera tristement célèbre parce que plus tard, après une campagne acharnée, le 18 novembre 1936, il a poussé au suicide le ministre de l'Intérieur du Front populaire, Roger Salengro. Philibert reprit :

« Carbuccia est snob. Ton nom lui plaira. Il te recevra. »

J'eus beau protester que mon nom ne m'attirait que jalousies et incompréhension dans les journaux — et oubli du côté de ma famille —, Philibert n'était pas d'accord. Il téléphona.

« Allô, *Gringoire ?* Je voudrais parler au directeur. Il n'est pas là ? A quelle heure sera-t-il à son bureau ? A seize heures ? Voulez-vous lui faire dire que M. des Cars lui rendra visite à quatre heures et demie ? Marquez bien le nom, mademoiselle, en deux mots. Merci, mademoiselle... Au revoir, mademoiselle...

— Mais enfin, tu es fou, Philibert !

— A toi de jouer ! Tu dois lui vendre ton papier... Du culot, c'est tout ce qu'il te faut pour aujourd'hui.

Je te laisse, car je suis invité à un déjeuner dans un restaurant chinois... A ce soir... »

Il disparut. Je n'étais pas tellement certain qu'il fût invité à ce déjeuner, mais j'étais sûr qu'il y parviendrait.

Dans les bureaux de *Gringoire*, avenue Rapp, ayant rempli la fiche de visiteur, je vis passer plusieurs célébrités déjà entrevues chez Léon Bailby. Ce n'était pas possible ! L'attente n'allait pas recommencer !

L'huissier m'appela. Gonflé de « Philibertine », j'entamai un discours insensé à Horace de Carbuccia :

« Cher monsieur, je sais que vos minutes sont aussi précieuses que les miennes [pour moi, c'était faux]. Mais je lis passionnément votre hebdomadaire [deuxième mensonge] et je me suis aperçu d'un grave oubli dans vos colonnes littéraires : *Gringoire* a omis de parler de Juliette Adam, gloire presque nationale dont on va fêter le centenaire. C'est d'autant plus surprenant que même des journaux comme *Paris-Soir* n'ont pas hésité à lui consacrer un quart de colonne... »

Cela pouvait prendre ou ne pas prendre. Au rouge envahissant le crâne chauve d'Horace de Carbuccia, je vis que cela prenait. Il fallait tout de suite jouer le deuxième round :

« Si je me permets de vous signaler cette petite lacune, c'est uniquement parce que je me considère comme un véritable ami de votre maison et que j'ai la chance de connaître intimement Juliette Adam. J'ai cru vous rendre service en griffonnant hier soir avec des amis, pendant que nous prenions un verre aux *Deux Magots*, quelques notes sur la solitaire de Gif. Je pense qu'elles devraient suffire pour étayer l'article que vous confierez à l'un de vos rédacteurs... »

Et je me levai.

« Je vous en prie, monsieur des Cars ! me lança Horace de Carbuccia. Restez un moment. Votre démarche me fait plaisir. »

Déjà, il lisait les pages à en-tête des *Deux Magots* :

« Voyez-vous, ce qui me ferait encore plus plaisir, serait de publier ce portrait tel quel, sous votre signature, si vous le voulez bien... »

Si je le voulais ! Je restai muet de stupeur. Il prenait mon papier et il serait signé de mon vrai nom ! Plus de Synovie, plus de Giglio, plus de Desrac !

« Ce sera très bien pour le prochain numéro. Je vous remercie de votre idée... Ah ! à propos, pouvez-vous me donner l'adresse de votre banque pour le règlement ? »

Un chèque ! C'était féerique. Et catastrophique, car je n'avais pas de compte en banque. Je ne pouvais décemment pas demander de l'argent liquide à un homme aussi courtois ! Je répliquai :

« Puisque vous tenez à me piger cette collaboration imprévue, il est préférable que vous me fassiez un chèque que je remettrai moi-même à ma banque... »

Sans sourciller, il signa un joli rectangle vert après y avoir inscrit un chiffre que je m'efforçai de ne pas regarder. J'enfouis le chèque dans un portefeuille, très plat, et pris congé de ce « grand directeur », qui, en me raccompagnant, eut ces mots aimables :

« J'espère que votre collaboration à *Gringoire* ne s'arrêtera pas à ce premier article... »

Ce fut pourtant ce qui arriva. Nous n'avions pas du tout les mêmes idées.

Une fois dans la rue, je déchiffrai le chèque : mille francs ! J'avais des nausées de bonheur. Mille francs ! C'était l'hôtel payé, c'étaient quelques journées fastueuses avec deux repas, un déjeuner et un dîner, c'étaient encore des dizaines de demis avec Philibert ! C'était surtout mon premier papier signé sans masque : la preuve irréfutable que ce métier de l'écriture pouvait être le mien.

Il n'y avait qu'un inconvénient : le chèque était barré ! Idiot que j'étais, j'avais parlé de « ma » banque !...

Au Dupont-Latin, je retrouvai Philibert. Prudent, il n'avait rien commandé avant mon retour.

« Alors, me demanda-t-il avec un calme exemplaire.

— Tu m'avais bien dit que si je vendais ce papier cent francs, j'avais quelque chose dans le ventre ?

— Je l'ai dit et je le redis.

— Je l'ai vendu mille francs ! »

Et je brandis le chèque.

Philibert n'eut qu'un commentaire :

« Garçon ! Deux fines trois étoiles ! »

Pour lui, c'était le digestif, et pour moi l'apéritif. Et tout de suite pratique, il ajouta :

« Endosse-moi ce chèque. Je vais le donner à la caisse. On m'y connaît... Tu auras ton argent liquide. »

Dans l'euphorie, je filai à l'*hôtel Jeanne d'Arc et...* la suite. Le tôlier n'eut pas le temps de me coincer au bas de l'escalier. Je lui lançai :

« Préparez-moi ma note ! Je change d'hôtel. Décidément, le vôtre est sinistre ! »

Avec Philibert, cette nuit-là, nous rendîmes grâce à la déesse Chance, cette mère nourricière de la presse. A l'aube, sans dettes mais avec encore quelques centaines de francs, j'avais la certitude que je ne vivrais plus uniquement d'espoir. Hélas ! peu de temps après, Philibert disparut. A cause de sa note d'hôtel, rue Cujas. Je l'ai cherché en vain. La bohème était son dernier domicile connu. Quel être étonnant... Et quel homme de presse ! En me faisant lire *Paris-Soir*, ne m'avait-il pas prouvé que lire les journaux est la grande activité des journalistes ? C'est d'ailleurs une recette toujours appréciée dans le métier. On pourrait la nommer « loi de la courroie d'entraînement ». Elle consiste pour un journaliste à reprendre ce qu'ont écrit, dit, vu et entendu ses confrères. Avec la multiplication de moyens d'information, il y a du travail. Cette revue de presse permet souvent de trouver un sujet de reportage, un thème de papier. Ainsi, des affaires peuvent être « montées en épingle », amplifiées et, quelquefois, déformées. Cette « complémentarité » — je n'aime pas ce mot, mais je n'en trouve pas d'autre — fait qu'un entrefilet de quelques lignes dans un quotidien peut devenir deux pages dans un hebdomadaire, une photo dans un mensuel, deux minutes à la radio ou à la télévision, et inversement. Il y a un écho, imprévisible et souvent incontrôlé. Au niveau international, les informations d'un journal de San Francisco peuvent être reprises, commentées, analysées par un journal de Paris et colportées à Téhéran. De ce brassage, naît l'actualité. Dans le fond, la presse est un véritable marché commun. Philibert de Maisontout l'avait bien compris : il y puisait l'essentiel de son prestige.

— Après ce papier, les portes des journaux se sont-elles largement ouvertes pour toi ?

— Loin de là ! Mais quelques-unes, entrebâillées, m'ont permis de vivre et de survivre uniquement en écrivant. C'était dur et splendide. Une époque où tout était possible.

— Tu regrettes cette vie ?

— Aujourd'hui, ce sont mes meilleurs souvenirs, ceux d'un certain temps perdu. Je pourrais avoir des regrets et je n'en ai aucun ! Je vis mieux mais je vis toujours, et uniquement, de ma plume. Pour moi, c'est la seule chose qui compte.

J'avais mis en chantier un roman sur le cirque. Le cirque me fascinait et il me fascine toujours. Mais pour voir de près « les gens du voyage » et leur mythologie secrète, il n'y avait qu'une solution : me faire embaucher sous un chapiteau. Je ne savais pas encore comment ni à quel titre, mais c'était indispensable. Et puis cela aurait l'immense avantage de m'arracher à une grisaille parfois trop quotidienne. Je quitterais la médiocrité pour les paillettes, l'odeur des fauves et les notes grasses de l'hélicon de l'orchestre. Là aussi il y eut un petit miracle aux grands effets : un cirque ambulant international, le cirque Gleich, qui devait prochainement venir en France, cherchait un secrétaire général français pour s'occuper de la publicité à l'intérieur de l'hexagone. C'était exactement ce qu'il me fallait !

Huit jours plus tard, muni d'une promesse de

contrat pour six mois, je débarquai à Milan, dernière étape du chapiteau avant d'arriver en France. J'eus un choc devant cette gigantesque toile, cette voile d'un navire qui allait être le mien et qui tous les soirs emportait six mille spectateurs dans les rires des clowns, l'élégance de la haute école et l'angoisse du trapèze volant. Ce cirque employait près de cinq cents personnes. C'était une ville, un monde nourri par cinq cuisines différentes : une cuisine européenne pour la direction, une cuisine chinoise pour les troupes orientales, une cuisine d'Europe centrale pour les monteurs tchèques, une cuisine allemande pour les bareiters, et une cuisine nordique pour le village lapon. Comment oublier mon arrivée dans ce mélange d'odeurs et de relents ? C'était bien là le goût de la cuisine dite « internationale » qu'on trouve dans les hôtels et où tous les ingrédients, toutes les recettes — perdant leur nationalisme — se contredisent et s'annulent pour donner une mixture qui a toujours le même goût, c'est-à-dire aucun.

Le directeur de ce cirque sortait d'une gravure de chasse anglaise : visage rouge, veste rouge, un vrai homard. Très grand, il n'oubliait pas d'ajuster son monocle pour vous parler en se courbant et en se mirant dans des bottes impeccables. Il jouait volontiers de la cravache, son sceptre de commandement. Quand j'arrivai, cet homme impressionnant coiffé d'un huit-reflets et ganté de blanc m'attendait à l'entrée de sa tente directoriale, nouveau Camp du Drap d'or. L'orchestre ne jouait pas *La Marseillaise* parce que les relations franco-italiennes étaient plutôt tendues. Il jouait *Sambre-et-Meuse,* ce qui prouve que le cirque ne connaît pas les frontières. J'étais abasourdi. Cette réception aussi inattendue que spectaculaire me faisait entrer dans le monde de la piste. En un sens, je n'en suis jamais sorti.

Rapidement, je constatai que mon travail demandait avant tout une organisation efficace. J'animai l'avant-garde du cirque, celle qui arrive dans une ville huit jours avant le chapiteau pour vérifier avec la municipalité l'emplacement où s'installeraient la grande tente et les roulottes. A l'époque, dans chaque ville ou presque, ce terrain était souvent celui de la foire, on pouvait le louer sans difficulté. Aujourd'hui, en France, trouver un terrain pour un cirque relève d'acrobaties hors programme. Jean Richard (un homme encore plus merveilleux qu'on ne le pense et pour qui j'ai une grande admiration) m'en avait parlé la veille de son accident, ce cauchemar qui nous a laissés le cœur battant. En France, le cirque ne fait pas partie de la « culture ». Et moi, quand j'entends le mot culture, je pense au cirque.

C'est, dit-on, un spectacle pour enfants. Rien n'est plus faux. Le cirque est un spectacle pour tous, petits et grands. J'aimerais qu'on le dise et qu'on le reconnaisse. Ensuite, malgré les efforts surhumains de l'ancien ministre Jacques Duhamel, malgré les vagues efforts de M. Druon, malgré le gala annuel de l'association *La Piste*, malgré quelques bonnes volontés, le cirque reste un paria. Je le dis tout net : c'est scandaleux ! On nous a inondés de « Maisons de la Culture », de « Centres d'expression dramatique, théâtrale, corporelle », et tout ce qu'on voudra, je n'ai pas encore vu les pouvoirs publics prendre les mesures nécessaires pour aider le cirque au même titre que le cinéma et le théâtre. Où est-il le texte qui pensera à prévoir la venue d'un chapiteau dans une ville ? S'il existe, qu'on me le montre. Et surtout qu'on l'applique. Jean Richard me l'a bien rappelé : en Allemagne fédérale, en Italie, en Hollande, en Suisse, bref dans des pays qui ne sont pas particulièrement sous-développés, les textes officiels font obligation aux municipalités de prévoir l'emplacement d'un chapiteau. En France, on fait des parkings. Et le cirque est relégué dans les faubourgs, loin du centre, loin de la ville qu'il pourrait inonder de sa magie. Et dans ces pays que j'ai cités, si on oubliait le cirque il y aurait des révolutions. Ce serait une atteinte au droit au spectacle. Chez nous, le cirque est un parent pauvre. Quelle tristesse et quelle injustice ! Ses ennemis — en général, des gens qui n'y connaissent rien — prétendent, en gros, que cela poserait des problèmes de circulation, de sécurité, etc. Ce sont des alibis de mauvaise foi. Quand le chapiteau bleu et rouge de Jean Richard s'est installé l'année dernière place Clichy, en plein cœur de Paris, avec le succès que l'on sait, les problèmes furent tous réglés. Pour la plus grande joie de tous ses milliers de spectateurs. Remercions-en le promoteur qui a eu l'idée de faire revivre avec éclat et qualité le trou désespérément noir du Gaumont-Palace détruit. On dira encore : « Il y a la télévision et *La Piste aux étoiles.* » Ce fut certes une bonne émission, mais elle a, en même temps, donné un coup de poignard dans le dos du vrai cirque, celui qui a l'odeur de la sciure, des ménageries, celui que l'on peut toucher et palper, celui de la sueur et du courage. Beaucoup de téléspectateurs recevant ainsi le cirque à domicile ont perdu le goût du contact direct et l'envie de se déplacer. Et malgré cette terrible concurrence, quand un chapiteau arrive dans une ville où l'on veut bien encore de lui, quelle joie et quel succès ! Sur ses quatre mille places (en moyenne), on trouvera peu de places libres. Evidemment, ce que je dis concerne le cirque ambulant. Le cirque fixe, c'est plus difficile. En France, il ne reste que le cirque d'Hiver. Il doit y en avoir un autre au Danemark ou en Suède, un en Espagne, et c'est à peu près tout ce qui demeure en Europe. Le cirque d'Hiver... Au milieu des beaux immeubles qui jalonnent le boulevard qui relie la République à la Bastille — un boulevard tricolore —, ce polygone crème est un chef-d'œuvre en péril. Non loin de là, un ministre, qui avait pourtant écrit *L'Espoir*, a laissé démolir l'Ambigu, ce beau théâtre dont la façade s'ornait des poitrines d'odalisques résignées. Tout autour, les parkings menacent. Eh bien, il ne faut pas que le quartier des Filles-du-Calvaire ait un nouveau martyre. Le cirque d'Hiver doit être défendu contre les dangers du béton, du parcmètre et de ce qu'on ose appeler l'urbanisme. Rassurez-vous : pour le moment, tout va bien à bord sous la houlette vigilante du maître des lieux. J'ai nommé Joseph Bouglione, le patriarche, le patron, un vrai directeur de cirque, chef d'une tribu dont au moins soixante-dix membres travaillent avec lui, luttent avec lui pour qu'un certain cirque ne meure pas. J'aimerais lui donner un coup de chapeau, à lui qui porte éternellement des sombreros. Le cirque d'Hiver, qu'est-ce que cela veut dire ? Cela veut dire une saison qui commence fin octobre, des arbres de Noël pour comités d'entreprises et une fin de saison au moment où débute une autre saison : la saison de Paris, ou ce qu'il en reste. Quatre, cinq mois d'activités visibles, rentables. Mais c'est toute une année de frais, de charges sociales, de contrats à prévoir, de programmes à composer. N'est-ce pas déjà merveilleux, admirable et digne d'éloges ? Ah ! que l'été est long dans ce quartier de Paris ! Pour une fois, j'aimerais que l'hiver dure toute l'année. Entrez dans le cirque d'Hiver... Oui, entrez avec moi. C'est un monument, mais pas un musée : on y trouve la vie, on y trouve l'évasion et le rêve. On y trouve, à chaque représentation, glissé entre les spectateurs convergents, cet homme, Joseph Bouglione, dont le nom brille partout où l'on parle sérieusement de cirque. Et tant que ces lettres d'or brilleront, il fera bon s'asseoir là où les enfants trépignent, là où Jerry Lewis a pleuré d'émotion, là où un soir de Gala de l'Union, devant un vrai Tout-Paris en smoking, un projecteur a isolé un valet de piste qui ramassait un copieux crottin d'éléphant : Marlène Dietrich devenue, un instant, l'Ange Bleu de la piste. On le sait : le cirque est une famille. Bouglione est une famille. Les fils de Joseph ont repris sous leur chapiteau le flambeau de leur père. Et cela, c'est réconfortant. Leur nom magique et ceux de Pinder, de Jean Richard, de Rancy attirent les foules avec la qualité, en respectant le public. Il vaut mieux ne pas parler d'autres grands noms qui se sont récemment vendus pour des spectacles gratuits, sans rapport avec ce qu'on peut attendre du cercle d'or qu'est une piste, pâles copies d'un music-hall trahi, dénaturé, et dont les billets se trouvaient dans les supermarchés, glissés gratuitement entre un paquet de lessive et une boîte de surgelé... C'était grave, car lorsqu'un vrai spectacle de cirque, un spectacle payant, un spectacle de qualité arrivait après dans la même ville, une réaction courait dans le public : « On vient de voir du cirque gratuit. Et ils ont le culot de nous faire payer ! » Cette trahison n'a pas porté chance à ses auteurs. Des noms ont disparu, on a vendu des lions et des roulottes aux enchères. C'est navrant. Mais tous ceux qui prennent le soin de sélectionner des numéros du monde entier, ceux qui soignent les costumes de l'orchestre et des ouvreuses, ceux qui veillent à bien chauffer leur salle, bref ceux qui proposent un vrai spectacle, traditionnel mais pas miteux, rapide et féerique, ceux-là, je crois, auront toujours le public avec eux. C'est Jean Richard qui a eu cette belle formule : « Le cirque de demain sera celui d'hier. » Et je voudrais enfin qu'on cesse d'employer le mot cirque comme synonyme de pagaille et de désordre. Au contraire, un bon spectacle de cirque ne doit rien à l'improvisation.

Cette année 1974 est celle de la naissance du premier festival international du Cirque. Je ne peux évidemment qu'applaudir à une telle initiative qui est celle du prince Rainier de Monaco. Mais je regrette un peu que ce festival ne se déroule pas à Paris... Un Paris qui devrait avoir honte devant les efforts de la souriante Principauté. Tant pis ! Comme dans la chanson, « Nous irons à Monte-Carlo »... Remarque bien que c'est un endroit où j'aime aller et mes pas m'y portent souvent. Il n'y a malgré tout qu'un Monaco au monde.

En 1941, les garçons de l'*Hôtel de Paris* glissaient à la clientèle en montant le petit déjeuner : « Vous devriez lire *l'Officier sans nom*... C'est un livre formidable ! » Je n'étais pour rien dans cette publicité discrète mais efficace. Elle m'a permis d'entrer dans le métier par la porte de service... Et puis Monaco, c'est encore un endroit où s'est illustré mon grand-père, l'homme aux bottines autour du cou. Et chaque fois que j'arrive dans la Principauté, je ne peux m'empêcher de repenser à ce qui s'est passé dans la cour du palais princier aux environs de 1905...

Ce jour-là, le prince Albert de Monaco, arrière-grand-père de Rainier, attendait mon grand-père. Le prince Albert, grand voyageur, grand explorateur océanographique — le fameux musée porte son nom — avait convié à déjeuner le duc des Cars, en compagnie du duc de Vallombrosa. Etait-ce pour parler d'aventures extraordinaires dans l'Arctique, de voyages en ballon ou autres expéditions lointaines ? Je ne sais. Mais je suis sûr que c'était pour parler voyages et moyens de transport.

Hauts-de-forme et redingotes bordées de soie, les deux ducs descendent du train de Paris pour monter dans une voiture, tirée par quatre chevaux parce que les côtes sont rudes à Monaco, envoyée par S.A.S. le Prince Albert. C'est une agréable promenade en voiture découverte : les deux hommes profitent mieux de ce décor qui évoquait déjà celui d'une opérette.

Au moment de rentrer dans la cour du Palais, le plancher de la voiture s'effondre ! Dans le bruit des roues qui martèlent les pavés, absorbé par la conduite majestueuse de son attelage à grands coups de fouet, le cocher ne remarque rien, n'entend rien, ne se doute de rien ! Les deux hommes hurlent pourtant : « Arrêtez ! Cocher, arrêtez ! » La voiture continue de plus belle. Alors les témoins eurent cette vision inoubliable : cramponnés aux coussins et aux portières, les deux hommes... couraient avec la voiture ! Leurs jambes et leurs pieds dépassant du trou dans le plancher crevé galopaient, entraînés dans un véritable engrenage ! Ces quatre pieds au milieu de ces quatre roues, ce n'étaient plus le duc des Cars et le duc de Vallombrosa, c'étaient Laurel et Hardy à Monaco ! Epuisés, ruisselants, ils hurlaient !

Après un tour d'honneur qui faillit les achever, le cocher immobilisa enfin ses coursiers devant le perron...

Un valet ouvrit la porte de la voiture... pour trouver deux corps presque ratatinés, couverts de poussière, deux hommes-troncs ! La cravate défaite, le col en bataille, la jaquette informe, ils étaient au bord de l'apoplexie et de l'épuisement. L'aide de camp du Prince mesura d'un coup d'œil ce mini-drame rapide... Et le plus protocolairement du monde, il se pencha vers mon grand-père qui soufflait comme un phoque :

« Monsieur le duc... Il ne fallait pas vous presser ! Vous êtes très en avance. »

A Monaco, on savait déjà recevoir...

Hier donc, quand mon bureau était dans une des roulottes du cirque Gleich, je m'occupais aussi de l'affichage et de la presse dont le rôle était capital. A propos, quels sont les journaux qui aujourd'hui ont un spécialiste du cirque ? Quelqu'un qui l'aime, le comprenne et le critique s'il le faut ? Je connais une bonne spécialiste, honnête et compétente : Jacqueline Cartier, de *France-Soir*. Elle sait ce dont elle parle. Il y en a d'autres. Mais combien ? Trop souvent les journaux délèguent un journaliste de la rubrique « Spectacles ». S'il est vieux, cela ne rajeunit pas le cirque. S'il est jeune, il pense surtout au music-hall. Ce qui peut être contradictoire comme le prouve l'article qu'un journaliste, indigne de ce nom, grand amateur de chanteurs pop, a écrit récemment dans un journal du Sud de la France lors du passage le même soir d'un chapiteau et d'un chanteur connu. Voyant que le public de cette ville du Roussillon s'était partagé deux tiers pour le cirque, un tiers pour le chanteur, ce rédacteur n'avait pas craint d'écrire que « la municipalité aurait dû interdire au cirque de donner une représentation le même soir » !... C'est ce jeune loup qu'il aurait fallu enfermer dans la cage aux tigres...

Je remplissais aussi les fonctions d'intendant. A-t-on idée de ce que peuvent représenter les problèmes de ravitaillement de la ménagerie, fourrage pour éléphants, viande pour les fauves, avoine pour la cavalerie, et d'autre fournitures comme la sciure très blanche pour les ours blancs ? C'était une ambiance extraordinaire, et j'ai beaucoup de chance de l'avoir connue. Elle m'a montré cette grande qualité des gens du voyage : la simplicité dans l'effort qui relègue souvent les autres gloires du spectacle au niveau du cabotinage. Les gens du cirque n'ont peut-être qu'un cabotinage : celui du risque. Le trapéziste n'est pas le seul trompe-la-mort. Et le dompteur ? Et le fil-de-fériste ? Et le jongleur à cheval ? Ne pratiquent-ils pas eux aussi une surenchère à la difficulté ? Les gens du voyage, enfin, connaissent le plus souvent l'anonymat. Au cirque, pas de vedettes. Quand, en France, on a nommé Zavatta — un grand clown —, qui d'autre vient à l'esprit du public ? Cinq noms ? A peine... On dira : « Ce trapéziste était fantastique, mais comment s'appelle-t-il déjà ? » Peu de gens se souviendront que c'était, par exemple, Enzo Cardona, qui a pourtant tenu des milliers de spectateurs en haleine. Cette discrétion tranche avec l'absence de truquage sur la piste. Au théâtre, si un comédien a un malaise, on baisse le rideau, et le mystère sépare la salle de la scène. En piste, on l'emporte devant tous les spectateurs, et le spectacle continue. Et a-t-on assez dit qu'au cirque il fallait savoir tout faire ? A-t-on remarqué que l'ouvreuse qui place les spectateurs au troisième rang et la funambule à l'ombrelle sont la même personne ? S'est-on aperçu que ce vendeur de programmes et l'auguste hilare sont le même homme ? Oui, le cirque est une école de tous les instants, de tous les métiers... et du salaire unique.

Le clown, personnage indispensable de la fresque que je vivais, était Porto. J'ose dire mon ami Porto. Grâce à lui, j'ai passé des heures peu ordinaires à disserter dans sa roulotte cahotée sur les routes du Midi. Il parlait et de temps en temps jetait un œil amoureux aux géraniums qui encadraient la minuscule fenêtre de sa maison roulante pour voir si l'un de ses « pensionnaires » n'était pas tombé en route par la faute d'une pierre... Porto — d'où tenait-il ce nom ? De son pays natal ? — m'avait fait rire quand j'étais enfant. Il avait accepté d'être le souffre-douleur de ses partenaires enfarinés : Chocolat (oui, un « Chocolat » clown blanc), Cairoli, Alex et Maïss. Et tout Paris l'a applaudi l'hiver sur la piste de ce bijou aujourd'hui éventré et rasé : Medrano... Le cher Medrano qu'on a laissé démolir. La ville de Paris n'a pas eu l'élégance de prendre son sort en considération. Medrano a été démoli à la veille de son centenaire... S'il avait atteint sa centième année, il aurait été classé, donc sauvé. On l'a simplement empêché d'être centenaire. C'est ça, les aberrations administratives... Medrano n'était-il pas l'endroit idéal pour constituer enfin un musée du Cirque et aussi abriter une Ecole du Cirque qui permette aux élèves les plus doués de faire partie, un jour, des gens du voyage ? C'était bien normal que Medrano se repose un peu en permettant aux jeunes d'apprendre tout et de mettre au point un numéro. On aurait pu le trouver là le cirque de l'avenir ! Je ne passe plus sur ce boulevard sans un pincement de cœur. Dans Montmartre, une grande lumière s'est éteinte.

C'est curieux, d'ailleurs, ce sentiment de tristesse qui vous guette quand on parle de cirque... Porto est mort pendant la guerre. Comme son ancêtre, Cyrano, ce pitre éthéré a dû remonter dans la lune, sans le secours de la moindre machine, dans cette lune d'argent qu'il avait quittée un temps pour distraire des milliers de terriens. Lui qui avait retenu les souffles en pinçant sa guitare ou en jouant de son célèbre jazzo-flûte sous le projecteur avait certainement attendu pour mourir qu'un rayon de lune vînt le prendre. Né clown, mort clown, il ne pouvait pas nous dire au revoir comme tout le monde. Après tant de farces et de pirouettes, il a profité de sa fin pour faire une bonne blague, la dernière. Son corps, miné par la tuberculose, reposait déjà dans un cimetière du Midi quand ses amis purent enfin lui dire un au revoir décent. Valets de piste, augustes du charivari, grands noms de Boulicot, Zavatta et Bario, d'Alex et de Maïss, tous les gentlemen de la sciure et du tapis de coco étaient là.

La cérémonie se déroula dans la paroisse d'adoption du clown à Paris, une église de la Butte. Sans uniformes à brandebourgs, sans farine et sans nez rouge, ils entouraient le catafalque, très éclairé, mais qui restait tout de même noir.

« Heureusement, me dit un vieux clown pendant l'absoute, que Porto n'est pas là-dessous. Il n'était pas fait pour ces couleurs. La terre rouge de son cimetière de Provence lui va mieux. »

Un autre compagnon de rire ajouta :

« Quel phénomène, ce Porto ! Il n'assiste même pas à l'enterrement [1] que nous lui offrons... Il a raté son entrée ! »

Après l'absoute, ses amis voulurent défiler. Mais défiler devant qui ? Serrer quelles mains ? Porto n'avait plus de famille. Sa fille, qu'il adorait, était morte deux ans avant lui. Il fallait pourtant un défilé. Dans l'esprit de tous, la cérémonie n'eût pas été complète. C'est Alex, l'un de ses derniers partenaires, qui se dévoua dans le rôle de « Ces messieurs-dames de la famille ». Il représentait toute la grande famille du cirque, serrant des mains qui venaient de lâcher le goupillon. Personne n'a songé à ce que ce service représentait de culbutes, d'éclats de rire et coups de pied au derrière, de cachets supplémentaires pour payer les cierges et ces premières fleurs de l'automne. L'oraison funèbre de Porto fut brève et, bien sûr, c'est un clown qui la prononça :

(1) Il avait fait mieux. Je puis révéler aujourd'hui que ce clown qui a bénéficié d'un service religieux dans une église catholique était israélite.

« Je ne vous parlerai pas de lui : on ne parle pas des gens que l'on va revoir... »

Et en descendant la rue Saint-Vincent, il me dit :

« Ah ? tu ne savais pas ? Porto est là-haut... Il fait rire tous les saints du paradis... »

La mort d'un clown peut être moins triste que sa vie.

Le cirque avait achevé sa tournée en France. Mes fonctions de secrétaire général prenaient fin à Bruxelles. Mais c'est en quittant officiellement la vie — la vraie vie — de saltimbanque, que je rencontrai un homme peu ordinaire.

Il était assis face à moi dans le wagon-restaurant du train qui me ramenait à Paris. Quand je dis face à moi, je devrais préciser qu'il me bouchait toute la vue sur le reste du wagon. Il pesait cent quarante kilos, poids phénoménal qui lui allait bien car c'était un phénomène... A la fois sympathique et inquiétant, il avait englouti le « *menu présenté par le chef de brigade X... et préparé par le cuisinier Y...* » quand il me dit :

« Vraiment, ces repas de wagons-restaurants français sont très insuffisants, et si chers ! Il y en a de succulents et confortables aux Etats-Unis et en Europe centrale.

— Vous avez beaucoup voyagé, monsieur ?

— Comme dans la chanson, j'ai fait trois fois le tour du monde. »

Et il sortit sa carte de visite. Elle n'avait rien à envier à celle de Philibert de Maisontout. Je lus : « *Adolphe MacNorton, le seul homme-aquarium.* »

J'étais stupéfait et ravi. J'avais déjà rencontré l'homme-canon, la femme-serpent, la femme à barbe, les sœurs siamoises, mais l'homme-aquarium, jamais !

Devant mon étonnement, il continua :

« Vous vous demandez sans doute ce qu'est un homme-aquarium ? Eh bien, je suis comme les ruminants : j'ai un double estomac. Et cette anomalie m'a permis de faire fortune...

— Mais vous feriez une attraction sensationnelle pour un cirque ! »

Il me foudroya d'un regard aussi lourd que lui et me dit :

« Si j'ai consenti à faire quelques apparitions sur les scènes des plus grands music-halls du monde, c'est principalement dans les salons que ma réputation s'est solidement établie. En effet, que croyez-vous qui soit gênant dans une assistance élégante ? Le manque de cordialité... Eh bien, j'ai apporté cette chaleur humaine dans des milieux un peu figés, car ma distraction est saine, honnête et de bon goût. Si jamais vous craignez de voir vos invités s'ennuyer au cours d'un dîner, n'hésitez pas à faire appel à mes services : je vous garantis une fin de soirée mémorable ! »

J'avoue que j'ai un faible pour les gens bizarres, les personnages. Les drogués, les alcooliques ne m'intéressent pas, mais les originaux, enfin tous ceux qui sortent de l'ordinaire m'attirent. Les phénomènes comme on en voyait dans les foires il y a encore quelques années sont un peu le sel du romanesque, même si, parfois, leurs « curiosités naturelles » sont plutôt artificielles.

A peine rentré à Paris, je ne résistai pas au plaisir de voir l'homme-aquarium dans l'exercice de ses talents. Je réservai l'arrière-salle d'un café de la rive gauche pour une petite soirée entre amis.

L'énorme MacNorton nous y rejoignit en habit noir à reflets verdâtres. Mme MacNorton l'accompagnait, étincelante dans une robe du soir à paillettes. L'apparition de ce couple imposant fit sensation dans le bistrot. Quand les portes de l'arrière-salle furent closes, Mme MacNorton prépara les accessoires : un broc d'eau, un entonnoir et un bocal où évoluaient des poissons rouges et des grenouilles...

Sur le ton solennel des conférenciers des *Annales*, MacNorton commença :

« Mesdames, mesdemoiselles, messieurs, je m'honore de pouvoir effectuer devant vous quelques tours de physique amusante n'offrant aucun danger pour les petits animaux que vous voyez... Je vous demande toute votre attention. Tout d'abord, je vais constituer un lac dans la poche de mon estomac... »

Son épouse-partenaire enfonça l'entonnoir dans la bouche de l'homme-aquarium et y déversa le contenu du broc : trois litres.

« Voilà qui est fait. Maintenant, je vais avaler ces charmants petits animaux... » dit le gros homme.

Comme une de mes amies avait réprimé une réaction dégoûtée, MacNorton se fit très rassurant :

« Soyez sans crainte, mademoiselle... Je travaille avec les mêmes grenouilles et les mêmes poissons depuis des années... »

Il avait tombé la veste et retroussé ses manches. Le bras plongé jusqu'au coude dans le bocal, il attrapa les poissons et les batraciens un par un, puis les avala...

« Voilà !... Ils nagent !... Je le sens ! Ils batifolent dans mon estomac !... » expliqua le phénomène.

Nous étions tout de même stupéfaits et silencieux. MacNorton s'adressa à la demoiselle qui avait eu un haut-le-cœur :

« Mademoiselle..., désirez-vous que je libère d'abord une grenouille, ou d'abord un poisson ? »

La demoiselle poussa un cri d'horreur. La patte d'une grenouille venait d'apparaître entre les lèvres flasques de MacNorton ! La vision n'était pas très agréable.

Je criai :

« Grenouille ! »

Le petit batracien fut libéré. Puis je récriai :

« Poisson ! »

Ce fut un poisson qui apparut à la bouche de l'homme.

Mes amis se risquèrent ensuite à compliquer la tâche du phénomène. Mais avec une virtuosité incroyable, l'homme expectorait à volonté grenouille ou poisson qui retrouvaient leur aquarium de verre. Pas un ne manquait à l'appel. Et, apparemment, ils n'avaient pas souffert de ce voyage au centre d'un homme. Les spectateurs, en revanche, étaient mal à l'aise. Pendant que MacNorton vidait, tel un geyser ambulant, les trois litres de son « lac », un des amis me dit :

« Tu devrais t'associer avec lui et inventer le « zoo-digestif ». Après tout, il y a bien eu le café-concert !... »

Dire que l'homme-aquarium termina son numéro sous les applaudissements serait exagéré. Mes amis connaissaient mon goût pour le calme et l'insolite, mais l'homme-aquarium laissait derrière lui une curieuse impression de gargarisme... Pendant qu'il se rhabillait et que son épouse rangeait le matériel, MacNorton m'expliqua :

« Vous êtes un peu déconcerté, jeune homme, n'est-ce pas ? Oui, la première fois que l'on assiste à ma démonstration, il y a toujours un froid... Dans le fond, je ne suis qu'un grand méconnu. Peu importe ! Après ma mort, on parlera encore de moi. Par testament, j'ai légué mon estomac à l'Académie des sciences. Les experts verront alors que c'était celui d'un honnête homme... Pensez une seconde à ce que je pourrais dissimuler dans ma panse ! Plus de douane... »

Alors que nous allions quitter ce bistrot près de la rue du Bac, le patron qui avait assisté à tous ces gargouillis, ému sans doute par ces vases communicants et ces jeux d'eaux, s'approcha de l'homme-aquarium et lui dit :

« Monsieur MacNorton..., puis-je me permettre de vous offrir un verre ? Vous devez avoir une de ces soifs ! Le poisson et la grenouille, moi, ça me donne toujours la pépie... Pas vous ? »

Après ce premier séjour dans le monde du cirque qui m'avait familiarisé avec ces gens merveilleux et cette atmosphère toujours méconnue aujourd'hui, je suis retourné à mes premières amours, le temps de mijoter mon roman. Paul Lévy, vieux routier du journalisme, avait fait fortune avec son hebdomadaire *Aux Ecoutes* qui a survécu à la guerre : il a disparu il y a environ cinq ans. Il avait aussi lancé un quotidien *Aujourd'hui,* et quand je lui proposai de me prendre dans son équipe, Lévy me répondit :

« D'accord, mais seulement si vous me rapportez deux interviews qu'il me faut absolument : celle de Branly et celle du Dr de Martel... »

Branly et de Martel. Cette fois c'était du « grand reportage » ! Mais c'étaient aussi deux célébrités qui se méfiaient des journalistes... Je commençai par Branly, car il me semblait que des deux ce serait le plus coopératif.

Je me trompai. Je ne veux pas dire que Branly me fut hostile ou désagréable. Au contraire. Mais coopératif, pas tout à fait... Edouard Branly avait près de quatre-vingt-douze ans. Sa célébrité était celle d'un Pasteur. Mais lui n'avait pas aidé les hommes à se soigner ; il leur avait permis de s'entendre en inventant le révélateur d'ondes, la future radio, qui s'appelait alors la T.S.F.

Il me reçut dans son laboratoire monacal de la Faculté catholique. Il avait l'uniforme des scientifiques : une blouse blanche. Et derrière le lorgnon qui lui pinçait le nez, ses yeux ne se détachaient pas d'une aiguille, oscillant sur un cadran. Il ne disait rien. L'instant était presque religieux, et je n'osai rompre le silence. J'en profitai pour noter sur mon carnet une brève description de ce haut lieu des ondes. Mais les minutes passaient. Depuis que son assistant m'avait introduit auprès du grand homme, ce dernier ne m'avait rien dit en dehors de :

« Bonjour. Asseyez-vous là. »

Des crachotements dans un haut-parleur antédiluvien me rappelaient ceux que j'entendais le soir, après l'« extinction des feux » au dortoir quand j'étais pensionnaire chez les jésuites. Un copain bricoleur avait installé un poste à galène avec un réseau de dix-sept casques reliés au récepteur par des mètres de fil dissimulés dans les rainures du parquet. A l'étude du soir, profitant de la petite confusion qui précédait la prière, notre technicien faisait passer un billet discret coincé entre deux cahiers de versions grecques : « *Ce soir, neuf heures.* »

A l'heure dite, les casques sortaient des polochons et recouvraient nos têtes. Il fallait surtout bien enrober de coton les écouteurs pour étouffer le moindre grésillement : le « pion » n'était pas loin. Sous les couvertures, on frisait l'asphyxie, mais cela valait la peine. On recevait d'abord les parasites sous forme d'effroyables décharges dans les oreilles. L'opérateur était obligé de se lever pour faire les derniers réglage du poste installé dans sa table de nuit. C'était risqué. Pour faire diversion, le garçon sortait bruyamment son vase de nuit, et le bruit de sa petite source couvrait ceux moins naturels du réglage. On pouvait ensuite entendre le Concert Mayol, les Folies-Bergère, ou du théâtre. J'ai ainsi entendu *Topaze* six ans avant de le voir. Mais Pagnol c'est tellement vrai qu'il suffit de l'écouter pour le voir... Comme la redevance O.R.T.F., notre abonnement était cher. Et payable d'avance : en début de semaine, nous remettions toute notre provision hebdomadaire de chocolat à l'opérateur. Il n'aimait pas le chocolat et le revendait aux non-abonnés. Je l'ai revu récemment. Non, il n'est pas « homme de radio », on n'entend pas sa voix forte sur les ondes nationales ou périphériques. Et pourtant, il fait toujours un peu de radio. A Madagascar, par-dessus les rivières et les forêts de la Grande Ile, sa voix court pour appeler un médecin, demander un secours ou répondre toujours prêt à ceux qui peuvent avoir besoin de lui. Devenu jésuite — ce que c'est que d'écouter la radio ! — il sillonne la brousse, évangélise, voit le Pape et certains hauts fonctionnaires. Dans Madagascar, où maintenant les Français ont besoin d'un visa, il est un peu la dernière voix de la France.

Un soir, nous étions particulièrement excités. Il n'était pas loin de vingt-deux heures et tout Paris s'était donné rendez-vous au Bourget pour acclamer l'un des premiers vainqueurs du ciel, et en tout cas du ciel de l'Atlantique Nord : Lindbergh. C'était la première traversée aérienne U.S.A.-Europe.

De casque en casque, de lit en lit, tout le dortoir n'était plus qu'une chambre d'écho : « Il a passé ! Il a réussi ! » Lindbergh venait de couvrir 5 800 kilomètres en 33 heures 30... et sans escale ! C'était fabuleux ! Nos rêves les plus épiques étaient sublimés. Une telle nouvelle arriva aussi aux oreilles de surveillants, qui pourtant n'étaient pas branchées sur le poste à galène. Le moment d'admiration béate passée, ils réalisèrent que l'information nous était parvenue avant l'arrivée des journaux du matin, d'ailleurs réservés aux professeurs. Le doute commença à planer, comme l'avion de Lindbergh, le *Spirit of Saint Louis*... Le pot aux roses allait être découvert. Des heures de colle allaient pleuvoir, sans parler de confessions provoquées pour se faire pardonner. A l'aube, l'opérateur — décidément un meneur d'hommes — eut une idée géniale :

« Vite ! allons tous nous raser ! »

Nous raser ? Nous devions avoir trois poils sous le menton, et encore... C'était, en réalité, une manœuvre de diversion. Pendant que dix-sept mains tartinaient à coups de blaireau des joues imberbes, dix-sept autres mains coupaient des fils, détruisaient des écouteurs et camouflaient le poste au-dessus d'une chasse d'eau.

Il y eut bien un surveillant pour nous demander :

« Mais qu'est-ce qui vous a pris de vous raser tous ce matin ? »

Dix-sept voix répondirent :

« Mais c'est en l'honneur de Lindbergh, mon père ! »

— Linbergh ? Ah ! le Supérieur vous a annoncé ce bel exploit ? Dans ce cas, jeunes gens, vous avez bien fait !... »

Lindbergh n'a jamais su qu'il était le dernier héros de notre radio clandestine.

Edouard Branly ne parlait toujours pas.

Enfin, je me risquai :

« Monsieur Branly... Pardonnez-moi mon indiscrétion, mais quelle est cette expérience qui vous absorbe tant ? »

Sa réponse fut brève :

« Je cherche... »

Deux mots qui résumaient la vocation de cet homme. Maintenant, son regard allait de sa petite aiguille à un grand Christ, seul ornement du mur nu. Branly interrogeait l'aiguille et semblait recevoir la réponse du Christ. L'aiguille l'inquiétait, le Christ le rassurait. Le visage qu'on aurait dit taillé dans une vieille pomme de pin devenait lisse, radieux.

« Je cherche... » répéta le physicien.

Branly avait déjà trouvé la foi. Il me dit :

« Ma mission est de travailler dans le silence pour aider les hommes à comprendre quelques miracles de la Science, ceux que le Créateur consent à nous révéler peu à peu. »

Branly avait fait don de sa personne et aussi de sa religion à la Science. Il ne concevait pas l'un sans l'autre. L'impression que laissait ce vieillard, œuvrant presque avec des moyens de fortune grâce à de maigres subventions et puisant sa lumière spirituelle dans la vision du Golgotha, était magnifique.

Je dus forcer un peu la note mystique dans mon papier, car après l'avoir lu, Paul Lévy me déclara :

« On dit toujours que les Juifs se tiennent entre eux, mais alors vous, les catholiques, quand vous vous y mettez, c'est un vrai barrage ! »

Et, bien entendu, ce papier fut titré : « *Je cherche* », *par Edouard Branly.*

Apparemment satisfait, mon directeur me fit passer ma deuxième épreuve : interviewer le Dr de Martel...

Thierry de Martel était le plus fameux chirurgien du moment. Il avait la gloire du Pr Barnard et la ténacité du Pr Guilmet. La spécialité de ce grand maître du bistouri était le cerveau. Il ne se penchait pas sur ceux — très vides — des charmantes jeunes femmes qui l'entouraient, mais opérait gratuitement ceux des malheureux atteints de tumeur. Il y avait deux Docteurs de Martel : celui qui, à l'occasion, faisait plaisir à l'une de ses clientes snobs en l'opérant de l'appendicite dans sa clinique feutrée de la rue Piccini, et l'autre qui passait des heures sur les méninges d'un pauvre hère dans sa clinique populaire près de la rue Vercingétorix...

Tout avait été dit et écrit sur ce grand patron. Mon papier fut certainement quelconque, mais le Dr de Martel eut la correction de m'envoyer un petit mot :

« *Merci. Enfin un journaliste qui ne m'a pas fait dire trop de bêtises !* »

C'était très gentil. Martel, comme toutes les vedettes de l'actualité, était un bon sujet de reportage. Mais, comme toute vedette, on lui prêtait quelquefois des propos qui n'étaient pas les siens. Cela se fait, parfois. Faire parler les gens, c'est bon pour vendre du papier.

Martel avait une extraordinaire conscience professionnelle. Un de mes amis en fut le témoin. Un matin, le chirurgien l'appelle au téléphone.

« Allô ! tu as toujours ton pavillon de chasse en forêt d'Ecouves ? Oui ? Parfait... Je m'invite en week-end... Viens me prendre à mon dispensaire... D'accord ?

— D'accord !

— Ah !... sois gentil. Préviens ton garde-chasse pour qu'il m'attrape une douzaine de petits oiseaux. Dis-lui d'en tuer six vers trois heures de l'après-midi et d'en conserver six vivants. Qu'il ne les fasse pas souffrir et surtout qu'il ne leur abîme pas la tête ! »

Après un dîner brillant où Martel se répandit en mots d'esprit tout en se levant pour donner des miettes de pain à six chardonnerets enfermés dans une cage, il monta dans sa chambre en disant :

« Je sens que je vais passer une bonne nuit ! »

A quatre heures du matin, son hôte fut réveillé par un bruit de pas dans l'escalier. Inquiet, il sortit de sa chambre. Juste à temps pour voir passer la femme du garde-chasse qui montait un plateau.

« Mais... qu'est-ce que c'est que ça ?

— Du café noir pour le docteur. Il m'a bien recommandé hier soir de le lui apporter à quatre heures dans le grenier. Il m'a dit qu'il y passait la nuit... »

Poussé par la curiosité, l'ami suivit la cuisinière. La haute silhouette du chirurgien en robe de chambre se découpa dans le halo d'une lampe à pétrole posée sur une poutre transversale. A côté de la lampe, étaient alignés les corps des six oiseaux tirés par le garde. Cinq oiseaux vivants étaient dans la cage, mal réveillés sans doute et observant avec inquiétude leur congénère, le sixième, étroitement maintenu dans la main gauche du praticien, tandis que la droite maniait avec précaution un étrange appareil qui fouillait l'intérieur du petit crâne. Les yeux du Dr de Martel étaient devenus énormes : ils se cachaient derrière une paire de lunettes grossissantes rappelant celles des coureurs automobiles. A l'approche des deux visiteurs, le chirurgien dit :

« Chut ! »

Dans un silence total — d'émotion, la cuisinière faillit pourtant lâcher son plateau —, le grenier était devenu l'antre du Dr Caligari. Brusquement, la main droite cessa de manœuvrer l'acier chromé, la gauche desserra l'étreinte : l'oiseau, inerte dans le creux de la main, fut déposé sur le plancher de la cage où son arrivée provoqua un tapage de cris et d'ailes battantes.

Martel fixait l'oiseau. Cinq minutes passèrent. Puis le chardonneret bougea une patte, une aile, la tête enfin. Il vivait. Il revivait. Le chirurgien retira ses lunettes ; il était en sueur et comme épuisé par une forte tension nerveuse.

« J'ai six opérations désespérées cette semaine à ma clinique de la porte d'Orléans, dit-il d'une voix très calme. Six malheureux sans ressources que je n'ai pas le droit de décevoir. J'avais besoin de me faire la main. Les boîtes crâniennes des oiseaux sont les plus petites qui soient et des modèles pour ce genre d'opérations. »

Mon ami demanda :

« Mais pourquoi y a-t-il six oiseaux morts et six vivants ?

— Parce que j'ai doublement répété. D'abord sur les morts, ensuite sur les vivants. Lundi, je serai d'attaque pour explorer le cerveau de mes six patients. Je n'ai pas le droit de commettre une erreur... »

D'un œil attendri, il regardait le dernier opéré qui commençait à recouvrer toutes ses forces :

« Ils sont charmants... Et je vous ferai remarquer que ce n'est pas moi qui ai tué les autres... J'ai horreur de ça... Je n'aime que la vie. »

Le Dr de Martel s'est pourtant donné la mort quand les premiers blindés allemands passèrent sous ses fenêtres de l'avenue Foch, en juin 1940, en direction du tombeau du Soldat inconnu.

Cette patience, cette prudence courageuse, ce respect des hommes me sont revenus à l'esprit avec un autre personnage immortel qui adorait la vie : Louis Armand. Une force, un esprit, une intelligente bonté peu communs. Nous avions fait connaissance dans le train — ce qui était normal pour lui, ancien grand patron de la S.N.C.F. Il venait au Mans faire une conférence que je lui avais demandée : « *Au confluent des sciences physiques et humaines* », devant le public de l'Académie du Maine que je présidais alors. Louis Armand était bien au confluent de la science et de l'homme, de l'humour et du travail. Evidemment tout le monde dans le train le connaissait, mais lui connaissait aussi tout le monde. Un festival de contrôleurs, de garçons de wagon-restaurant (pour une fois, quel service !) et de chefs de gare. Il parlait traction électrique, et je comprenais. Il parlait du trafic dantesque entre Paris et Lyon, et des voies ferrées d'intérêt secondaire. Ça, je comprenais très bien. Cet homme universel que j'ai revu plusieurs fois et qui m'honora d'une amitié sans feu rouge ni tunnel, m'a souvent écrit des lettres qui mériteraient un prix de concours Lépine : invention, observation, astuce et vision du monde à long terme, c'est tout cela que l'on retrouve dans ses missives. La dernière est arrivée le jour de sa mort. Elle avait été postée la veille, le soir, et je me demande toujours par un réflexe très égoïste si, dans le fond, cette lettre n'a pas été la dernière écrite par cet homme passionnant. Ce serait trop beau. Mais ce conteur intarissable, ce grand bavard — il parlait presque autant que moi, ce qui n'est pas peu dire — n'arrêtait jamais de se perfectionner. Il disait : « Les hommes ne peuvent utiliser la science que s'ils vivent avec elle vingt-quatre heures sur vingt-quatre. »

Et quand je lui demandais :

« Vous n'êtes pas libre à déjeuner samedi ? »

Il me répondait :

« Je vais dans ma maison de Normandie avec mes petits-enfants. Je vais pouvoir me détendre avec eux... Un vrai repos ! »

Que faisait-il pour se reposer ? Il construisait une cloche électronique !... Pour ses petits-enfants. Pour lui. Pour nous. Pour que la science ne l'ait pas devancé pendant le week-end.

Je continuai mes collaborations multiples. Les journaux poussaient comme des champignons, presque tous financés par un parti politique : S.F.I.O., radicaux-socialistes, Croix-de-Feu — c'était à qui aurait le sien. Cela arrangeait tout le monde, lecteurs et politiciens. Sauf quelques journalistes, dont j'étais et que la politique laissait froid.

C'était une situation grave : la presse était discréditée par des hommes étrangers à ce métier dont le seul intérêt était la propagande électorale, le chantage et autres moyens de pression sur des gouvernements qui se succédaient à une rapidité déconcertante. Tout de même, aujourd'hui, il y a moins d'amateurs dans la profession. J'ai horreur des amateurs. Un travail bien fait, c'est ce qu'il y a de plus beau.

En général, j'entrais dans un journal par la petite porte, en apportant une nouvelle. Si elle plaisait, je me retrouvais bombardé de fonctions aussi vagues que variées. On faisait tout parce que si l'on ne pouvait pas tout faire, on était vite éliminé. C'était le contraire de la spécialisation qui est, dit-on, la panacée d'aujourd'hui. Heureusement, les journaux mouraient aussi très vite, ce qui nous empêchait de vieillir. Comme on débutait tout le temps, on restait toujours jeune...

Je finis par décrocher un grand reportage dans un pays qui allait, peu de temps après, alimenter copieusement les colonnes de la presse européenne — et française, en particulier. Ce pays, c'était l'Espagne qui s'enfonçait dans la guerre civile. La révolution venait de renverser le roi Alphonse XIII et son président du Conseil, le général Baranguer, surnommé *Secundo de Rivera* en souvenir de son prédécesseur. Comme je parlais espagnol, je me suis retrouvé — une fois n'est pas coutume — avec une provision somptueuse pour mes frais de reportage qui devait durer six semaines. J'en ai rapporté une série de papiers qui furent censurés. Pas en Espagne. A Paris où beaucoup de gens avaient intérêt à ce que le chaos qui déchirait le pays ne fût pas révélé au public français. Passons... Ne déterrons pas les vieux cadavres. Il y a déjà ceux de plus d'un million de morts dont les restes — enfin ceux qu'on a pu rassembler — ont été réunis par Franco il y a une quinzaine d'années dans la fameuse métropole souterraine de la *valle de Los Caidos,* la vallée des Morts, que domine une immense croix.

De l'Espagne, je préfère garder, ce n'est pas un hasard, un souvenir romanesque. Cela, au moins, c'est éternel. C'était à Valence où l'on m'avait recommandé de visiter le musée de la Tauromachie. Un musée des Anciens Combattants de l'Arène, soldats de la muleta [1] et taureaux aux cornes effilées. Et comme tout vrai musée, celui-ci avait un guide. Pour une peseta, il faisait parler les vitrines. Pour deux pesetas, il vous jouait *Sombreros et mantilles.* Nous passions en revue les grands taureaux et les grands matadors dont la force (pour les premiers) et le courage (pour les seconds) avaient fait vibrer des foules le dimanche après-midi, qu'elles soient tassées sur les places à l'ombre ou celles au soleil. Photographiés, empaillés, statufiés, les taureaux étaient entrés dans la légende et le musée, surtout s'ils avaient embroché plusieurs matadors...

Je m'étais arrêté devant une vitrine surprenante : une mantille en dentelle blanche y était exposée à côté d'un violon. Une guitare, cela eût semblé normal. Mais un violon, pourquoi ?

Evidemment, pour le guide cette vitrine était le tournant de la visite. Ou bien on trouvait normale la présence de ce violon et on ne s'arrêtait pas, ou bien on se posait des questions et on les posait au guide, ce qui rallongeait sensiblement la durée de la visite.

« Ah ! monsieur..., je vois que vous êtes intrigué. Cette vitrine, c'est le souvenir d'une histoire tragique, la plus belle et la plus insolite histoire de taureaux de tout le pays...

— Racontez-moi... »

Il me raconta et, en effet, c'est une belle histoire...

Il y a longtemps, le second violon de l'Opéra de Valence s'appelait Antonio Lopez. Antonio était un modeste dont la seule passion était de soutenir de son archet et de son mieux les voix des grands noms de bel canto. De sa place dans la fosse d'orchestre, le violoniste n'avait malheureusement pas la joie de voir ses artistes préférés en scène ni toute la salle

(1) Pièce d'étoffe écarlate dont les matadors se servent pour exciter le taureau.

brillante et parfumée des soirs de gala. Il n'apercevait que le chef d'orchestre, ce qui était suffisant pour jouer, et une partie de l'avant-scène côté cour, ce qui était assez pour voir un ou deux visages de spectateurs de choix jetant des regards dédaigneux sur cette fosse où quarante talents anonymes resteraient méconnus. Un soir de gala, pendant que ces musiciens se déchaînaient dans l'ouverture du *Barbier de Séville,* la porte de l'avant-scène s'ouvrit sur la plus sémillante des belles, Juanita, escortée de son père, don Alonzo Balmoral y Tra Los Montes.

Par un de ces hasards qui bouleversent une existence, Antonio avait levé les yeux vers ce coin de salle assombrie juste au moment où le visage de Juanita s'était penché sur la scène.

Elle était belle. Et depuis qu'il était dans l'orchestre de l'Opéra — depuis plus de cinq ans —, Antonio n'avait pas vu de femme aussi belle. Il essaya bien d'attirer son attention, mais les notes les plus cristallines ne devaient pas monter jusqu'à l'avant-scène : la belle Juanita n'avait d'yeux que pour un jeune ténor qui, justement, ce soir-là, faisait ses débuts à Valence. Antonio l'avait vu aux répétitions. Ce ténor était un vrai ténor : court sur jambes, adipeux, prétentieux, il lançait des œillades grotesques comme les amoureux dans les mauvais films muets... « Quel dommage ! Quel gâchis ! » pensa Antonio.

Antonio avait attendu cinq ans qu'un beau visage éclairât cette avant-scène trop souvent vide. Et voilà que ce visage ne le regardait pas, lui, le musicien ! Le ténor lui avait volé « sa » Juanita. Mais, déjà, Antonio jouait sa partition presque inconsciemment. Fébrile, il ne vivait plus que pour les pauses dans la musique qui lui permettaient de lever la tête vers cette avant-scène, écrin merveilleux où ruisselait la beauté de Juanita. Antonio était amoureux. Et il savait, bien sûr, que son amour grandirait car il était espagnol... Mais Juanita, si proche et si lointaine, n'eut pas le moindre battement de cils pour le pauvre racleur de la fosse.

Après le dernier appel, Antonio rangea son violon et son archet, mais l'aiguillon de la jalousie avait mis son cœur à vif. Il échafauda un plan très simple.

Le gala suivant arriva. Une bonne heure avant le lever du rideau, tandis que derrière le velours rouge frissonnant les accessoiristes et les machinistes achevaient les ultimes préparatifs exigés par la mise en scène, Antonio s'assit devant son pupitre, seul dans la fosse. Antonio priait. Il priait pour que la belle n'arrivât point en retard. Pour un soir, les dieux de l'amour furent avec Antonio : Juanita, suivie de son hidalgo de père, apparut rayonnante dans l'avant-scène vingt bonnes minutes avant les premières notes de l'ouverture. Elle était encore plus belle que la première fois.

« Oh ! mon père, ne put s'empêcher de dire la jeune fille, voyez ce musicien qui est déjà à sa place. Il est tout seul. Pourquoi est-il si en avance ?

— Ma fille, répondit don Alonzo, ce violoniste est certainement un pur artiste très épris de musique ; soucieux de s'imprégner de l'atmosphère de l'Opéra, il vient se recueillir avant de jouer.

Pendant que son père lui fournissait cette docte explication, Juanita, les yeux collés contre ses jumelles de nacre, venait de découvrir ce violoniste consciencieux. Ce fut sa perte : Antonio était beau ! Il la regardait. Ses yeux semblaient dire : « Je vais jouer pour vous, car je vous aime. » Antonio était un autre homme. Son plan avait réussi : Juanita l'avait remarqué.

La représentation commença. Juanita essayait de ne pas entendre ce bellâtre de ténor. Elle voilait son doux visage avec l'éventail à monture d'écaille de feu doña Isabel, sa mère. Ce paravent lui cachait les œillades ridicules du cabotin. Il lui arrivait de fermer les yeux pour essayer de reconnaître dans ces flots d'harmonie les notes jouées par l'archet de ce violoniste dont elle ne savait même pas le nom. Un courant montait de la fosse d'orchestre vers les dames de plâtre aux seins poussiéreux qui encadraient l'avant-scène pour redescendre vers le second violon après s'être niché quelques instants sous une mantille. Ce courant avait un nom de fleuve : l'Amour. L'Amour qui déjà dans ce pays de soleil et dans une autre histoire de tauromachie intilulée *Carmen* avait fait bien des vacheries.

La soirée se termina en apothéose à la fois muette et musicale. Antonio, emporté par sa passion, se leva et fit un salut vers l'avant-scène, ce qui lui attira des remontrances courroucées du chef d'orchestre : un second violon qui salue le public ! C'était inadmissible ! Pour qui se prenait-il ? C'était bien, d'ailleurs, ce qu'avait pensé don Alonso en quittant sa loge.

Mais de soirée de gala en soirée de gala, Antonio poursuivit sa cour. Il ne vivait que dans cette attente... Trois heures par mois, à chaque gala, il était un dieu, et Juanita s'intéressait de moins en moins à ce qui se passait sur la scène.

A la différence de l'amour, l'Opéra a des saisons. On était au mois de mai : le théâtre ferma ses portes jusqu'à la rentrée.

Pour Antonio, ce fut le temps du désespoir, indispensable dans ce genre d'aventure. Dans sa mansarde lépreuse — il ne pouvait même pas se tenir debout pour jouer du violon —, Antonio rongeait son amour contrarié par ces infâmes mois d'été.

Il eut le courage de se présenter en l'hôtel particulier du père de Juanita sous le prétexte d'une « communication urgente ».

« Don Alonzo, déclara-t-il à l'hidalgo qu'il considérait déjà comme son beau-père, je suis pauvre mais honnête. Accordez-moi la main de votre fille...

— Jamais ! hurla le père noble. Jamais la fille d'un Balmoral y Tra Los Montes ne sera l'épouse d'un obscur racleur de cordes ! Plutôt la mort que le déshonneur ! »

Décidément, on était dans *Carmen*.

Et Antonio se retrouva dehors par l'un de ces

effets bien connus de balistique dû aux bottes de laquais stylés et mercenaires. Antonio, chassé par la porte, revint le soir même sous les fenêtres de la belle, armé de son violon qui distillait la *Sérénade* de Toselli et les *Millions* de ce pauvre Arlequin qui ont toujours été joués par des violonistes sans le sou.

Mais les gens de don Alonzo mirent Antonio en fuite. Pas assez vite pourtant. Antonio avait eu le temps de ramasser un message froissé dans un gant de velours. Ayant échappé aux valets de don Alonzo, barricadé dans son gourbi, il lut ces mots miraculeux : « *Je vous aime. Mon père est intraitable. Il ne vous accordera ma main que si vous devenez célèbre.* »

Antonio ne réfléchit pas longtemps. Pour être vite célèbre en Espagne, il n'y a qu'un moyen : devenir torero.

Alors Antonio eut une double vie. Apprenti matador dans la journée, violoniste le soir. Pendant un an, il manipula la capa, fit comme les gamins qui se chargent avec une paire de cornes fixées sur une roue en bois. Il devint « tauromaniaque ». Et peseta après peseta, il économisa sur ses minces émoluments pour racheter au costumier de l'Opéra un vieil habit de lumière qui ne brillait plus depuis longtemps. Antonio savait bien que le ridicule ne tue pas, surtout quand on est amoureux. Seul le déshonneur est mortel : don Alonzo le lui avait jeté au visage.

Enfin, Antonio put faire ses débuts de matador. La corrida ne rassemblait pas des grands noms, mais certains espoirs qui iraient loin s'ils ne se faisaient pas encorner d'ici là. C'était le dimanche de Pâques. Tout Valence était présent pour oublier les rigueurs de la semaine sainte.

Juanita avait réussi à décider son père à y assister. Don Alonzo avait répondu :

« Ce violoniste est fou ! Mais en ce jour de Résurrection, Dieu sera peut-être clément pour lui... »

Juanita avait eu le front de répondre à son père : « C'est un garçon courageux. »

Antonio était sublime. Passe après passe, il dominait le taureau qui ne savait plus où donner des cornes. Juanita cachait mal son admiration. Don Alonzo restait muet. Mais le moment de la vérité arriva. C'était la mise à mort. Antonio mit un genou en terre et rejeta la muleta qui excitait le taureau. La foule ne découvrit pas une épée, mais... un archet et un violon ! Toujours le genou en terre, le matador mélomane entama l'ouverture de *Guillaume Tell*. La foule, d'où s'était élevée une clameur, était maintenant figée dans un silence stupéfait. Juanita avait la pâleur d'un personnage du Greco. Don Alonzo, la stupeur passée, grommela dans ses moustaches cirées :

« *Caramba ! Qué culot !* »

Malheureusement, le taureau n'aimait pas la musique de Rossini. Il embrocha le violon et le matador qui était au bout. Sur le sable des arènes, il y eut une large tache de sang, des cordes torsadées et un homme éventré.

Tout Valence suivit l'enterrement d'Antonio. Don Alonzo répétait : « Je l'avais bien dit : ce violoniste était fou ! » Quant à Juanita, déchirée entre les regrets éternels et le désespoir, elle a terminé ses jours récemment au couvent des Sœurs-Augustines après avoir légué au musée la mantille qu'elle portait à l'Opéra et le violon qu'elle fit restaurer à grands frais.

J'avais glissé une autre peseta dans la main du gardien qui m'avait raconté cette histoire. J'en tirerais une nouvelle.

Mais le guide me retint un instant devant une photo jaunie dans le bas de la vitrine.

« C'est le taureau qui a tué Antonio, me dit-il. Il a eu le droit de ne pas être mis à mort, privilège exceptionnel car il avait encorné plusieurs matadors. Mais depuis la mort d'Antonio, tout Valence l'avait surnommé Stradivarius... »

Plus tard, j'ai fait mes débuts dans le feuilleton policier. Une rude école... L'occasion fut l'Exposition de 1937. Oui, cela ne me rajeunit pas, mais cela me donne l'occasion de parler de l'auteur de l'affiche de cette « Expo 37 » : Paul Colin. Tout le monde devrait admirer Paul Colin, l'homme qui a dessiné la fameuse affiche de Joséphine Baker ceinturée de bananes pour la Revue Nègre où elle débuta en 1925. Grand peintre, affichiste plein d'idées, il a d'autres talents de société comme la prestidigitation et les histoires drôles. Deux raisons suffisantes pour aimer un homme. Il m'a raconté l'autre jour une réflexion de Picasso qui est assez savoureuse. Cela s'est passé dans un restaurant du Midi. C'était la fin du repas : Picasso et quelques amis demandent l'addition. En l'occurrence, ce doit plutôt être les amis qui se proposent de payer, car l'auteur de la fameuse *Colombe* ne passait pas pour prodigue. On le disait même très avare. Le patron se penche vers Picasso et lui dit :

« Ah ! monsieur Picasso !... Si j'osais vous demander... J'aimerais tant que vous me fassiez un dessin là, sur ce coin de nappe... Bien entendu, vous seriez mon invité... »

Picasso dessine, déchire le bout de nappe de papier et le donne au patron.

Celui-ci prend un air gêné et ajoute :

« Serait-ce trop vous demander de signer votre dessin ? Vous comprenez, comme ça il aurait plus de valeur...

— Ah non ! réplique Picasso. J'ai payé mon repas, d'accord. Mais je n'ai pas acheté votre bistrot ! »

L'hebdomadaire *Demain* était dirigé par un illustre inconnu qui s'appelait Pecquery, mais qui signait Jacques La Brède. Toujours la « pseudonymite »... L'argent de ce journal appartenait à un certain Hirsch-Montmartrain, fils de l'ancien membre du parti radical-socialiste. La presse ne le passionnait pas. La seule chose importante pour lui, c'était sa firme d'appareils électriques *Ampli-Lux*. Et ce qui l'intéressait encore plus, c'était d'obtenir la concession de l'éclairage de l'Exposition de 1937.

Il eut donc, c'était normal, une idée lumineuse : lancer un journal spécial pour l'Exposition, un quotidien fabriqué sur les lieux mêmes de cette rencontre internationale. En réalité, ce journal ferait une chronique de l'Expo bien avant que celle-ci n'ouvrît ses portes. Dans une prose étincelante de platitude, l'intérêt de tous était attiré sur les merveilles techniques de l'*Ampli-Lux*. Cette publicité clandestine porta ses fruits. *Ampli-Lux* éclaira l'Expo.

Je travaillais pour l'hebdomadaire, quand M. Hirsch-Montmartrain m'annonça la création du quotidien du même nom : *Demain*. Mais il lui fallait une autre idée. La vogue était aux romans policiers. Beaucoup d'auteurs ne dormaient plus depuis que la chère Agatha Christie avait, quelques années auparavant, révolutionné le genre avec son fameux livre : *Le Meurtre de Roger Ackroyd*, énigme où, on le sait, c'est le narrateur qui est l'assassin. N'ayant pas le talent de cette chère Agatha, je proposai à notre « financier » un roman policier dont j'écrirais le premier chapitre et dont les suivants seraient rédigés par les lecteurs.

Pecquery, alias La Brède, faillit m'embrasser pour cette idée. Comme son comptable était distrait et parcimonieux, j'en profitai pour essayer de lui « vendre » cette idée. Il ne me donna pas un centime d'avance, ni même de retard, pour tout ce qu'il m'avait promis.

Ce fut ainsi que parut *Le Crime de l'Exposition*. Je savais où faire démarrer l'histoire. Je savais qu'elle devait entièrement se dérouler au milieu des quarante-deux pavillons étrangers et des réalisations françaises de l'Expo. Mais ce serait au lecteur de décider ce qui se passerait... Premier chapitre : « *Meurtre au planétarium.* » Trois cents lignes, trois victimes, cela partait bien. Vingt-quatre heures après cette publication, les bureaux du journal, habitués à un calme serein, furent le théâtre d'une boulimie de lecture. Envahis de « suites » ahurissantes proposées par nos lecteurs, nous nous efforcions de choisir. Les femmes s'étaient déchaînées. Il faut dire que les faits divers avaient excité l'imagination. On parlait beaucoup du « crime du métro », celui d'une jeune femme poignardée dans un wagon vide à la station Porte-Dorée... Entre-temps, après mille difficultés et retards, au milieu des grèves du Front populaire, l'Expo finit par ouvrir ses portes et nos lecteurs, collaborateurs zélés, parcoururent les moindres recoins des pavillons pour situer un crime supplémentaire. Avec eux, l'Expo devenait un endroit très malsain et on en arrivait à comprendre pourquoi Albert Lebrun, le président de la République, l'avait inaugurée au pas de course !

J'avais quitté la misère pour une fausse bohème plus confortable. Ce genre de métamorphose profonde peut être spectaculaire, et dans ce cas c'est un peu indécent. Ce peut être aussi discret... Dans mon cas, c'était entre les deux. Mais j'avais un vrai luxe, un luxe indispensable, une vengeance délectable : je m'étais fait faire un smoking ! A l'époque, les occasions de mettre une « cravate noire » étaient presque quotidiennes. On s'habillait. Et à chaque fois que j'étais obligé d'avoir l'air « bon genre », je prenai, l'épaule basse, le chemin du *Cor de chasse*, ce magasin réputé de Saint-Germain-des-Prés où l'on peut, à prix fixe, s'habiller comme un lord. Et, à chaque fois, j'étais effondré. Il y a quelque chose de vicieux à entrer, le temps d'une soirée, dans un vêtement loué. L'habit ou le smoking de location constitue la plus grande humiliation de l'homme qui veut avoir l'air de ce qu'il n'est pas tout à fait. Ces cache-misère sont bien pratiques, c'est vrai. Et surprenants. On y rencontrait de tout, dans cette boutique des miracles. Et quelle mine de romans ! J'ai trouvé dans la poche d'un veston de smoking un papier froissé qui avait échappé à la vigilance des retoucheurs et à la vapeur du pressing. Avec peine, je lus ces mots pleins de promesse : *Geneviève X... Square Lamartine. Pas après vingt-deux heures. La concierge est méfiante et acariâtre.* » Quel séducteur avait oublié dans cette poche la précieuse consigne ? Peut-être était-il tombé sur le cerbère qui l'avait dénoncé à un père, à un époux, à un autre amant peut-être ?... Si mon prédécesseur dans cette veste avait demandé « Cordon S.V.P. », il avait peut-être déclenché un drame, provoqué un crime ? Après tout, ce galant distrait n'aurait pas volé son infortune. Quand une dame vous espère, on ne la fait pas attendre. A moins que cet homme n'ait espionné sa belle et se soit renseigné sur elle... Voilà ! J'avais trouvé !... C'était un détective privé... Il faudra un jour que j'écrive cette nouvelle. J'ai le titre, trompeur : *L'Amour en location.*

L'orage de la guerre s'étant éloigné à Munich, je voyais la vie en rose. Un grand journal sud-américain me proposait un reportage en Extrême-Orient et un très vieux et très solide quotidien parisien m'offrait un poste de rédacteur en chef adjoint. Choisir ! Quel luxe !

Une troisième solution se présenta, pas tout à fait inattendue. Plus d'hésitation, plus de choix ! C'était la mobilisation. C'était le 1er septembre 1939. La guerre ! On avait fini par croire qu'elle serait perpétuellement évitée... Les paroles de mon père resurgissaient comme un fantôme : « Tu veux écrire ? Tu seras d'abord militaire. » Cette fois, je ne pouvais pas inverser cet ordre.

J'avais à peine gravi le premier échelon et, hop ! l'incertitude du lendemain revenait. Elle revenait pour des milliers de jeunes gens, des milliers d'hommes dont l'avis importait peu mais dont la vie était précieuse. Il y avait tout de même une certitude : nous allions vieillir. On n'a jamais vu quelqu'un rajeunir à la guerre. J'ai retrouvé l'autre jour un carnet en lambeaux sur lequel je notais des idées nouvelles, des plans de romans, des réflexions que je croyais utiles. A la date du 3 septembre 1939, jour de ma mobilisation effective, j'ai écrit : « *Aujourd'hui, je fais peau neuve.* »

C'était vrai. Le cordon ombilical était coupé. La première victime de la guerre fut notre jeunesse.

— En 1914 aussi, il y eut une génération sacrifiée.

— Oui, mais elle avait eu le temps de profiter de la vie avant l'hécatombe. La Belle Epoque, il y a tout de même eu du monde pour y goûter... Nous, les Années Folles, connais pas ! Dix ans, ce n'est pas assez pour danser le charleston et apprécier les filles faussement floues dans les robes de Poiret. On avait crevé la faim — moi un peu moins que d'autres, c'est vrai —, et depuis dix ans on nous rabâchait l'idée que la « prochaine » serait terrible... C'est le seul point sur lequel on ne nous a pas menti. On ne pouvait pas partir faire la guerre en chantant. Nous n'avions pas été préparés, « propagandisés » pour ça. Et je crois que nous n'avions pas vraiment envie de « bouffer du boche », comme on disait au café du Commerce.

— La mobilisation brise tes espoirs. Que fais-tu ?

— Je me retrouve en Sarre, dans la bataille de l'Ailette et la débâcle de juin 1940. Je fais la guerre de milliers de Français, celle qui a duré dix mois. Un armistice coupa court à nos efforts. « Vous ne vous êtes pas battus ! » protestaient nos aînés, ceux de 1914. Seulement, ils oubliaient que la tripe, cela ne suffit pas toujours. Sans canons, sans munitions, sans transmissions, sans équipements et sans cadres valables, il nous restait un droit : celui de nous couvrir la tête de cendres... Parce que nous n'avions eu que cent trente-cinq mille morts en trois semaines, deux cent cinquante mille blessés et deux millions et demi de prisonniers, nous étions condamnés au silence imposé par la honte. J'ai refusé. J'ai réagi. J'ai écrit *L'Officier sans nom*.

Mais tu vois, paradoxalement, cette guerre qui avait brisé mes espoirs m'en donna d'autres. Et d'autres illusions, et d'autres raisons de vivre.

Elle m'a fait découvrir des milieux que je n'avais fait que contourner : ceux des Lettres, et en particulier ceux de l'édition. *L'Officier sans nom*, c'est aussi cela. Une porte grande ouverte sur une bataille au couteau, une guerre parallèle, ma guerre secrète d'auteur après ma guerre de Français.

Le terrain à conquérir ? Mais voyons, c'est la dernière forêt vierge. Je lui ai d'ailleurs consacré une pièce de théâtre qui dort ici dans ce bureau. Pierre Fresnay l'avait lue et l'avait trouvée bonne.

Cela se passe dans les couloirs d'une maison d'édition : l'histoire d'un jeune auteur dont le manuscrit a été retenu... Le malheureux ne sait pas ce qui l'attend !

Il vient de pénétrer dans la plus authentique, la plus dangereuse et la plus fabuleuse des régions mal connues.

Le titre de cette pièce ? *La jungle.*

2

LA JUNGLE

— Comment es-tu rentré dans cette jungle ?
— A cause d'une marque de savon !
— ?...
— Tu as bien entendu : à cause d'une marque de savon ! Mais, évidemment, c'est toute une histoire. A peine démobilisé, je fus affecté d'office au commandement pacifique d'un Chantier de la Jeunesse du Var. Entreprise généreuse dans son esprit, mais construite sans discernement par un général moustachu comme un vieux Gaulois, le général de La Porte Du Theil.

Il avait le tort de croire que la jeunesse française, encore indépendante parce qu'en zone dite « libre », serait rénovée par quelques préceptes de patronage et de scoutisme. Il oubliait que lorsqu'on a reçu un coup de pied au cul, il n'y a guère qu'une méthode pour en effacer le cuisant souvenir : le rendre.

Mais les jeunes du camp d'Agay où j'avais été dirigé étaient trop faibles pour rendre quoi que ce soit. Ils n'avaient rien à donner. Ils étaient trois mille qui venaient d'un peu partout et que l'on avait regroupés plutôt mal que bien. Comme leurs aînés, ils avaient été entraînés dans la débâcle, submergés par le flot des fuyards et des paniquards. Mobilisés deux mois plus tôt pour recevoir une instruction militaire hâtive, ils s'étaient éparpillés dans diverses unités combattantes. Mais ces unités, où on leur avait vaguement appris à démonter un fusil mitrailleur, s'étaient à leur tour repliées devant l'effarante poussée vers le sud. La guerre qu'ils n'avaient même pas commencée était déjà terminée. Du moins le croyaient-ils. Et cette jeunesse qui aurait dû crier ses vingt ans — c'est-à-dire crier sa colère et son dégoût —, cette jeunesse se retrouvait parquée sous le soleil et l'œil bonasse de la garde mobile.

Une certitude : ces garçons n'avaient besoin ni de sermons ni de gendarmes. Ils avaient besoin de chefs ; et ils ne recevaient que des paperasses. De Clermont-Ferrand, l'état-major du général de La Porte Du Theil nous inondait d'instructions, de circulaires et de notes de service. C'était cela la nouvelle France ? Il devait y avoir une erreur. L'ancienne n'était pas tout à fait morte le 25 juin 1940, la débâcle n'avait pas tout balayé : l'administration militaire tenait bon.

La mise en application de ces pages impératives était impossible. Ceux qui les avaient rédigées n'avaient pas cherché à se mettre à la portée des destinataires.

De ce fatras, j'avais extrait le but de notre installation à Agay : « *Vous êtes dans l'Esterel pour faire du charbon de bois.* » Les incendies de forêt n'étaient pas encore un fléau. On était en zone libre, pas en « zone rouge ».

L'équipement et l'habillement laissaient beaucoup à désirer. Par hasard, j'appris que l'intendance militaire de Marseille possédait cinquante mille culottes courtes destinées initialement à nos troupes coloniales et empilées dans des magasins à titre provisoire. Chacun sait que le provisoire est fait pour durer.

L'intendant qui me reçut à Marseille était un beau type d'imbécile viscéral.

« Et vous vous figurez, hurla-t-il apoplectique après que je lui eus fait part de ma requête, que nous nous sommes donnés le mal de stocker ces cinquante mille caleçons uniquement pour que vos gamins puissent parader sur les plages de la Côte d'Azur ?

— Mais je ne vous en demande que deux par garçon, soit six mille...

— Jamais ! Sachez, mon ami, que la grande force de l'intendance est de savoir constituer des stocks. Ces stocks, nous les avons, nous les gardons. Ils sont notre force.

— Je viens en effet de m'en apercevoir pendant cette guerre éclair où nous ne recevions rien en ligne et où il fallait pleurer pour avoir une paire de godillots...

— Nous les avions, mais en stock !

— Sans doute à l'usage des Allemands qui, eux, ne se gêneront pas pour les prendre ?

— Ici, nous sommes en France libre !

— Pour le moment... »

Il s'était levé, un peu calmé :

« Suivez-moi ! »

Je le suivis. Ses magasins étaient pleins à craquer. Avec une satisfaction profonde, du geste large de l'homme qui a bonne conscience, il me montrait ses piles de vareuses, de capotes, de ceintures de flanelle.

« Vous ne voudriez tout de même pas me foutre la pagaille dans ce bon ordre ! Mes états sont faits. Je n'y touche plus. Mais comme je ne suis pas méchant, je vais vous dépanner. Une vingtaine de pantalons de treillis, ça vous va ?

— Nous sommes trois mille... [en arrivant au port, avais-je envie d'ajouter pour faire plaisir à Corneille et à son *Cid*].

— Moi, je n'ai que vingt pantalons en excédent sur la quantité prévue par mes états. C'est à prendre ou à laisser. »

Je laissai.

Pour secouer ces jeunes gens, je décidai de leur faire construire un village en plein Esterel. La nouvelle courut par-dessus les roches rouges et les pinèdes, puis elle atteignit Marseille où Roland Dorgelès, toujours en quête d'un papier pour *Gringoire*, décida de venir nous rendre visite. Dorgelès vivait toujours à l'heure de son célèbre livre sur 1914-1918 : *Les Croix de bois*. Et depuis la Grande Guerre, il avait gardé, plus de vingt ans après, un esprit très militaire. Il n'avait jamais été tout à fait démobilisé.

Après avoir goûté la soupe de notre chantier — et passé la nuit dans un hôtel d'Agay —, il avait publié, la semaine suivante, un papier intitulé : *Jeunesse aux bras nus*, dans cet hebdomadaire où j'avais gagné autrefois mes premiers mille francs.

L'article n'eut qu'un défaut : celui d'être trop vrai. Dorgelès exprimait exactement ce que symbolisaient ces garçons torse nu qui abattaient des arbres, sciaient, débitaient, transportaient et assemblaient pour construire ce village. Pour faire peau neuve, bien qu'ils n'eussent pas grand-chose à se reprocher, ils avaient uni leurs divergences. Les étudiants parisiens côtoyaient des paysans du Gard, les gouapes de Marseille avaient fait alliance avec les Corses. C'était la paix du travail. Un travail qui donnerait un village avec une mairie, une église, une poste.

Dorgelès avait bien regardé : ce n'étaient plus des jeunes encadrés par la gendarmerie, mais la France. La vraie. Pas celle de Vichy ni même celle de Clermont-Ferrand où cet article indigna les supérieurs : nous osions construire un village ! Les instructions ne l'avaient pas prévu.

Mais cet article, nous le lûmes avidement à haute voix à la lueur des feux de camp. Et l'idée d'un journal surgit. Le plus beau de tous ceux auxquels j'ai collaboré, parce que le plus éphémère : *Jeune Force* n'eut qu'un numéro ! Un seul numéro, mais tiré à des milliers d'exemplaires sur les presses du *Petit Marseillais* et qui, parti de la Canebière, rayonna sur toute la Côte.

L'éditorial que j'avais eu l'audace de signer fut repris par plusieurs quotidiens du Midi et acheva d'indisposer les têtes pensantes de Clermont-Ferrand à mon égard. Vichy me mit au rang des révolutionnaires et ne se douta pas de l'honneur que j'en retirai. Une note impérieuse — encore une ! — me raya des cadres des Chantiers de la Jeunesse.

Accompagné d'Arnaud de Pierrebourg et de Charles de Latour — ils s'étaient déclarés solidaires de mes audaces —, je gagnai Clermont pour voir le « grand chef », le Gaulois.

« Evidemment, me dit-il, c'est magnifique votre jeunesse, votre dynamisme... Seulement tout cela vous passera avant que ça ne me reprenne. Vos méthodes originales paralysent mon action qui est plus réfléchie, plus méthodique, plus lente, mais surtout plus sûre. »

En 1945, je pus mesurer les conséquences de ce calme et de cette résignation vichyssois...

J'essayai de me défendre pendant deux heures. Peine perdue : le général était un mur en uniforme.

Ultime tentative pour me faire comprendre : voir en personne le ministre de la Jeunesse. Il me reçut, m'écouta très aimablement et très longuement. Il m'approuva en tout point, mais ne m'aida en rien comme cela se passe généralement. M. le ministre ne comptait que sur les inspecteurs des finances et les polytechniciens qui l'entouraient pour parler à la jeunesse et « la mettre sur le chemin de l'honneur et de la vertu ». Pour moi, c'était bien la première fois qu'un financier — il s'occupait de la Banque d'Indochine — se chargeait d'une semblable mission.

C'était juré : je ne remettrai plus les pieds dans ce panier de crabes.

Assis sur ma valise, j'attendai sur le quai de la gare de Lyon-Perrache qu'un train hypothétique et bondé m'emmène loin de ces petitesses. J'avais perdu trois mois. Pour rien. Le village ne serait jamais achevé, le Chantier d'Agay s'effondrerait comme les autres et les garçons livrés à eux-mêmes se jetteraient dans les activités beaucoup plus lucratives du marché noir qui commençait à gangrener la vie. C'était désespérant. J'étais écœuré. Et je ne voyais qu'un moyen pour me libérer de l'oppression et de l'oppresseur : écrire un livre.

Je m'enfermerais dans une retraite nécessaire à l'éclosion de ce bouquin. J'y construirais chaque page, chaque phrase pour que jaillisse mon désarroi et si possible pour montrer dans quel drame une France à genoux s'était engluée. Avec mon apprentissage de journaliste et mon inexpérience d'auteur, j'accoucherais d'un récit de cette campagne insensée de 1939-1940. Le récit commencerait le jour où la mobilisation m'avait surpris un an plus tôt, à Cannes. Il s'y terminerait maintenant. Et dans le soufflet du convoi poussif et engorgé qui m'y ramenait, je trouvai le titre : *L'Officier sans nom.*

— C'était toi l'officier sans nom ?

— Je l'ai écrit, mais je n'en suis pas le héros. Je n'y apparais pas. C'est le lecteur qui est ce soldat inconnu. Un lecteur qui, au moment où le livre est paru (1941), revivait sur le papier la sinistre aventure qu'il avait vécue réellement pendant quelques mois. D'ailleurs, si ce titre m'a plu et a été le seul à danser dans ma tête pour ce livre, c'est parce qu'il donne, je crois, l'impression d'avoir été écrit par tous les combattants de cette tranche de guerre et non par un seul monsieur qui raconte sa guerre... Et si ce livre a eu du succès, c'est parce qu'il fut le premier à dire « non ! » au lieu de *mea culpa.* Il a paru au moment où l'on avait besoin d'un livre de ce genre. J'ai eu beaucoup de chance que ce soit le mien.

— Il y a des « moments » pour publier un livre ?

— Il y a des courants de réaction, des résistances à une intoxication, à une vérité monocorde. Tout à coup, les gens en ont « ras le bol » (c'est comme ça, paraît-il, qu'aujourd'hui « on en a assez ! ») et ils sont mûrs pour enfourcher le cheval qui va dans une nouvelle direction. Les succès fabuleux de deux livres récents : *Papillon* et *Love Story,* illustrent bien ces moments propices. *Papillon* explosait dans la morosité de l'« après 68 » et dans un climat politique terne ; la France avait dit non à de Gaulle, qui avait décidé de se retirer. *Papillon,* c'était l'évasion, la sienne et celle du lecteur. *Love Story,* c'était la réaction antiporno, ce retour au sentiment et aux lois éternelles du cœur ; c'était la victoire de *Roméo et Juliette* sur *Histoire d'O.* Ces deux livres sont arrivés au bon moment. Mais un moment, par définition, cela ne dure pas. Et si on peut être le best-seller d'un moment, c'est autre chose de faire toute une carrière qui dure. Après *Papillon,* Henri Charrière nous a donné *Banco.* Un *Banco* dans lequel il a perdu tout l'intérêt qu'avaient suscité ses premières aventures. Je crois que c'eût été plus beau si « Papi » était mort avant *Banco.* Et l'auteur de *Love Story,* Erich Segal ? On dit qu'il ne veut plus entendre parler de romans... Eh bien, *L'Officier sans nom* aurait pu être mon début et ma fin. Si j'avais continué de me raconter, je n'aurais pas été romancier. On se raconte une fois. On écrit le livre qu'on porte en soi. Mais après ? C'est là que cela devient terrible, c'est là le tournant : ou on a des souvenirs ou on a de l'imagination.

— Tu m'as annoncé une histoire de savon...

— Quand le manuscrit fut achevé, un ami tint absolument à le faire lire à Francis Carco... Cher Francis, délicieux homme, auteur charmant de *Jésus la Caille,* de *L'Homme traqué,* et du *Doux Caboulot,* académicien Goncourt libéral (ce qui n'est pas courant), c'est grâce à lui que mon premier livre est paru.

Carco lut mes feuillets en une nuit et le lendemain me dit simplement :

« Ça me plaît. Surtout, n'y touche plus ! »

Il le proposa à un richissime oisif qui voulait devenir « le grand éditeur de la zone libre ». On allait voir ce qu'on allait voir. Mais, prudent, il préférait des auteurs chevronnés. Un inconnu, c'était mauvais signe. Avec une superbe logique absurde, il répondit à Carco en parlant de moi : « S'il était célèbre, ça se saurait. »

Trois autres éditeurs répondirent que ça n'était pas le moment de publier un livre pareil. Bernard Grasset ne voulut même pas le lire. « Le titre est mauvais », dit-il. J'ai un livre qui va faire un malheur : *Vingt-six Hommes*, de Jean de Baroncelli (aujourd'hui époux de Sophie Desmarets et critique cinématographique du *Monde*). » Inlassable, entêté, Carco était devenu un ami et mon représentant. De Nice à Marseille, il essayait de caser cet *Officier sans nom* né d'un auteur inconnu. Pourquoi Francis Carco s'est-il donné tant de mal ? Sans doute parce qu'il était un poète, le poète de *La Bohème et mon cœur*, celui d'une jeunesse gouailleuse, celle des *Apaches* et des filles, quand le Quartier latin avait du cœur et Montmartre de l'esprit. J'étais jeune. J'étais bohème. Cela plaisait à Carco.

Carco était plus tenace que moi. « J'y arriverai ! » m'assurait-il après chaque rendez-vous négatif. Je commençai à en faire mon deuil. Après tout, je l'avais écrit ce livre et je me sentais un peu mieux.

Histoire de penser à autre chose, j'acceptai, parce que Carco insistait, un dîner chez des inconnus. En face de moi, était assis une sorte de Méphisto très barbu. A la fin du repas, l'un de ces étonnants repas de guerre où chacun donnait ses tickets de rationnement, il se présenta en ces termes :

« Je suis monsieur Couiteas de Faucamberghe, industriel. »

Il ajouta, pour expliquer son nom peu commun, qu'il était grec-belge et ancien champion de tennis. Moi, je trouvai qu'il avait l'air d'un émir déguisé en Européen. Il me regardait un peu amusé :

— Alors, continua-t-il, c'est vous qui avez écrit le machin sur la guerre ? Carco m'en a parlé. Vous devriez faire imprimer ce bouquin.

— Aucun éditeur n'en veut... Pourquoi risquer le peu de papier qu'ils ont en éditant un inconnu !

— Mais c'est excellent !

— C'est vous qui le dites...

— Croyez-moi, jeune homme. Je connais bien les éditeurs. Ce sont de véritables forbans de la pensée. Si par malheur l'un d'eux avait décidé de vous éditer et de vous lancer, c'eût été en vous abandonnant des pourcentages de famine sous prétexte de la guerre. Il vous aurait fait signer un contrat vous liant à sa maison pendant des années. Un jeune auteur, surtout en ce moment, se laisse toujours prendre au piège du premier chèque. C'est le début de son esclavage. Il doit écrire à la chaîne. L'auteur jeune qui produit trop et trop vite est vidé au bout de quelques années. L'éditeur a pris ce qu'il y avait de meilleur. Quand ce contrat, qui n'est qu'un marché de dupes, vient à expiration, l'éditeur laisse tomber l'auteur qui n'est plus tout jeune et qui se réveille avec beaucoup de papier noirci et aucun avenir.

— Mais ce n'est guère engageant...

— N'est-ce pas ? Aussi, pour un premier livre, est-il toujours préférable de se faire éditer soi-même. Si c'est un succès, vous êtes lancé. A ce moment-là — à ce moment-là seulement —, tous les éditeurs vous courront après. Vous pourrez alors choisir, discuter à armes égales et peut-être imposer vos conditions.

J'avais écouté ce discours avec ravissement. Et, tout de même aussi, avec un peu d'inquiétude. En écrivant mon livre, je n'avais pas pensé à cela. Etait-ce vrai tout ce qu'affirmait M. Couiteas de Faucamberghe ?

Pour achever de me convaincre, il me tendit sa carte :

— Venez me voir demain à Nice. Je vous attends à onze heures.

Mais le lendemain matin, ces paroles me semblaient exagérées et fumeuses... Je rangeai notre conversation au rayon des promesses du genre : « Je suis l'homme qu'il vous faut. Vous êtes celui que je cherche. »

A deux heures, le gardien du petit hôtel où j'avais élu domicile m'annonce qu'on me demandait au téléphone :

— Allô ? ici Couiteas de Faucamberghe. Je vous ai attendu...

— Ecoutez, monsieur, je ne suis pas intéressé par votre proposition.

— Comment ? Ne soyez pas borné ! Vous avez un train pour Nice à quatre heures. Je vous attends à cinq. Et vous pouvez repartir ce soir. N'oubliez pas le manuscrit.

Mécène ? Pygmalion ? Entêté, en tout cas.

Au Plaza, ce Grec-Belge occupait une suite. Il ne me reçut pas comme un éditeur a, en principe, l'habitude de le faire. Il était tout nu allongé sur le ventre, tandis qu'une infirmière lui posait des ventouses. Au pied du lit, une dactylo tapait une lettre dictée par M. Couiteas et la suite.

— Ah ! voilà l'écrivain ! cria-t-il sans se retourner pour ne pas faire tomber les verres des ventouses. Vous avez votre machin ? Quel est son titre ?

— *L'Officier sans nom.*

— Pas mal. Je vais le lire ce soir pour essayer de m'endormir. Si ce n'est pas fait au bout d'un quart d'heure, c'est que je le lirai tout entier. Et alors, je l'édite, qu'il soit bon ou mauvais...

— Vous avez une imprimerie ?

— Je fabrique du savon sans tickets (nous y voilà !). J'ai du papier pour les étiquettes et l'emballage. Pour plus de sécurité, je glisserai, en encart dans votre livre, des bons pour mon savon. Les gens en manquent et ils veulent tout de même se laver. Ils achèteront le tout, savon et livre, parce qu'ils n'ont rien à lire en zone libre. C'est excellent quand les gens sont obligés de rester chez eux : Ils lisent. Si ce bouquin me plaît, je le mets partout. J'en tire cinquante mille au départ. On n'a jamais fait ça pour un inconnu. Mais je vous préviens : pas un centime maintenant ! Si ça marche, je me rembourse d'abord mes frais, puis vous risquez de gagner beaucoup. Mettons le prix assez bas et rond : vingt francs. Vous pouvez toucher dans les trois cent cinquante mille francs. Je ne vous fais pas de contrat, mais vous vous engagez par écrit à me verser dix pour cent sur toute votre production littéraire pendant dix années. Vous choisirez vous-même vos éditeurs. Enfin, dernier point, je ne fais aucune publicité. La meilleure réclame pour un livre, c'est de le trouver partout, principalement dans les bibliothèques des gares de la zone libre. Avec le monde qui y passe ! Il faut qu'un voyageur voie ce livre à Vichy exposé dans la vitrine roulante, qu'il retrouve ce titre à l'attente de Lyon et de Marseille. Vous avez quatre-vingt-dix-neuf chances sur cent pour qu'il l'achète en arrivant à Nice. Si vous êtes d'accord, vous n'avez qu'à signer là au bas de ce papier, après avoir mis la mention « Lu et approuvé ».

Il s'était enfin arrêté de parler. Il avait tout dit d'un ton monocorde et sans hâte, de la façon des gens qui savent ce qu'ils font. Je lui demandai un quart d'heure de réflexion. En réalité, je savais que Francis Carco, qui venait d'arriver à Nice, habitait dans le même hôtel Plaza. Je lui racontai tout à peu près aussi vite que le fabricant de savon l'avait fait.

— Signe sans hésiter ! fut la réponse de Carco. Tu ne retrouveras jamais une occasion pareille. Evidemment, ce n'est pas un contrat d'édition très normal. Mais ce bonhomme n'est pas un éditeur comme les autres. C'est un commanditaire, assez sportif, il faut le dire. Signe !

— Mais les bons pour le savon ?...

— On verra ! Signe !

En tremblant d'émotion, je signai.

Les prédictions de M. Couiteas de Faucamberghe, savonnier et éditeur hors pair, furent inexactes. Il n'avait pas prévu — et moi encore moins que lui — que les cinquante mille exemplaires seraient vendus en un mois. Et vendus sans un seul bon pour le savon ! Juste au moment de la mise en vente, j'avais supplié M. Couiteas de Faucamberghe de ne pas placer de bons pour son savon dans les cinq premiers mille exemplaires. « D'accord ! m'avait-il dit. Je prends ce risque et vous aussi, parce que si ça ne se vend pas... »

Le « machin », comme il l'appelait, s'était vendu comme des petits pains (en admettant qu'on trouvât des petits pains en 1941 !). Les cinq mille exemplaires ne suffirent pas. Mon éditeur mit tout le tirage en vente. C'était tout de même grâce au savon que le livre était imprimé : l'imprimeur Robaudy, de Cannes, tirait le livre sur les bobines de papier destinées aux savonnettes. J'ai gardé les derniers exemplaires de cette édition sur papier jauni. Un papier de guerre qu'on aurait dû baptiser le papier-savon. Le savon n'était pas comme mon officier, il avait un nom : *Manda*. Il offrait la particularité de ne pas nettoyer, de faire des grumeaux et de vous couvrir les mains d'une pâte ignoble. Un vrai savon de farces et attrapes.

Au bout de six mois, Carco, qui était ravi, m'appelle :

« Et maintenant, le Goncourt ! »

Le Goncourt ! Rien que de prononcer ce nom, ce prix si jalousé — le seul nom de récompense littéraire dont tout le monde se souvienne —, rien que d'y songer, tout jeune auteur se sent défaillir. Carco était déchaîné :

« Ecoute, ton bouquin marche très fort, et pourtant les Allemands l'ont interdit en zone occupée. Ce serait savoureux si *L'Officier* avait le prix. Pour la première fois, on verrait un Goncourt décerné à un livre interdit sur les deux tiers du territoire français ! Travaille ton prochain bouquin et ne bouge pas. Faire le mort est la première des conditions pour avoir le Goncourt. Je ne t'en dis pas plus. Je me charge des premiers contacts. »

Comme la France, les académiciens Goncourt étaient divisés. Déjà ! Il y avait ceux de la zone occupée et ceux de la zone libre. Les deux France avaient chacune sa littérature. Le champion de la zone occupée était Sacha Guitry, le champion de la zone libre était Francis Carco. Le grand électeur était René Benjamin. Il avait mission de mettre ses confrères d'accord sur le choix d'un livre. Ce qui n'est pas simple, on le sait. Il passait son temps dans les trains, allant d'une zone à l'autre. Imagine-t-on aujourd'hui Hervé Bazin faisant la navette du Nord au Midi, de Françoise Mallet-Joris à Emmanuel Roblès ? Il lui faudrait un billet circulaire et une valise (diplomatique).

Carco faisait de la stratégie académique. Tu sais, celle qu'on applique aussi — et surtout — à l'Académie Française quand ses membres élisent un nouvel immortel : ils ne votent pas pour un candidat, ils votent contre un confrère. Carco savait exploiter les rancunes de chacun, dresser un tel contre un autre pour obtenir le résultat recherché : un vote nul, un vote partagé ou une élection... Francis réussit à entraîner dans son sillage Jean Ajalbert. Cet académicien avait compris qu'à défaut d'avoir du talent ou des lecteurs, il fallait se faire remarquer. Et on le remarquait ! Sur la Croisette, en plein mois d'août, il portait un gros pardessus, une longue écharpe comme les gosses des *Contes* d'Andersen, et un chapeau à la Bruant.

« Vous entendez, me dit-il, quand je passe, les gens disent : " C'est Jean Ajalbert, de l'académie Goncourt. " Voyez-vous, mon cher, l'important dans notre métier c'est de savoir se faire une tête. »

Carco savait que Guitry ne voterait pas pour un livre de guerre exaltant le sentiment national. Ajalbert, qui traitait Guitry de « Galopin », fit une grande déclaration à Nice pour dire qu'il me donnerait sa voix. Carco, Ajalbert : cela faisait deux pour moi. Je reconnais que Jean Ajalbert a eu du mérite, il tint bon malgré les suppliques de sa femme. Si les hommes arrivent à se mettre d'accord sur le dos d'une femme — si j'ose dire —, l'inverse n'est pas toujours vrai. Les épouses des académiciens Goncourt de l'époque se détestaient toutes et jouaient le rôle du picador. Elles excitaient leurs maris pour ou contre un candidat. L'aspect physique de celui-ci, sa façon de faire ou de ne pas faire un baisemain étaient déterminants. Et il ne faut pas croire que ce genre d'influence a complètement disparu. Il suffit d'écouter, vers le mois de novembre ou le jour d'une élection, ce qui se dit dans les milieux littéraires. Ce jour-là, l'éditeur fête son auteur, héros du jour, par un grand cocktail où la moitié des gens qui s'y pressent n'a pas lu les œuvres du lauréat : Qu'importe : l'autre moitié les a lues. Et dans cette moitié, on trouve les épouses des électeurs qui racontent l'élection de leur propre mari ou bien le jour où il avait eu tel prix. Si elles sont veuves, elles sont redoutables. On songe à cette belle pièce d'André Roussin *Les Glorieuses*, une peinture lucide des épouses de ceux qui se croient de grands hommes. Roussin a trouvé deux formules terribles, inquiétantes parce que vérifiées : « *Nul ne saura vivant ce que sa femme peut !* (...) *On meurt et c'est après qu'elles vous assassinent !* »

La voix d'Ajalbert entraîna celle de Lucien Descaves qu'on appelait le « Goncourt-qui-ne-vient-jamais-au-déjeuner ». Ce repas chez Drouant, ce fameux déjeuner place Gaillon, aussi traditionnel qu'un défilé du 14 juillet, est l'ultime moment de la cuisine du prix : il est décerné juste après. Mais, quelquefois, ce déjeuner n'en finit pas. Les journalistes attendent. Et quelquefois aussi, ils sont déçus. C'est pourquoi, en 1925, ils ont fondé le prix Théophraste Renaudot pour s'occuper pendant le déjeuner des Goncourt et, éventuellement, corriger leur choix. Le lauréat du Renaudot ne reçoit... qu'une invitation à déjeuner.

Depuis la mort de Rosny aîné — son livre : *La Guerre du feu*, fameux roman des hommes préhistoriques, lui avait valu le surnom de « Mammouth » —, les Goncourt n'étaient plus que neuf ; la majorité était donc de cinq voix.

Carco me dit : « On va essayer de décrocher celle de Léo Larguier. Il est très ami de Dorgelès. Moi, je suis brouillé avec Dorgelès. Pour le moment... Il suffirait que je lui demande de voter pour toi pour qu'il fasse le contraire... »

Larguier, à la fin de l'un de ces épuisants déjeuners littéraires, fut très franc :

« Je n'aime pas beaucoup les livres de guerre, surtout de celle-ci que vous avez perdue. Tout le monde sait qu'elle se termine par votre défaite. On connaît la fin ! »

Il me regardait pour mesurer l'effet de son oracle. Un ange passa, l'ange de la bienveillance :

« Je voterai quand même pour votre livre. Il a quelques qualités... »

Trop aimable !

Quatre voix. Carco souriait. « Avec celle de Dorgelès, c'est gagné ! dit-il. Mais il faudrait tout de même s'assurer de celle de Daudet. » Léon Daudet, le fils de l'auteur des *Lettres de mon moulin*, le polémiste redoutable de *L'Action Française*, avait soixante-quatorze ans. Il était gravement malade. On écrivit à sa femme pour qu'elle le décidât à m'accorder sa voix.

Si ça continuait, on ferait voter les morts !

J'assistai, impassible et ahuri, à cette cuisine. Dans ces grandes manœuvres où je n'étais qu'un instrument auquel on laissait le droit de se taire, je découvrai avec tristesse qu'il ne s'agissait plus de sanctionner la valeur d'un premier livre. La course au prix se déroulait sans moi. La querelle politique l'emportait sur toute autre considération. Le livre ? Personne ne s'en occupait... Bien sûr, c'était la guerre. Mais les Goncourt ont la spécialité de se faire la guerre. On a vu que chez eux les réconciliations succèdent aux brouilles et que les démissions précèdent l'entente cordiale. En général, le candidat n'y est pour rien. Et, à la vérité, je crois que ces histoires n'intéressent personne. Sauf ceux qui veulent absolument décrocher le prix... Il y a des candidats qui s'en rendent malades. Ah ! ces visites, ces dédicaces, ces attentes devant le téléphone !

Ce fut à ce moment que les Allemands levèrent l'interdiction du livre en zone occupée. Jean Fayard l'édita à Paris. Le jour du Goncourt arriva enfin. L' « académie Carco » se réunit à Nice, avec des journalistes, pour donner à *L'Officier sans nom* ce qu'on a appelé le « Goncourt de zone libre ». A la même heure à Paris, chez Drouant, derrière les fameuses bouteilles de blanc de blanc, mais pour une fois sans déjeuner, l' « académie parisienne » attribua le Goncourt officiel à *Vent de mars* d'Henri Pourrat.

L'événement est presque historique : pour la première fois depuis sa fondation en 1903, le prix Goncourt n'était pas décerné au premier ouvrage d'un jeune auteur. *Vent de mars* était paru quelques années plus tôt et introuvable en librairie. Son auteur, qui avait dépassé la cinquantaine, n'avait pas été candidat au prix, mais à un siège à l'académie. C'est une ruse qui fut utilisée plusieurs fois dans les deux sens. Un auteur veut faire partie de l'académie : on lui donne le prix. Il fait une bonne affaire. Inversement, un auteur souhaite le Goncourt : on le fait académicien Goncourt. Le tour est joué : le voilà obligé de lire les autres, lui qui voulait se faire lire !

Avec moi, il y avait un autre candidat malheureux : Frison-Roche, qui faisait lui aussi ses débuts avec son livre, *Premier de cordée*. Nous nous consolâmes. Nous étions hors Goncourt. Et à tous les hors Goncourt, je rappelle que Barrès, Alain-Fournier, Bernanos, Montherlant, Morand, Giraudoux, Mauriac, Aragon et Bazin le furent aussi. Hervé Bazin, aujourd'hui président de l'Académie, a précisé : « Il y a vingt pour cent de lauréats qui ne devaient pas l'être et vingt pour cent de grands écrivains qui méritaient le prix. » Après tout, j'ai peut-être eu de la chance d'y avoir échappé. Parce que si on fait le compte, sur près de soixante-dix prix Goncourt, combien ont tenu leurs promesses ? Combien de lauréats ont fait carrière après ce livre ? Combien ont continué d'être lus l'année suivant celle de leur prix ? Vingt-cinq au maximum. Ce qui veut dire en gros que deux Goncourt sur trois sont tombés dans l'oubli soit immédiatement après, soit avec le temps. Le Goncourt peut être un tremplin et une fin. Un jury peut se tromper, bien sûr. Un beau livre, un grand livre peut ne pas plaire. Mais trop souvent des considérations extérieures à la qualité de l'ouvrage emportent la décision. Règlements de comptes ? Cela arrive. Objections ou raisons politiques ? Cela arrive aussi. Je crois qu'il serait grand temps de ne s'occuper que de la valeur réelle d'un livre, un point c'est tout. Ce n'est tout de même pas parce qu'on est catalogué de droite ou de gauche qu'on a du talent !

Souvent aussi, c'est l'éditeur qui devient la vedette du prix, et non l'auteur. Il y a des éditeurs à Goncourt. Gallimard a un beau palmarès sur ce point : entre 1949 et 1970, quatorze Goncourt sur vingt furent de l'écurie Gallimard. Il y a des éditeurs en difficulté qui ont dû leur survie à ce prix. Il y en a qui s'en passent, comme il y a des auteurs qui s'en moquent.

— Ne me dis pas que tu n'as pas été déçu...

— Je ne le dis pas. Etre prix Goncourt pour un premier livre, c'est une étiquette. Ce n'est plus une condition nécessaire et suffisante pour écrire, intéresser ses lecteurs et vivre de ses écrits. Ce prix est une bonne affaire pour l'auteur et l'éditeur. Malgré un chèque de cinquante francs pour l'auteur, il garantit un tirage de cent mille exemplaires au minimum. Si le livre plaît, ces chiffres peuvent être doublés, triplés même. Or, théoriquement, le prix couronne un auteur nouveau et de préférence un roman. Les frères Goncourt s'étaient fixés comme but de découvrir des talents. Alors, à quoi rime un prix décerné à un auteur consacré ? Par exemple, Jacques Laurent eut le Goncourt 1971 pour *Les Bêtises*. Cela ne rime à rien. Il écrit depuis des années. *Caroline chérie* avait déjà cinq millions de lecteurs. Ce prix n'a rien ajouté à sa carrière. Dans un cas semblable, le prix est dénaturé, détourné de sa vocation. Il est comme une réparation *a posteriori*, une consécration globale comme le Nobel, une preuve que parfois les « juges » essaient de rattraper le public qui, lui, a rendu son verdict depuis longtemps. *L'Officier sans nom* s'est vendu à cinq cent mille exemplaires en quelques mois. Cela suffisait pour me valoir quelques inimitiés.

— Tu es sûr que tu n'en as fait aucun complexe ?

— Un complexe ? Je ne fais aucun complexe ni de supériorité ni d'infériorité ! Mes livres se vendent, et après ? Je crois sincèrement que c'est terrible d'avoir un prix aussi considérable que le Goncourt parce que, après, il faut continuer. Oui, je dis bien : il faut continuer. Beaucoup d'auteurs l'oublient. Je me serais peut-être endormi sur mes lauriers. Honnêtement, même si cela doit faire grincer, j'ai compris ce jour-là que j'écrirai sans m'occuper du qu'en-pensera-t-on, des avis académiques et de la critique. Seul le public compte. Si on écrit pour les prix, on est millésimé. On est le Goncourt de telle année, le Renaudot, l'Interallié, etc. Ça vous vieillit, tu sais. Et à la différence des bons vins, les auteurs millésimés ne s'améliorent pas toujours en vieillissant.

— Mais si un auteur « sans prix » devient un best-seller, comme toi, il se venge, en quelque sorte. Ta carrière est-elle une vengance ?

— Je ne suis pas si méchant ! Le jugement de quelques-uns est une chose, celui du public en est une autre. Quand le résultat du vote chez Drouant m'a été annoncé, j'ai fait un excellent dîner et le lendemain je me suis remis à mon livre sur le cirque. C'était décidé : j'avais choisi d'écrire pour le public, pas pour un tribunal dont on se demande parfois d'où ses assesseurs peuvent tenir leur autorité. C'est d'ailleurs *La Dame du cirque*, mon second livre mais mon premier roman, qui a consacré ma rupture avec la plupart des critiques qui se disent inspirés.

Ils avaient pourtant exceptionnellement bien accueilli *L'Officier*. J'ai gardé toutes les coupures de presse de l'époque. Ce fut la première et la dernière fois qu'elles furent unanimes pour un de mes livres. Avec le temps, j'ai compris pourquoi. Quand un jeune auteur publie son premier livre et si celui-ci est intéressant, les critiques sont élogieuses. Les hommes et les femmes qui les ont rédigées accomplissent ainsi la partie la plus importante de leur mission qui est de révéler un auteur et un livre au public. Un débutant, ça n'engage à rien. Les encouragements ne coûtent rien non plus. Dans ce cas, la critique a joué le rôle d'un guide. Mais après, si le débutant persévère, les choses se gâtent. Il y a ceux qui aiment, il y a ceux qui n'aiment pas. Il y a surtout les lecteurs qui eux aussi aiment ou n'aiment pas. Un critique aura peur de passer pour un imbécile s'il éreinte ce qui risque d'être un grand succès. Si ces succès auprès du public se répètent et si le critique est de moins en moins séduit par les livres de ces auteurs, on assiste à ce divorce si fréquent entre les petites chapelles et le grand public.

Quand *La Dame du cirque* est parue, j'ai eu droit à l'un des plus beaux éreintements que l'on puisse récolter pour un livre. Ce roman est l'histoire d'une écuyère qui devient folle à la suite d'une chute de cheval. Alain Laubreaux était le critique le plus venimeux du moment. Ses jugements étaient des exécutions. Dans sa chronique littéraire du *Petit Parisien* — la plus lue — il écrivit : « *A propos de cette histoire de dame, de cirque et de cheval, on a l'impression qu'à chaque page c'est le cheval qui écrit !* »

Quand ça tombe, ça fait mal ! Surtout pour un premier roman. Car c'était le roman qui me passionnait. D'autres experts furent féroces parce que j'avais triché. Après *L'Officier sans nom*, ils attendaient un autre livre de guerre. Ils m'avaient catalogué comme écrivain militaire, un peu comme mon père l'avait fait. Ils attendaient une suite. Quelque chose comme *Le Fils de l'Officier sans nom !* Mais j'avais écrit un roman. D'après eux, je n'avais pas respecté la règle du jeu. J'avais changé de genre...

— Réponds-moi franchement : est-ce que tu tiens compte des critiques ?

— Cela dépend si les gens qui les ont écrites sont honnêtes ou malhonnêtes.

— Qu'est-ce qu'un critique honnête ?

— C'est d'abord — on l'oublie trop souvent — quelqu'un qui ne connaît pas l'auteur. Je veux dire sur le plan personnel. C'est ça le problème de tout journaliste qui voit de près une vedette de l'actualité dont il parle et qui oublie de séparer l'homme du professionnel, la vie de l'œuvre. Il faut dire que c'est très difficile. Mais c'est indispensable. Et c'est rare. Je connais quelques critiques. Rares sont ceux qui au moment de rédiger ou de donner leurs impressions font le vide de leurs sentiments pour ne garder que leur jugement.

J'en ai fait cent fois l'expérience. Prenons le cas d'un critique qui n'aime pas mes livres, mais qui est obligé d'en parler pour un article (le pauvre) ! Il vient m'interviewer. Si l'entretien est cordial, il corrige un peu son jugement sous prétexte que l'homme vaut mieux que ce qu'il écrit. En 1970, par exemple, Pierre Démeron voulait me rencontrer pour un papier dans *Lui*. Nous convenons d'un déjeuner chez Ledoyen. Après ce repas, Démeron, qui avait déjà accumulé de quoi faire un papier assez vache sur moi, a gommé de-ci de-là quelques méchancetés, quelques traits d'esprit, et Dieu sait s'il en a ! Eh bien, ce papier — le plus drôle de ceux qui m'ont été consacrés — n'était pas tout à fait honnête... Je précise, pour les grincheux, que le déjeuner était bon, sans plus. Si inversement, un critique tolère mes livres mais trouve que, décidément, je suis un être imbuvable, il remet du piment dans la sauce de son jugement. Sa critique n'est pas honnête non plus.

En matière de jugement, il n'est pas bon bec que de Paris. J'en arrive à penser que les critiques les plus honnêtes sont celles qu'on lit dans les journaux de province. Ces textes sont écrits loin des échos d'une certaine vie parisienne. Leurs auteurs ne jugent que le résultat : le livre. C'est d'ailleurs dans ces mêmes journaux que, sauf exception, sont parus les papiers les mieux faits sur mes romans. Je veux dire les plus intelligents et souvent les plus durs. Sans concessions, sans complaisance, des articles dans *Le Courrier Picard*, *Le Réveil d'Agen*, ou *Les Dernières Nouvelles d'Alsace* sont autrement écrits, argumentés et structurés que les tasses d'eau tiède et de mauvaise foi de certains journaux parisiens. Il paraît que cela fait sourire quand je dis qu'un article dans *Le Courrier de l'Ouest* ou *La Montagne* est plus important pour moi que le fiel parisien. Eh bien, à tous ces auteurs en impuissance d'écriture, je souhaite d'avoir la moitié de ce que j'ai eu depuis trente ans dans la presse nationale : ils y trouveront des vrais professionnels, pas des mannequins qui ont leurs humeurs et donnent seulement des coups de griffes parce que c'est la mode.

L'objectivité, cela consiste à dire « Je n'aime pas ce qu'écrit monsieur X..., mais je trouve que dans le genre, c'est bien fait », ou, au contraire, « J'aime ce qu'il fait, mais cette fois, je suis très déçu ». L'objectivité, c'est d'abord une couleur qu'on annonce. Si vous n'aimez pas cela, n'en dégoûtez pas les autres. Si vous aimez, ne forcez pas les autres à y goûter.

Le critique honnête est aussi celui qui ne boude pas son plaisir. Si le livre ne lui tombe pas des mains à la page 30 et s'il a été pris par la magie de l'histoire ou de l'écriture au point de ne pas lâcher le livre, qu'il ne vienne pas dire : « Je n'ai pas pu m'empêcher de le terminer, mais vraiment c'est trop mauvais. » Cela me fait penser à ces critiques du *Monde* où de beaux esprits essaient de prouver qu'ils ont aimé un livre, mais qu'ils ont eu tort, et que si le public aime, il se trompe.

On dirait que ces gens-là font l'amour et qu'au moment de connaître leur plaisir, ils le refusent, furieux de s'être laissé entraîner aussi loin.

— Mais si justement quelqu'un s'endort en lisant un de tes livres, qu'en penses-tu ?

— J'ai un slogan tout prêt : « *Lisez des Cars et vous dormirez sans retard !* » Avec ça, un jour, peut-être, je me vendrai dans les pharmacies ! Quel surcroît de vente !

— Comment s'est terminée la guerre pour toi ?

— Ici même, dans cet appartement. La guerre fut définitivement arrêtée sous mes fenêtres. C'est là que la reddition de Paris a été négociée par Raoul Nordling, Consul général de Suède, et Jean Laurent, directeur de la Banque d'Indochine. Ce jour-là, j'ai pu me mettre au balcon, comme des centaines de Parisiens dans le quartier. Le char Panzer qui tenait toute la rue d'Anjou en enfilade au bout de son canon ne tuerait plus. Paris brûlait, oui, mais d'une fièvre de libération ponctuée par les derniers échanges de rafales. En ce mois d'août 1944, une nuit, un cri parcourut les rues vides de bicyclettes — ces fameux « petits-bi » — et de gazogènes.

« Ils sont là ! »

« Ils », c'était Leclerc et sa division blindée.

Quand les Américains se furent répandus dans nos rues, j'ai assisté à une scène étonnante. Elle s'est passée en bas, à cent mètres, au square Louis-XVI. Une jeep patrouillait mollement. Quatre soldats américains — trois Blancs, un Noir — venaient de s'arrêter devant cet îlot de verdure. J'avais traversé le boulevard Haussmann et venais à leur rencontre. Ils étaient étonnés par le monument étrange et il faut bien le dire lugubre qui a donné son nom au square. C'est la Chapelle Expiatoire, sorte de nécropole de la Révolution. Elle a été élevée par Louis XVIII en souvenir de Louis XVI et de Marie-Antoinette dont les restes y furent inhumés avant d'être transférés à Saint-Denis. Sous cette terre, que remuent aujourd'hui encore les enfants pour construire d'éphémères forteresses, dorment deux mille huit cent trente personnes, bourreaux et victimes de la Terreur : Charlotte Corday, Mme du Barry, Hébert, Philippe Egalité, Fabre d'Eglantine, la princesse de Lamballe, les gardes suisses morts en défendant les Tuileries. Ils sont là, dans ce qui fut le cimetière de la Madeleine et qui est la fosse commune la plus émouvante de Paris. J'y étais venu parce qu'il me semblait que, pour une fois, Libération rimait avec Révolution. Une petite visite à mes voisins qui en avaient assez de faire peur ou de trembler s'imposait. Et voilà que le Noir américain, un sergent, me demande ce qu'était ce monument et ceci dans une langue évoquant ce bon vieux Sud, le coton et les bateaux à roues. Je lui parlai, dans un franglais effroyable, de Louis XVI et de Marie-Antoinette.

« Marie-Antoinette ! » s'exclama-t-il, la voix pleine de bouillie (c'était du chewing-gum).

Et pointant son index contre son cou, il décrivit un rapide arc de cercle de gauche à droite. C'était évident : il parlait de la guillotine.

« *Yes !...* » lui assurai-je sans prendre de risque.

Et le visage du Noir devint, si j'ose dire, très gris. Je n'en suis pas certain, mais je crois qu'il aurait pleuré si le chef de patrouille n'avait pas donné l'ordre au chauffeur de filer vers la gare Saint-Lazare. Le sergent noir me remercia d'un large sourire en me lançant « *New Orleans !* » (« La Nouvelle-Orléans ! ») et en me tendant un paquet de chewing-gum sur lequel on lisait : « US Army. »

La Fayette, les voilà !

J'ai horreur du chewing-gum, mais j'ai gardé ce paquet qui doit être quelque part dans mon fouillis. Longtemps je suis resté abasourdi.

Je venais de découvrir l'Amérique !

A Paris, avoir pignon sur square est le comble du bonheur. Un bonheur rare et menacé aujourd'hui. Masse sombre les soirs d'hiver, transparente sous la lune les soirs d'été, le square Louis-XVI est un curieux endroit. Rien à voir avec le carré vert orné en son centre de la statue d'un célèbre inconnu. Quand, ce jour-là, je poussai la porte grillagé que les gosses font claquer mille fois par jour, et lorsque le gardien que je connaissais bien m'eut laissé seul avec les ombres, des chuchotements confus me parvinrent, puis des voix nettes firent écho dans mon imagination.

C'étaient les voix du souvenir, les voix de ces têtes fauchées par la Révolution. Ces voix me posaient des questions :

« Que fait-on pour accueillir ces prisonniers et ces déportés qui viennent d'endurer pendant cinq années l'enfer de Dante dans les charniers, de Buchenwald, de Dachau et d'Auschwitz ? La France va-t-elle vraiment se pencher sur leurs détresses physiques et morales ? »

« Paris a vécu sous la botte allemande pendant quatre ans. Nous aussi. Méfie-toi : les allées bordant notre cimetière vont être recouvertes de panneaux électoraux. On comptera jusqu'à dix-sept partis politiques différents ! As-tu fait la guerre pour voir renaître la République des Partis dont tu avais déjà compris la pourriture en 1936 ?

« Pourquoi apercevons-nous de nos tombes tant de gens déguisés, en uniformes qu'ils viennent de sortir d'un placard et qui ont du mal à donner l'impression qu'ils ont l'habitude de les porter ? »

J'allai répondre à ces critiques que j'étais seul à entendre quand une voix plus puissante que les autres, une voix qui dominait les doléances de ce cimetière me lança :

« Regarde-moi ! La nature m'avait taillé en athlète. J'ai construit le monde nouveau. La Révolution est mon œuvre ! »

Il n'y avait pas à s'y tromper : c'était bien Danton qui parlait. Que faisait-il là ? Sa voix tonitruante se cognait contre les voûtes de la Chapelle Expiatoire pour retomber sur les têtes inquiétantes du Tribunal révolutionnaire.

« Un accusé comme moi répond devant le jury, mais ne lui parle pas ! disait Danton. Vous n'êtes rien que des magistrats d'un jour, instruments d'une politique du pire, et vous serez emportés avec elle. Mais la France m'entendra. Elle connaît ma voix. Aux heures où sa destinée se jouait aux frontières, c'est elle, ma voix, qui a exalté le patriotisme et tendu tous les ressorts. Est-ce donc insulter ce Tribunal que de lui rappeler l'Histoire ? Les lâches qui nous ont jetés en prison, où étaient-ils, que faisaient-ils le 10 août ? J'ai eu tort de faire confiance à la justice ; elle n'est pas de ce monde. La Révolution est un rêve et une utopie ! »

Je me bouchai les oreilles pour ne plus entendre la voix étrange de ce géant mal endormi. Je sortis. Paris respirait et revivait. Mais comme la vie normale ne revenait pas assez vite, l'automne était venu en avant-garde. Une nouvelle saison, une nouvelle vie, cette fois, on aurait vraiment l'impression d'en sortir.

Je retraversai mon square. Les feuilles mortes, déjà nombreuses, étaient ravies de l'absence et de la négligence des balayeurs municipaux. Sur les allées, elles en profitaient pour roussir davantage. Les moineaux s'étaient tus, les pigeons ne roucoulaient plus. Les morts sous mes pas étaient retombés dans le sommeil éternel.

Mais tout de même, pour ne pas les réveiller, je sortis sur la pointe des pieds sans faire claquer le portillon.

Dans le fond, j'avais une certaine chance. La guerre m'avait poussé à écrire un livre qui était un succès. La guerre m'avait permis de réaliser mon rêve tenace : écrire. La guerre m'avait maintenu dans mon métier. Alors que tant d'autres furent obligés de tout oublier et de tout réapprendre.

Je venais de publier mon deuxième roman, *Le Maître d'œuvre*, qui a été réédité, après que je l'eus remanié, sous le titre *La Cathédrale de haine*. C'est l'histoire d'un architecte qui rêve de construire une nouvelle cathédrale à Paris, au rond-point de la Défense. Un rêve qui finit en fait divers.

J'allais, pour changer, m'attaquer à des textes plus courts, mais encore plus difficiles : des nouvelles. En France, actuellement, la nouvelle est un genre littéraire qui n'a pas la place qu'elle mérite. Et j'ose dire qu'elle mérite la première place. Il y a tout, dans la nouvelle : une histoire, des personnages, un style. La plupart des journaux boudent les nouvelles. Et les éditeurs n'y croient pas beaucoup. C'est non seulement dommage, c'est dramatique. Car on laisse se tarir la principale source du roman. On a vu des gens qui avaient écrit des nouvelles extraordinaires et qui n'ont pas fait de bons romanciers. Mais on n'a jamais vu un bon romancier qui ne sache pas « faire plus court » en écrivant une nouvelle. Une nouvelle, c'est un début, un centre, une fin. On n'a pas de temps à perdre : on vient tout de suite au sujet. Mais il faut tout dire en trente ou cinquante pages, quelquefois moins. Quand on sait raconter une histoire, peu importe la distance. La nouvelle, c'est le réservoir de l'imagination romanesque.

Personnellement, la nouvelle est un genre que j'adore. J'en ai écrit des centaines pour m'exercer. Beaucoup dorment dans ce placard. Pendant deux ans, jusqu'à décembre 1973, j'ai publié une nouvelle par semaine dans *Ici Paris*. D'abord parce que j'aime bien ce que l'on appelle à tort la « presse du cœur » — je préfère : « presse de l'amour » — et aussi parce que la nouvelle est, pour un romancier, un excellent moyen de se maintenir en forme. Un romancier est indigne de ce beau nom s'il n'a pas plusieurs nouvelles en tête. Les liens du roman avec la nouvelle sont évidents. Au point qu'en anglais, roman se dit *novel*. Et les Goncourt auront au moins eu une initiative très heureuse et dont je les félicite en cet an de mauvaise grâce 1974 : ils ont décidé de créer un « Goncourt de la nouvelle ».

Enfin, voilà une mesure intelligente dans le monde littéraire ! Des jeunes, des moins jeunes auront un espoir de voir aboutir leurs efforts, leurs talents, leurs goûts. Car lorsqu'on débute, pourquoi écrire des nouvelles si on sait qu'elles ne peuvent être publiées nulle part ? Parfois — et c'est le cas — l'organe crée la fonction. S'il y a de la place pour des nouvelles, il y aura des nouvellistes. Les petites nouvelles font les bons romanciers. A mon sens, c'est la meilleure assurance que l'on puisse contracter contre la pénurie de romanciers.

Ce soir-là, en sortant du square, j'ai regagné mon perchoir, cet appartement. J'avais envie d'écrire une histoire qui m'évaderait de ce Paris dont le nouveau souffle était encore faible. Je me souviens avoir travaillé toute la nuit, emporté par l'imagination, courant après le stylo sur un papier grossier qu'il fallait économiser.

Cette nouvelle, je la ressors aujourd'hui parce que j'aime bien mes lecteurs. Ils sont comme moi. Ils aiment les histoires. Mais pour une fois, l'amour n'y a pas sa place. C'est une histoire d'hommes, quelque part dans les mers du Sud. Celle-ci s'inspire d'un récit que me fit Papa Vengotchea, ce vieux loup de mer que j'ai rencontré à Valparaiso avant de quitter le Chili. Je l'ai appelée *Le Mystère de Santa Clara.*

« Je suis un vieux marin : pendant quarante ans, la mer a été ma maîtresse favorite, et aujourd'hui je suis un vieil homme. Et depuis que je ne navigue plus, je ne cesse de penser à une étrange aventure. Quelquefois, elle me réveille la nuit. C'est un cauchemar.

« A cette époque, je trafiquai avec *Mao. Mao,* en langue polynésienne, cela veut dire requin. C'était le nom d'un petit cargo de neuf cents tonnes, qui me permettait de transporter tout ce qui avait une valeur commerciale dans le Pacifique Sud.

« Je venais d'Auckland, port du Nord de la Nouvelle-Zélande, où j'avais liquidé un chargement de coprah, et m'étais arrêté à Nouméa pour y laisser trois cents tonnes de laine brute tondue sur les troupeaux du Sud du Chili. J'allais appareiller pour les îles Salomon.

« Le 3 février au matin, vers onze heures, deux jours avant mon départ, arrive à Nouméa une goélette d'Espirito Santo. A peine débarqués, les matelots, des Néo-Hébridais pour la plupart, racontent dans tous les bars qu'ils ont rencontré à quatre jours de Nouméa un étrange navire sans équipage filant largue tribord amures vers le nord-ouest. Une chose sombre, ressemblant à un pendu, se balançait à son petit fixe. En deux heures, tout Nouméa parlait de vaisseaux fantôme et de mutinerie. *Les Révoltés du Bounty* avaient trouvé des successeurs.

« Seuls les rares Européens qui fréquentaient le port haussaient les épaules.

« Pendant la nuit, un schooner de quatre cents tonnes qui venait des Santa Cruz, relâche à Nouméa. A l'aube, nouvel émoi chez les marins : l'équipage du schooner raconte que dans la nuit du 31 janvier, vers vingt-trois heures, ils ont évité de justesse en coupant sa route un trois-mâts courant tribord amures sous basses voiles, tous feux éteints. Par trois fois, ils ont hélé les hommes du voilier. Au troisième essai, il leur a semblé percevoir un hurlement inhumain échappé de quelque part à la poupe, sous la dunette, autant qu'il ait été possible de le préciser.

« Vers treize heures, j'étais au sémaphore pour consulter les prévisions météo du lendemain quand le cargo irlandais *New Zealand*, qui faisait route depuis Shanghai, demande le pilote. Il signale aussi à la capitainerie qu'il a recueilli vingt-six hommes du trois-mâts chilien *Santa Clara*. Je fais un rapprochement avec l'histoire qui depuis vingt-quatre heures délie les langues des marins encore plus assoiffés que d'habitude.

« J'embarque avec le pilote qui va guider le *New Zealand*. Je me présente au commandant, le capitaine Maxwell, et le mets au courant de ce qui provoque notre curiosité. Pendant la manœuvre d'entrée au port, il m'explique ce qu'il sait :

« J'ai recueilli les rescapés deux jours avant, soit le 2 février, vers quinze heures, me dit-il. Ils étaient épuisés, à demi morts de faim et de soif, écroulés au fond de deux chaloupes et d'une baleinière. L'un d'eux a prétendu être le second du *Santa Clara*. Je lui ai demandé ce qui leur était arrivé, à eux et à leur bateau. Il m'explique qu'ils avaient quitté à la mi-décembre le petit port d'Inquique, au nord du Chili, spécialisé dans les nitrates. Le *Santa Clara* devait emprunter la grande route de l'Est afin d'utiliser la mousson du nord-est qui souffle d'octobre à avril.

« Le capitaine du *Santa-Clara* était un colosse

brun, avec un physique de pirate : tête carrée, front large, le nez et les oreilles envahis de longs poils, une mâchoire de dogue mordant sans cesse un brûle-gueule. Pas de cou, des épaules de lutteur, une poitrine d'ours, des bras comme des mâts de charge, des poings comme des enclumes. Avec cela, pas mauvais bougre, mais violent. Il se mettait souvent dans des colères aussi grandes que lui et brisait tout ce qui lui résistait. Dans ces terribles moments, il valait mieux ne pas s'opposer à Ignacio Lamarca, commandant le *Santa Clara* depuis huit ans.

« Jusqu'à la fin janvier, la traversée fut monotone. Le 25, le trois-mâts était au sud des Nouvelles-Hébrides, à environ cent vingt mille de l'île d'Efate. Depuis la veille, la brise a des sautes brusques. Le baromètre monte trop vite, l'atmosphère est lourde. Lamarca réduit la voilure et ne conserve que les basses voiles. Au matin, la mer devient grise et mauvaise, creusée par un vent tournant. Le bâtiment fatigue.

« A tribord avant, une forte lame se fracasse contre la coque, soulève le bateau qui retombe dans des gerbes d'écume. La mâture vibre, comme traversée par une onde venue du fond de l'océan.

« Sous le choc effroyable, le grand volant se rompt, la vergue bascule sur tribord, s'abat sur le pont et défonce l'arrière du rouf [1] où se trouve l'atelier du charpentier.

« C'est un typhon.

« Lamarca détermine son centre à environ soixante milles au sud et fait mettre le cap au noroît [2] pour s'en écarter. Le capitaine laisse à son second le soin de faire réparer les dégâts et se retire au carré pour faire rédiger son rapport d'avarie. L'air est brûlant, les hommes travaillent mal.

« A seize heures, au changement de quart, trois hommes sont ivres, dont le timonier. C'est un Chilien

(1) Petite construction s'élevant sur une partie du pont.
(2) Nord-ouest.

placide qui n'a de malice que pour se procurer du tafia [1]. Selon sa vieille habitude, il a conservé sa ration quotidienne pendant plusieurs jours et l'a bue d'un trait. A la barre, il braille une chanson de bouge, sans souci du cap à tenir. S'apercevant que le compas a dévié d'un tour de barre, il ramène le navire sur la route. La manœuvre est brutale.

En bas, Lamarca écrit son rapport. Enfin, il essaie. Cela fait deux fois qu'il recommence. Ce fichu roulis a déjà renversé l'encrier sur les papiers. Et Lamarca jure des mots terribles entre ses dents qui se cramponnent à sa pipe. La chaleur rappelle celle de la mer Rouge. Mais à la fournaise, s'ajoutent des relans de peinture, de vernis, de bois exotiques et l'âcre odeur qui, à travers les cloisons, monte de la cale : l'odeur du coprah.

« Mille tonnerres ! hurle Lamarca. Timonier de malheur ! Ivrogne damné ! tiens ton cap ou je te jette aux requins !

« La voix pâteuse hachée par un hoquet du timonier parvient au capitaine. Il chante : « Les femmes nues nous versaient le rhum à pleine gorge... »

« A ce moment, le capitaine Lamarca souligne un mot avec application. Mais un coup de roulis fait dévier sa plume et elle raye la feuille en travers.

« Par ta mère ! crie Lamarca, je vais t'apprendre comment on barre, chien de *huaso* [2] !

« En un bond, le capitaine est sur l'ivrogne. Il agrippe l'homme au collet, le secoue comme un géant secouerait un cocotier et hurle :

« Ouest-nord-ouest, imbécile ! Tu ne le vois pas, le compas ? Tu n'as que ça à faire ! Tu me fais des embardées à nous faire démâter ! Tout dégringole en bas ! Fous-moi le camp, timonier ! Un mousse serait moins gauche que toi ! »

« Et d'une détente brusque, il envoit rouler l'homme. L'ivrogne roule jusqu'à l'échelle de la

(1) Eau-de-vie de canne à sucre.
(2) « Cow-boy » chilien.

dunette qu'il dégringole et sa tête vient heurter le pied d'un treuil.

« Lamarca appelle un homme :

« Toi, prends la barre et tiens le cap, sinon je te casse en deux ! »

« Le second intervint :

« Capitaine, le timonier est blessé...

« — Qu'il crève ! » hurle Lamarca qui redisparaît dans son carré.

« Le timonier est étendu sur le dos, inanimé... Sous sa tête, une flaque de sang s'élargit et s'infiltre dans les rainures du pont. Le second se penche et glisse la main sous la nuque de l'homme blessé. Il la retire vivement.

« Capitaine, dit-il, tout est défoncé ! Il est perdu ! »

« En bas, Lamarca écrit. Il pâlit à peine quand le second fait irruption dans le carré des officiers :

« Capitaine, le timonier est mort ! »

« Lamarca tire sa pipe, pour une fois allumée, et ordonne :

« Mettez-le dans la cabine du passager. Avant deux jours, nous serons à Port-Havannah. »

« Sur le pont, le chien du bord se met à hurler. Des marins ont envie de l'envoyer par le fond, mais ils n'osent pas. Tout est devenu un mauvais présage. Assemblés en cercle autour du cadavre, ils essaient de ne pas regarder les nuages lourds qui courent bas dans le ciel, le gris sale de la mer, les vagues mauvaises qui poursuivent le navire et les hurlements modulés des rafales dans le gréement. Ils croyaient s'éloigner du typhon, mais celui-ci a changé de direction : ils vont droit dessus. « C'est à cause de cet « ivrogne de timonier qu'ils en sont là », pensent-ils. Ils savent que leur capitaine est fort en gueule, brutal même, mais c'est un juste. Le timonier avait besoin d'une correction, c'est vrai. Elle a été un peu sévère, c'est vrai aussi. Tant pis ! Dans quelques instants, l'eau se refermera sur lui... Tant mieux ! parce que étendu comme ça, les bras en croix, le visage tourné vers le ciel de plomb, il semble appeler une malédiction sur le navire. Vite, qu'on l'immerge !

« Mais le second vient de remonter et donne l'ordre au premier lieutenant :

« Placez-le dans la cabine du passager. Nous le laisserons à Port-Havannah !

« Garder le mort ! Les hommes sont consternés. Leurs visages burinés deviennent hostiles. Tous n'ont qu'une pensée : le feu du ciel va se venger sur le *Santa Clara.*

« En silence, deux matelots désignés par le maître d'équipage soulèvent le corps et le portent à l'avant. La cabine située à tribord ouvre sur la coursive menant au carré. La couchette très haute est à gauche contre la cloison avant. Dans cet espace, à cinq pieds du plancher, il y a un portemanteau. A travers un hublot sale, passe une lumière avare. Un lavabo, un placard, une banquette de vieux cuir, voilà le mobilier. Une peinture qui avait dû être blanche recouvre les cloisons.

« Le maître d'équipage fait arrimer le corps sur la couchette. Un filin passant sous les aisselles le maintient à un clou enfoncé à côté du portemanteau. Un homme allume une lanterne. Suspendue au plafond, c'est cette lumière qui va veiller le mort.

« Vers dix-neuf heures le *Santa Clara* est sorti de la zone du typhon. La houle, longue, caresse la coque. A la nuit, les hommes se sont entassés dans leurs quartiers. Ils ne jouent pas, ils ne parlent pas. La mort est trop près. Il règne cet horrible malaise qui, sur l'eau, précède les catastrophes et que nous connaissons bien, nous, les routiers des mers du Sud.

« Brusquement, venant de l'arrière, un hurlement crève le silence. Tous se précipitent vers la poupe. Dans la coursive, le premier lieutenant lâche un juron : il a heurté une masse inerte gisant sur le plancher. Quelqu'un frotte un briquet. C'est le capitaine Lamarca ! Inerte, les yeux révulsés, le visage crispé dans une expression de peur intense. Une peur qui gagne ces hommes rudes autour de lui. Tout à coup, la porte de la cabine s'ouvre dans le bruit sourd du bateau qui frappe la cloison. Dans le rectangle vaguement éclairé par la lampe-tempête, c'est... le mort qui se dresse ! Les yeux glauques, un rictus en travers de la trogne d'ivrogne, c'est le mort qui est face à eux. C'est la panique. Le second et les deux lieutenants n'ont pas le temps de réagir : ils sont entraînés par la vague de peur qui a déferlé sur l'équipage. Des mains agrippent, des poings écrasent des faces. Une bagarre aveugle emplit la coursive. Un cri part du noir : « Fuyons ! » L'idée a traversé les esprits et pousse les corps vers le pont : « Il faut fuir ce navire qui porte un fantôme ! C'est la mort qui nous poursuit ! » Les matelots voient partout des mains de spectre qui les retiennent aux bras, aux jambes, aux cheveux, à la gorge. Le visage d'un mort a rendu fou l'équipage du *Santa Clara*. Les canots sont lancés à la mer, et tous s'y ruent presque en un seul plongeon. Dans leur affolement, c'est à peine s'ils remarquent un homme débouchant comme un fou de la coursive, poussant des hurlements inarticulés, battant l'air comme s'il voulait abattre un ennemi invisible.

« Ayant amarré ensemble les deux chaloupes et la baleinière, ils dérivèrent pendant cinq jours. Et le 2 février, je les ai recueilllis à bord du *New Zealand*. Voilà le récit que m'a fait le second. »

« Le lendemain, juste avant que le soleil ne se lève d'un coup comme toujours sous les Tropiques, j'embarquai sur mon *Mao* pour les îles Salomon. Mais la vision de ce navire errant m'obsédait. Je déviai donc ma route vers le nord-est avec le vague espoir de croiser le *Santa Clara* que personne n'avait osé approcher depuis qu'il était à la dérive.

« Trois jours plus tard, les yeux presque clos à force de scruter l'horizon, je l'aperçus. C'était assurément l'un des plus majestueux trois-mâts ayant vogué sous les couleurs chiliennes. Noir, il se détachait nettement sur les fonds clairs et les bouquets de coraux à mi-eau. Ce ne fut pas très simple de nous en approcher, mais quand nous fûmes à portée de voix je constatai moi aussi qu'il y avait un pendu au petit fixe. Je fais mettre une chaloupe à l'eau, et avec cinq compagnons solides et bien armés, nous ramons vers le vaisseau fantôme.

« Le pied à peine posé sur le pont, nous percevons comme une plainte venant de sous la dunette. Nous engageons une balle dans le canon de nos carabines et avançons. La porte de la dunette est obstruée par un amoncellement de pièces de bois, des monceaux de caisses ; la porte elle-même est clouée.

« L'un de mes hommes que j'avais envoyé décrocher le pendu me souffle à l'oreille :

« — Le pendu c'est un officier. Voici ses papiers...

« Je jette un coup d'œil : c'est en effet le second lieutenant.

« — Plus tard ! lui dis-je. Enfonçons d'abord la porte !

« Derrière celle-ci, les plaintes se sont transformées en cris atroces. Nous sommes prêts à tout. La porte cède sous notre poussée et nos coups de crosse. Du trou noir, un chien bondit sur mon compagnon de droite. Il est couvert de bave. Je l'abats d'un coup de pistolet. Le sang se mêle à la bave qui a englué les poils de sa poitrine. Nous échangeons un coup d'œil et pénétrons dans la coursive. Il s'en dégage une odeur insoutenable de pourriture. A ce moment, le navire roule légèrement, une porte s'ouvre en craquant... Un homme se dresse devant nous. Ou plutôt les restes d'un homme. Ce spectre décomposé est une vision hideuse. C'est plus fort que moi : je recule. Mais la présence de mes compagnons pétrifiés comme moi m'oblige à réagir. Nous avançons. Le spectre est un cadavre accroché à un portemanteau à gauche de la porte. Ses jambes sont déchiquetées et du sang colle à nos pieds. Le chien, enfermé dans la coursive et affamé, a commencé à dévorer le cadavre et il est devenu enragé. Mais je me pose une question : pourquoi y a-t-il deux pendus à bord ? Est-ce le timonier qui est devant moi ?

« Dans le carré, au milieu de papiers froissés, j'ai trouvé le rapport inachevé du capitaine Lamarca. Mais du capitaine, pas la moindre trace. Nous avons tout fouillé, de la cale aux cordages.

« J'ai pris en remorque le *Santa Clara* jusqu'aux îles Salomon. Son équipage se dispersa, aucun armateur ne voulut du bâtiment qui a été détruit à Valparaiso, là où il avait été construit. Longtemps, j'ai cherché à reconstituer les drames qui s'étaient déroulés à bord du trois-mâts. Avec le temps et malgré le silence des quelques matelots du bateau que j'ai rencontrés par hasard, je suis arrivé à la conclusion suivante :

« La porte de la cabine, mal fermée, s'ouvre au moment où le capitaine Lamarca sort de son carré. Le mort, le timonier, placé sous la couchette a glissé et se trouve suspendu par le filin qui l'amarre au clou. Sa silhouette apparaît dans l'encadrement. Lamarca pousse un cri et s'évanouit de peur. La même scène se reproduit quand l'équipage vole à son secours... Lamarca revient à lui quand ses derniers hommes s'agglutinent dans les canots. Mais il n'a plus toute sa tête et veut se jeter à la mer. Le second lieutenant, qui est probablement le dernier homme resté à bord, essaie de l'en empêcher. Mais Lamarca, devenu fou, l'assomme et le pend au petit fixe en guise de punition. Car l'officier avait lui aussi le crâne fendu et n'aurait pu se pendre lui-même dans cet état.

« Le capitaine Lamarca, entre un spectre et un pendu, perdit le peu de raison qui lui restait. Il a plongé et s'est sans doute noyé, ce qui fait un troisième mort à cause du *Santa Clara :* un par accident, un par meurtre, un par folie.

« Il y a ainsi des bateaux qui tuent leurs officiers et leurs équipages, comme il y a des maisons hantées qui tuent leurs occupants.

« Dans le Pacifique Sud, souvent les malédictions et les fatalités se marient.

« De cette union, naît un enfant fabuleux. Sur toutes les mers du globe, il porte le même nom.

« On l'appelle une légende... »

*

— L'autre jour, à un critique qui t'appelait écrivain, tu as répondu, un peu agacé, que tu étais un romancier. Pourquoi ?

— Ecrivain et romancier ne sont pas des synonymes. Et par moments ces deux notions peuvent s'opposer. Je sais que cela peut paraître une distinction subtile. Pour moi, elle est capitale.

Ecrivain : personne qui écrit. J'ajoute : et qui vit de ses écrits. Je crois que c'est la définition la plus générale, la plus simple et aussi la plus exacte. Mais, là encore, critiques et public complètent différemment cette notion. Pour les critiques, écrivain sous-entend quelqu'un qui écrit bien, dont le stylo est étincelant, les formules frappantes, et qui s'exprime dans une langue pure ou originale. André Maurois et Louis-Ferdinand Céline sont, à ce titre, deux écrivains. De leur prose, on retiendra des citations, des pensées, des « belles phrases ». Le romancier, lui, est une catégorie d'écrivains. Pour parler en termes de médecine, l'écrivain est le généraliste, le romancier est un spécialiste. Qu'est-ce encore un romancier ? Le romancier est quelqu'un qui écrit des romans, c'est-à-dire des histoires. Cela semble évident. C'est pourtant ce qu'on oublie trop souvent. Pas d'histoire, pas de roman ! Evidemment, il y a différents genres romanesques. Mais on peut heureusement les regrouper en deux types : le roman psychologique et le roman d'action. Je sais bien que la psychologie, c'est une série d'actions internes. Disons, pour être bref, que le roman psychologique cherchera à captiver l'intérêt du lecteur par les réactions de personnages devant des situations peu extraordinaires, tandis que le roman d'action accrochera le lecteur par les réactions des mêmes personnages devant des situations extraordinaires. En d'autres termes, dans le premier cas c'est la psychologie qui a priorité sur les événements ; dans le second, l'événement a priorité sur la psychologie. Je crois que mes romans appartiennent à cette dernière catégorie. Mauriac, par exemple, appartient à la première. Evidemment, il y a des interférences. Un roman d'action peut receler une très exacte psychologie des personnages, et inversement.

Mais un livre où il n'y a ni action ni psychologie, ce n'est pas un roman, ou alors, c'est peut-être ce qu'on a appelé « le nouveau roman » ? Il est mort avant d'avoir existé. C'est le « vieux roman » qui l'a enterré.

Et dans ces deux groupes, il y a une règle constante : distraire le lecteur. Quand je dis cela à des esprits qui se croient supérieurs, leur réaction m'amuse. Neuf fois sur dix, ils me disent :

« Distraire ? Mais la culture, alors ? »

Là, je les attends au tournant.

La culture, c'est comme la confiture : moins on en a, plus on l'étale. La culture, c'est aussi bien *France-Soir* (page 3 : les faits divers) que Gide et Gaston Leroux. C'est aussi, hélas, Marguerite Duras et autres « alitérateurs ». Mais alors là, il faut vraiment se cramponner, car c'est écrit dans une langue hermétique qui n'est pas au programme de l'Ecole des Langues Orientales et qui serait plutôt de la famille du béton armé.

Oui, un roman, cela doit distraire. Que ce soient les élans du cœur ou l'aventure des hommes, un roman c'est un billet de première classe pour l'évasion. Aujourd'hui, les snobs ont peur de se distraire. Ils font un complexe : ils veulent se « culturer ». Alors ces malheureux se plongent dans des bouquins qu'ils n'ont pas envie de lire. Phrase par phrase, ils peinent. Ça les ennuie, ça les déconcerte, mais plus ça fait mal, plus ça fait du bien. Ils se croient obligés d'aller jusqu'au bout parce qu'ils ont peur de ne plus être dans le coup. Ils n'y comprennent rien ?

Tant pis. C'est sûrement génial. Ils comprennent, mais cela ne les intéresse pas ? Tant pis ! Ça servira un jour. Le livre est dans la liste des best-sellers de *L'Express*, et *Le Nouvel Observateur* a écrit à son sujet : « *Un livre important.* » Ou : « *Le livre le plus important de la rentrée.* » Alors, « ils se cultu-rent »... Moi je veux bien. Mais les malheureux ! Ils oublient que la lecture est d'abord un plaisir. Je ne connais qu'un critère pour un livre, roman ou pas roman, historique ou récit de voyage, confession ou souvenirs, etc. : ne pas être ennuyeux.

Distraire, cela ne veut pas dire abrutir. On peut informer en distrayant. C'est même ce que nous devrions tous faire.

— Il y a des gens qui cherchent autre chose que l'évasion dans un livre.

— Je te vois venir... Ils cherchent les problèmes, ils considèrent que tout ce qui est sévère, voire obscur, est intéressant. « Les romans ? Allons donc, laissez cela aux secrétaires et aux concierges ! » Voilà ce qu'ils pensent, ces gens-là. Et il se trouve des auteurs qui pensent comme eux, qui écrivent à leur mesure. Ce sont des auteurs qui disent : « J'ai un message. » Moi, quand j'ai un message, je vais à la poste !

Je n'ai pas de message, mais j'ai une mission, sacrée et obligatoire pour tout romancier : distraire en racontant une histoire.

Ils sont bien gentils tous ces gens qui parlent de littérature avec des airs de conspirateurs, comme s'ils tenaient la vérité du monde dans ce mot. « La Littérature » cela n'existe pas. Il y a des bons livres et des mauvais. Tous les genres sont possibles, sauf le genre fastidieux. Que l'on raconte la culture des fraises en Ouzbékistan ou *Les Deux Orphelines*, c'est la même chose : il faut intéresser et retenir le lecteur. Car, enfin, c'est tout de même pour lui qu'on écrit.

Si je tiens à faire cette distinction entre écrivain et romancier ce n'est pas par racisme... Ce serait plutôt pour ne pas tout mélanger. Je ne suis qu'un romancier, mais j'en suis un. Trop d'auteurs se disent romanciers parce qu'ils ont écrit un roman. Je ne veux pas dire que cela soit facile d'écrire sa propre autobiographie ou de mettre dans un premier livre tout ce qui compte à ses yeux, tout ce qu'on a sur le cœur et dans le corps. Mais au second livre, souvent rien ne va plus. L'auteur n'a plus grand-chose à dire. Un romancier a toujours quelque chose à raconter.

Il existe une foule d'écrivains qui ne seront jamais des romanciers, alors qu'un romancier doit, si possible, être aussi un écrivain. Alain-Fournier nous a laissé un livre qui est un chef-d'œuvre : *Le Grand Meaulnes*. C'est un écrivain. Rien ne dit que son second livre eût été intéressant. Pierre Benoit, lui, est un vrai romancier. Il s'est renouvelé. Il a raconté des histoires différentes. Il n'est pas devenu romancier avec son premier livre, mais peut-être au cinquième. Colette m'a dit un jour : « Ne te fais pas d'illusion. Ta vraie carrière commencera au dixième livre. »

Bien entendu, il y a quelques cas d'écrivains qui sont de vrais romanciers. En France, je crois que Mauriac est l'exemple le plus réussi de ce mélange. Mais il faut bien le constater : ce sont les auteurs eux-mêmes qui tiennent souvent à ce qu'on les appelle écrivains. Ecrivain, cela fait bien. Cela vous place un peu au-dessus des autres. Il y a presque une notion spéciale dans ce mot et l'interprétation qu'ils en font. Dans les pétitions et les revendications, on voit souvent apparaître des « écrivains ». La presse dite de gauche a d'ailleurs la spécialité de séparer ses militants en « intellectuels » et « travailleurs »... L'intellectuel, c'est un peu le nouveau nom de l'homme de lettres. Ecrivain, c'est une catégorie socio-professionnelle. Romancier, c'est encore la bohème, la vie d'artiste. « Vous savez bien, X..., le romancier... » dit-on. Et il y a toujours un je-ne-sais-quoi de péjoratif dans cette précision. On sous-entend : « Oui, il écrit des romans, des histoires qui ne tiennent pas debout.

Mais où va-t-il chercher tout ça ? » Dans l'imagination, chère madame.

Car sans imagination, le romancier n'est qu'un imposteur.

— Ça ne te gêne pas qu'on dise : « Guy des Cars est un romancier populaire » ?

— Au contraire ! Ce qui me gênerait, ce serait d'être impopulaire !

— Qu'est-ce que c'est qu'un romancier populaire ?

— Quelqu'un qui écrit pour un maximum de gens et dont les lecteurs se trouvent dans toutes les professions, toutes les catégories sociales et à tous les âges. Cela paraît très simple, c'est pourtant ce qui est le plus difficile.

Il y a quelques années, une jeune femme, charmante d'ailleurs et qui a du talent, me parlait de ses livres. Son nom commence à apparaître régulièrement à la vitrine des librairies. Elle écrit des romans pas mal faits du tout. Elle en a écrit combien : cinq ? six ? Je ne sais plus, mais c'est déjà très bien. Pourtant cette romancière, qui s'appelle Christine Arnothy et dont la critique a signalé les réelles qualités, me confiait son dépit de voir que tel de ses livres n'avait pas eu l'impact qu'elle escomptait auprès du public. J'allais lui dire quelques paroles aimables du genre : « La qualité vaut mieux que la quantité », quand, d'une pirouette, elle est venue à son propre secours :

« Que voulez-vous, cher ami, me dit-elle, mes livres n'ont peut-être pas autant de succès que les vôtres, mais moi j'écris pour les génies et pour les fous... »

Je lui répondis :

« Et moi, chère madame, j'écris pour les autres ! »

On a galvaudé la notion de roman populaire. On a dit : « C'est de la littérature pour concierge et midinettes. » On a dit : « C'est *Confidences* et *Nous Deux.* » On a dit aussi : « C'est du feuilleton. » On a même dit que « depuis Mai 1968, ce genre de littérature n'intéressait plus personne ! ». Il y a vraiment des pauvres gens que Mai 1968 a déboussolés. Il ne s'en sont pas remis. Ils ne finissent pas de s'en remettre. En un sens, je les comprends. Rien de plus triste qu'une révolution ratée.

— Tu es révolutionnaire ? C'est inattendu...

— Ecoute, une fois pour toutes, je ne connais qu'une justice : celle du travail. Quant à être révolutionnaire, mon père me traitait de communiste. Alors, tu vois, c'est relatif !

Je reviens au roman parce que le reste n'est pas de mon propos.

Dans le fond, l'expression roman populaire est un pléonasme. C'est le roman tout court, tel qu'il s'est forgé à partir du XIXe siècle. Il a plusieurs pères, le roman, qui ne sont pas tous reconnus. On cite toujours Balzac, Zola, Flaubert, Dumas, etc. Il y en a d'autres. La mère du roman, on la connaît bien : c'est l'imagination. Alors quand on dit aujourd'hui d'un roman : « C'est un vrai feuilleton », on rend justice au roman car, la plupart du temps, il est né du feuilleton, c'est-à-dire d'une aventure qui avait un épisode dans chaque numéro de journal où elle paraissait. Il fallait qu'à chaque parution il se passât quelque chose. Le rebondissement final qui laissait le lecteur sur sa faim et sur le traditionnel « A suivre », cela existe toujours. Seulement, aujourd'hui, c'est à chaque page d'un roman qu'il doit se passer quelque chose. L'épisode, c'est la page. « A suivre », on tourne la page.

Voilà pour les origines.

Par populaire, on sous-entend souvent médiocre. En ricanant, on déclare : « C'est pour les masses. L'élite, elle, lit autre chose. » Quel racisme ! Quelle prétention ! C'est curieux cette mode qui consiste à bouder tout ce qui plaît au public. Parce que c'est un succès, ça doit être vulgaire, stupide, grosse cavalerie et peu intellectuel. J'ai entendu cela en faisant la queue pour aller voir *Les Aventures de Rabbi Jacob*. « Oh, vous savez, disait-on, avec de Funès cela ne va pas bien loin. » Eh bien si, cela va très loin, plus loin que le million de spectateurs... On nous a aussi dit : « Papillon ? On sait que ce n'est pas lui qui l'a écrit... Alors, tout ça, c'est bidon. » Peu importe. Le million d'exemplaires était mérité. Eh bien, ces masses — je préfère dire le public — ne se trompent pas. Grand public n'exclut pas beauté, travail soigné, raffinement. Loin de là. Le public est le meilleur des régulateurs. Il sait tout remettre en place.

Par populaire, on sous-entend démodé. Et alors là, on se trompe lourdement. Jusqu'à la guerre de 1939, les gens qui achetaient et qui lisaient un livre étaient sinon peu nombreux, du moins dans les catégories sociales : avocats, médecins, professeurs, étudiants, pour l'essentiel, auxquels on pourrait ajouter « les gens du monde » qui avaient du temps et des rentes. Aujourd'hui, tout le monde sait lire. Et tout le monde peut lire avec les collections de poche. Mais ces collections ne sont pas réservées aux seuls gens qui hésitent à payer trente francs pour un livre. Tout le monde lit des livres dans ces éditions dites populaires. Elles sont toutes pratiques, il y en a même d'élégantes et pas vilaines dans une bibliothèque. De sorte que le public trouve deux moyens de lire : l'un qui est cher, l'autre qui est bon marché. Mais ce qu'il y a de remarquable, c'est que ces deux produits ne se gênent nullement. Souvent même une édition entraîne l'autre. Alors ? Eh bien, populaire prend un nouveau sens aujourd'hui. Populaire ne veut plus seulement dire banlieusards et sous-développés. Populaire veut maintenant dire *tout* le public. De l'académicien à la standardiste, du P.-D.G. à l'ouvrier. Alors oui, je suis un romancier populaire. J'ai des classeurs pleins de lettres qui viennent aussi bien de l'Institut de France que de Sarcelles, d'un professeur agrégé que d'un garagiste. Non, je ne suis pas partout, mais j'ai des lecteurs partout. Et un romancier qui a des lecteurs dans tous les milieux, c'est un romancier populaire. Encore une fois, j'écris pour tout le monde. Tant pis pour ceux que personne ne lit. Encore une fois, ils se consolent en se disant : « J'écris pour l'élite. » Et leurs amis applaudissent bruyamment en vous déclarant d'un air supérieur : « Oui, vous savez, ce qu'il écrit, c'est très spécial... »

Par populaire, enfin, on sous-entend que le choix des sujets est racoleur, que les personnages sont stéréotypés, que les situations sont invraisemblables, et on termine par ce verdict : « Tout ça, c'est du roman ! »

Terrible phrase... Phrase à deux tranchants : l'imagination doit avoir été assez forte pour bousculer la vie et la présenter dans un ordre attrayant pour le lecteur. Elle doit toutefois rester mesurée pour que l'intrigue soit plausible, possible. Le roman, ce sont des personnages ordinaires, mais toujours confrontés à des situations extraordinaires. Ayant refermé le livre, si l'on sort de chez soi, on doit pouvoir rencontrer le héros du livre ou vivre une aventure comme celle qu'il vit dans le livre. Le roman, c'est le quotidien qui rencontre l'exceptionnel. Il n'y a jamais trop d'imagination dans un roman, mais il faut la contrôler et la distiller comme un parfum.

Pour résumer ces nouveaux aspects du roman populaire, je laisse, pour une fois, la parole au *Canard Enchaîné,* car à mon sens on n'a rien écrit de plus juste à ce sujet. Le « caneton » qui a signé ces lignes du 6 août 1969 a été bien inspiré, puisqu'il parle de la « *littérature de dissuasion* » (belle formule !) et dit : c'est « *celle qui dissuade les emmerdements de toutes cylindrées d'empoisonner vos quelques loisirs. J'ai de l'estime pour les vrais romanciers de dissuasion. Ils jouent franc jeu : la drogue qu'ils vous filent est de première, pas chère et inoffensive, ne laissant aucune trace dans quelque coin que ce soit de votre organisme. Et attention, minute, messieurs les inconditionnels de la critique universitaire : quoi que vous en pensiez, ne réussit pas qui veut un roman de dissuasion !...* »

Je ne dois rien au *Canard* et, on s'en doute, le *Canard* ne me doit rien. Mais, ici, je remercie l'auteur de cette mise au point. Plus que jamais, elle me semble valable... d'autant qu'il paraît que mes bouquins sont dans la bibliothèque de nos sous-marins nucléaires ! De la littérature de dissuasion à la force de dissuasion, il n'y a que quelques atomes.

Un soir j'ai voulu dire — à peu de chose près — ces vérités sur le roman populaire. C'était à la télévision, à l'émission, dite littéraire, *Post-scriptum*, aujourd'hui disparue. C'est dommage d'ailleurs parce que, pour une fois, ce n'était pas la République des Copains. C'était la fosse aux lions, cette émission. On n'avait pas en face de soi des encenseurs qui vous interrogeaient sur la transcendance de votre dernier volume et la condition de l'homme à travers votre œuvre. Non, ce n'était pas une Société d'Admiration Mutuelle où Dupont disait à Durand « Quel beau livre que le vôtre », et où Durand répondait à Dupont « N'est-ce pas ? Je trouve aussi ».

A *Post-scriptum*, on y allait carrément, on n'était pas là pour des batailles de fleurs. Pour une fois, en parlant de livres, on ne se surprenait pas à ronfler. Michel Polac, l'animateur, avait l'astuce de renvoyer la balle, et cela faisait un très bon spectacle, toujours vivant. Evidemment, c'était trop beau, on a supprimé cette émission...

Elle n'avait qu'un défaut, minime : les contradicteurs ne jouaient pas toujours franc jeu.

Le soir où j'y fus convié, l'agaceur en chef était Jean-Louis Bory. Je connais bien Bory (littérairement parlant). Je le connais depuis son livre : *Mon village à l'heure allemande*, qui eut le prix Goncourt en 1945. Et j'avais accepté de descendre dans l'arène de *Post-scriptum* parce qu'il aime le roman, le vrai roman, et qu'il le connaît bien. Il a même fait une étude brillante sur Eugène Sue, l'auteur des *Mystères de Paris*. Ce qui ne veut pas dire que je me prenne pour Eugène Sue ni que Bory aime mes livres...

J'arrivai devant un véritable tribunal. Car autour de Polac et de Bory, une dizaine d'aigris, de pisse-froid et d'impuissants de la plume m'attendaient au coin du débat avec le tromblon de la jalousie et l'escarpolette de la mauvaise foi.

Ah ! mes enfants ! Quel carnage ! On était là pour parler roman. Ce fut mon procès ! Ils n'y ont pas été de main-morte ! Moi non plus, d'ailleurs. J'ai d'abord été traité de populaire. Je leur ai donc dit que cela ne m'ennuyait pas, loin de là (eux, ça les ennuie parce qu'ils vous parlent de culture sans parvenir à être populaires !). Ensuite, ils m'ont disséqué. Ils ont lu au hasard des phrases de mes livres qu'ils ont trouvées insipides. (De toute façon, c'étaient visiblement les premières qu'ils lisaient de moi. Tout un livre, cela ils n'y étaient pas arrivé. La conscience professionnelle, ils ne connaissaient pas non plus.) Ils m'ont démoli et, enfin, ont rendu leur verdict : « Ce succès est anormal. » Bory, mi-figue, mi-raisin (je devrais plutôt dire : mi-orange), a conclu : « C'est agaçant ! Ma mère ne lit que Guy des Cars, et pourtant c'est une femme cultivée ! »

Pauvre Mme Bory qui se trompait de littérature ! Pauvre Jean-Louis Bory qui n'arrivait pas à lui faire lire les bons livres ! Ils ne m'ont pas fait de cadeau, mais ce soir-là, à la télévision, on a ri — jaune, pour certains.

Au bout d'une heure de ce réquisitoire, je me suis levé. Avant l'émission, j'avais averti Michel Polac que je ne pourrais rester longtemps au milieu de ces joyeux drilles. A défaut d'être un auteur engagé, j'avais un engagement, prévu de longue date : un dîner avec des amis de passage à Paris.

Lorsque je suis arrivé chez eux, ces mêmes amis m'ont raconté qu'après mon départ, la meute s'était déchaînée. La curée. L'hallali. La mise à mort. Je crois d'ailleurs que Simenon aussi a été mis dans le même sac. Ils étaient furieux, ces picadors, mais je m'étais défendu. En dehors de Polac et de Bory — des hommes bien élevés, tout de même —, je fus déclaré coupable : d'écrire pour mon plaisir et celui des lecteurs, de ne pas en avoir l'air transpercé d'importance et d'affliction, de raconter des histoires, de ne pas être ancien bagnard barbu, chevelu et en col roulé, d'avoir des dîners en ville, et avec tout ça d'avoir le culot de dire : « Je suis populaire ! »

Trop, c'était trop. Ils me condamnèrent... sans circonstance atténuante. Je n'en suis pas mort. Et je connais des gens qui rient encore de cette émission. C'était cela, et avant Arthur Conte, les « forces de la joie » à l'O.R.T.F. !

Derrière ce réquisitoire, j'ai retrouvé ce qui constitue la base des jalousies dans l'édition : on pardonne quelquefois le talent, on admet plus difficilement le succès.

Car par populaire, enfin, on s'attaque à la notion de succès. Je le dis tout haut : ce qui plaît au public est toujours bon et ce n'est pas parce qu'on est inconnu qu'on est obligatoirement un génie ou même simplement plein de qualité et de talent. La triste histoire du plumitif méconnu qui survit dans sa mansarde avant d'être enterré dans la fosse commune de l'oubli et de connaître une gloire posthume qui couvre d'or ses héritiers, n'a plus cours. Et c'est tant mieux. Bernard Shaw disait : « *Le martyre est la seule façon de devenir célèbre sans talent.* » Seulement, il ne faut pas croire que tout arrive tout seul. Il ne suffit pas de se mettre derrière son bureau et de déclarer : « Aujourd'hui, je vais écrire un roman. » On est son propre maître, c'est vrai. On est aussi son propre esclave. En ce qui me concerne, c'est huit heures par jour que je suis enchaîné à mon bureau et il y longtemps que les samedis et les dimanches sont des jours comme les autres. Et on vous dit : « Cela doit être passionnant d'avoir le temps d'écrire. Ah ! si j'avais le temps ! » L'ennui, c'est qu'*ils* n'ont jamais le temps. Les conseilleurs ne sont pas les rédacteurs. Et puis, « ça » ne vient pas toujours. Ecrire, ce n'est pas presser sur un bouton et produire tant de pages à l'heure. Par moments, c'est un peu cela, c'est vrai. Comme partout, il y a beaucoup d'appelés et peu d'élus. Mais je crois sincèrement, comme le disait à peu près Claude Lelouch dans sa *Radioscopie* par Jacques Chancel, que seuls les gens qui ont quelque chose dans le ventre arrivent à quelque chose. Ils se cramponnent, ils travaillent, ils reproduisent, ils croient en eux et en ce qu'ils font, ils n'attendent pas que la vie leur tombe toute cuite prête à être dégustée. La chance, ça s'aide, ça se provoque. J'ose dire que, parfois, cela se mérite.

Ecrire, c'est quatre-vingt-dix pour cent de transpiration, neuf pour cent d'inspiration et un pour cent de talent.

Je voudrais encore dire ceci : on prétend toujours que les Français ne lisent pas. « Avant, dit-on, ils ne savaient pas lire. Aujourd'hui, ils regardent la télévision et les week-ends, ils raffolent des embouteillages, et préfèrent le bruit de la voiture au silence de la lecture. » Tout cela est faux. Déjà, en 1905, dans un livre très sérieux intitulé *Les Librairies de Paris*, on disait ceci : « *Les Français ne lisent plus, c'est la faute à la bicyclette !* » L'argument n'est donc pas très nouveau ! Des statistiques — encore des statistiques ! — déclarent que 53 % des Français ne lisent jamais un livre. Si cela est vrai, je dis que les 47 % qui restent en lisent plusieurs. Sérieusement, ils lisent de plus en plus. Le rôle bénéfique des collections de poche est indiscutable. J'y reviens parce que dans la collection « *J'ai lu* » où sont réédités chacun de mes livres au fur et à mesure de leur parution, j'ai constaté un phénomène qui n'est pas récent mais qui se développe : c'est celui du livre qui circule, le livre que l'on prête. Dans cette collection, mon roman *Sang d'Afrique* est paru en deux tomes.. J'ai d'abord été stupéfait de voir qu'il y avait entre le tome Ier et le tome II une différence de ... trente mille exemplaires. Il y avait plus d'acheteurs du tome II que du tome Ier ! C'est l'inverse qui eût été logique. Eh bien, cela ne veut pas dire qu'il y a des gens qui n'ont lu que le tome II. Les trente mille personnes se sont fait prêter le tome Ier et n'ont acheté que le II.

Les Français lisent de plus en plus. Ils ont du mérite parce que les livres sont de plus en plus chers. Mais voilà, ils ne lisent pas n'importe quoi. Je veux dire qu'ils ne lisent pas tout ce qui paraît. Ils ne le pourraient pas. Parce que chaque semaine paraissent entre une cinquantaine et une centaine de titres ! Si l'on réfléchit un peu, c'est effrayant. Chez soi, même si on est un boulimique de la lecture, il n'en est pas question. Il arrive même que certains critiques littéraires, débordés, fassent souvent lire un livre par leur corbeille à papier... Quant aux librairies, les malheureux, ils doivent lutter contre un raz de marée. Car un titre n'arrive pas chez eux à un seul exemplaire. Alors la vitrine de la librairie, aujourd'hui, c'est d'abord un problème de place. L'endroit privilégié reste la pile à côté de la caisse. Le client a sorti son portefeuille ou bien ouvert son sac. Un livre près de la caisse, c'est l'enfant chéri du libraire. Le client ne peut pas ne pas le remarquer. Il y a donc évidemment plus de chances pour qu'il l'achète que s'il ne l'avait pas vu.

Mais il peut y avoir des surprises...

Carco descendait un jour dans le Midi avec sa femme. Ils tombent en panne de voiture... devant une librairie d'Avignon. Il sort de sa voiture pour aller téléphoner à un garagiste, quand sa femme lui dit :

« Francis ! regarde ! »

Il regarda :

« Mais c'est incroyable ! »

C'était en effet étonnant : dans la vitrine de cette librairie, il n'y avait que des livres de ... Francis Carco !

« Oh ! panne divine ! » s'exclama Carco.

L'auteur vedette rentre dans la librairie :

« Pardon, monsieur, excusez-moi, je suis en panne de voiture. Pourrais-je utiliser votre téléphone pour me faire dépanner par le plus proche garagiste ?

— Mais je vous en prie... »

Un garagiste est prévenu. Carco veut régler la communication. Le libraire ne veut rien savoir. Carco se dit que, décidément, ce libraire est un homme des plus agréables. Et en faisant quelques pas dans le magasin, il commence, doucement :

« Ah, dites voir, vous avez une bien belle librairie...

— Mon Dieu, monsieur, je n'ai pas à me plaindre...

— Et quelle belle vitrine ! »

Le libraire se contente d'un sourire las. Carco est déçu. « Tiens, ne m'aurait-il pas reconnu ? » se dit-il. Pour en avoir le cœur net, il enchaîne :

« Oui, cette vitrine avec un seul auteur... Dites-moi, ce doit-être un auteur à succès ?

— Oh, monsieur, détrompez-vous... Je ne mets en vitrine que les livres que je n'ai pas pu vendre à l'intérieur ! »

Les Français lisent de plus en plus et peut-être de mieux en mieux parce qu'ils ont le choix. Trop de choix, hélas... Car ils écrivent aussi de plus en plus. L'inflation n'a pas épargné l'édition... On ne s'étonne plus aujourd'hui quand quelqu'un vous dit : « J'écris un livre. » C'est un peu comme le permis de conduire. Tout le monde l'a. Résultat : les embouteillages et la paralysie. Le livre ?... C'est une véritable surproduction et surenchère à la parution. Les difficultés actuelles vont ralentir cette superinflation. Ce ne sera pas forcément un mal. Et je me demande si le « bon livre » ne sera pas, tout simplement, celui qui se vend. Il y a des livres sur tous les sujets et plusieurs livres sur le même sujet. Plus de quatre-vingt-quinze pour cent des livres sortent avec le tirage minimal de trois mille exemplaires. Quand ils sont vendus, c'est déjà très beau. Dix mille, vingt mille exemplaires selon les cas, c'est un gentil succès. Cinquante mille, c'est un « livre de l'année ». Cent mille, c'est un best-seller.

— Qu'est-ce que c'est qu'un best-seller ? Y a-t-il des recettes pour être un best-seller ?

— Un best-seller c'est, au sens propre, un livre qui fait les meilleures ventes. L'expression nous est venue des U.S.A. après la guerre, en même temps que le Coca-Cola et le chewing-gum. C'est un synonyme de gros tirages et de gros volume. Beaucoup d'auteurs et d'éditeurs pensent qu'un best-seller doit comporter au mois cinq cents pages. Un critique m'a dit : « On ne se méfie jamais assez des livres qui font mal en tombant sur le pied ! » C'est en effet une erreur de forme très répandue de croire que l'épaisseur est un gage de succès. *Papillon* faisait cinq cents pages, mais *Bonjour Tristesse* et *Love Story* en faisaient dans les deux cents. Les erreurs de fond sont beaucoup plus graves. Elles consistent à croire qu'il y a des recettes. Hélas ! Il ne suffit pas de prendre un thème à la mode, de mettre un peu de sexe, beaucoup de whisky, des voyages ou de la violence, de l'humour ou du mystère selon des dosages scrupuleux comme ceux d'un cocktail. Saupoudrez de gros sentiments ou de drogue et servez chaud sur les plages du mois d'août. Vous obtenez ce qu'on appelle depuis quelques années le « livre de l'été » (s'il est gros, c'est pour qu'il dure tout l'été) ou un « livre de vacances » (pour moi, tout livre doit offrir des vacances), mais ce n'est pas forcément le best-seller annoncé...

Après trente ans de métier et trente-trois livres, je peux dire qu'il n'y a pas de recettes pour écrire des best-sellers. Ce serait trop simple. Mais il y a des miracles : un livre peut se vendre très bien alors que son succès semblait aléatoire. Beaucoup d'éditeurs parisiens ont refusé le manuscrit de *Papillon*. Pandant près de six mois, il s'est promené d'un comité de lecture à l'autre. Quand, finalement, Robert Laffont l'a publié, au début personne ne croyait à un tel raz de marée, et je crois qu'il aurait volontiers cédé ce livre à une autre maison. Et puis l'imprévisible est arrivé.

Si je reparle de *Papillon*, c'est parce que beaucoup de gens ne s'en sont pas remis. Du livre et de son succès. Et que, depuis, chaque été, des auteurs et des éditeurs cherchent à refaire « le coup de *Papillon* ».

Henri Charrière a eu une « sœur » littéraire aux succès plus modestes : *Manouche*, la truculente, l'énorme, l'incroyable Manouche, bien plus fantastique dans la vie que dans sa biographie, écrite par Roger Peyrefitte. Et depuis ces deux livres, on assiste à une floraison de livres témoignages-documents-confession interlopes. La prison et le Milieu sont devenus des écoles d'écriture. Quelqu'un a dû lancer un slogan : « Si vous avez fait de la tôle, vous savez écrire. » C'est à qui racontera ses cavales, ses trafics, ses coucheries et ses casses. Ces deux maladies : la « Papillonite » et la « Manouchite », ont gagné toute l'édition. J'en connais quelques-uns qui ont démonté, remonté, autopsié ces deux livres pour savoir la raison de leur succès. Et les éditeurs ont été inondés de manuscrits dont les auteurs affirmaient qu'ils étaient « le nouveau *Papillon* » ou « la nouvelle *Manouche* ». Il y a sûrement dans ces textes des bons livres. Il y a même — pourquoi pas ? — des gens qui ont vécu (ou recueilli) des aventures encore plus passionnantes que celles déjà publiées. L'ennui, c'est que tout le monde veut refaire « le coup de *Papillon* », tout le monde cherche le best-seller. Or, par définition, un livre n'est best-seller que lorsqu'il est en vente, et si chaque jour il s'en vend des centaines d'exemplaires.

J'ai ici, sur ce bureau, deux lettres significatives, très différentes, mais qui poursuivent le même but. Elles ont été écrites par deux femmes.

Première lettre (je passe sur certains détails qui permettraient d'identifier l'auteur) :

« *Monsieur, voudriez-vous m'aider ? Je désire écrire un livre qui fera certainement le même rendement que* Papillon. *Mais je ne peux le faire seule. Je pense que nous pourrions partager.*

P.-S. : *Je n'adresserai rien par lettre. C'est trop important.* »

Seconde lettre (je la reproduis presque *in extenso*) :

« Monsieur, le vieux truand de Papïllon tombant amoureux (peut-être pour la première fois de sa vie) à soixante-trois ans et, qui plus est, tombant amoureux par correspondance d'une invalide... Délirant, n'est-ce pas ? Et pourtant, l'histoire est vraie, et l'invalide c'est moi. Bonne preuve : je vous envoie une photocopie de la main dudit Papillon.

Sur ce document manuscrit on lit :

Sophie, tu es la plus extraordinaire des amies. La lumière de tes yeux, la chaleur de ton âme, ton cœur qui s'ouvre dans tes lettres, ce tout c'est toi Sophie que j'aime. Ton ami Papillon. 12.10.1969. »

La lettre continue :

« ... *Papillon est mort, et maintenant je peux parler. Mais je ne peux écrire, étant très malade de la vue. Alors voilà : le peu d'amis intimes au courant de cette histoire ont tous eu le cri du cœur : « On dirait du Guy des Cars ! » C'est pourquoi, cher monsieur, la* vox populi *s'étant prononcée, c'est à vous que je m'adresse. Accepteriez-vous d'être mon « nègre », au sens le plus Peyrefittien du terme ? Guy des Cars racontant le grand amour secret et malheureux (bien entendu) de Papillon, je crois que cela pourrait faire un nouveau best-seller en vue, non ?* »

— As-tu été le « nègre » de quelqu'un ?

— Jamais ! Et je ne le serai jamais. Je ne peux travailler que seul. Je suis mon propre enquêteur et mon propre documentalisme. Et à tous ceux qui affirment que j'ai des nègres, j'avoue : oui, j'ai un « nègre ». Il s'appelle Guy des Cars. Et depuis 1941, c'est lui qui écrit mes livres !

Ces deux lettres sont les plus typiques que j'ai reçues dans le genre. Peut-être ces deux femmes détiennent-elles un bon livre. La première aventure pourrait être « Plus fort que Papillon » et la seconde, une nouvelle suite à l'aventure de notre plus célèbre bagnard depuis Vidocq : « Un amour de Papillon. » Peut-être y aurait-il là deux bons livres ? Malheureusement, l'obsession du best-seller fausse tout. « Pourquoi pas moi ? pense-t-on. Ce que j'ai à dire serait bien plus intéressant que toutes ces sornettes... » Quelquefois c'est vrai. Quelquefois...

Mais les miracles se font rares.

C'est une chose d'écrire un livre qui se vend. C'en est une autre d'en réussir plusieurs. Après trente ans de métier et trente-trois livres, j'ose le dire : on ne naît pas best-seller comme on naît poète ou musicien.

— Alors comment expliques-tu que chacun de tes titres soit tiré, au départ, à cent mille exemplaires ? Tu as un truc ? Avoue !

— J'avoue : je n'ai aucun truc ! Les trucs, cela peut servir une fois, deux fois, pas pour une trentaine de livres. Troyat, Bazin, Lartéguy, Gérard de Villiers, Lapierre et Collins, etc., n'ont aucun truc. Mais s'il n'y a pas de recettes, il y a, en revanche, des lois. Cela c'est vrai. Et puisque nous sommes en famille, je peux te dire les lois que j'observe le plus scrupuleusement possible. Elles ne sont évidemment valables que pour le roman et le genre de romans que j'écris.

Première loi : raconter une histoire. Ne jamais raconter la même et changer de milieu à chaque livre.

Cette histoire doit s'approcher au maximum d'une « vérité possible ». Jules de Goncourt, l'un des deux frères qui ont fondé le prix, a un jour écrit à Flaubert : « *Le roman est la seule histoire vraie.* »

Deuxième loi : faire un plan détaillé avant de s'attaquer à la rédaction proprement dite. Cela, c'est capital. Et c'est peut-être la seule bonne chose que j'ai retenue de mes passages chez les jésuites où l'on m'a fait rentrer dans le crâne, à coups d'heures de colle, un petit livre du cardinal Grente (de l'Académie française...) intitulé : *La Composition française et le style.* Il faut savoir ce qui va se passer à la page 30, 100 et 150. Comme ça, on a des chances de ne pas se perdre en route, et le lecteur aussi !

Troisième loi : se raconter à soi-même l'histoire en un quart d'heure. Si on se la raconte sans difficulté, c'est qu'elle tient.

Quatrième loi : avoir toujours un nombre impair de

personnages. Et quand l'action s'essouffle, introduire un nouveau personnage.

Cinquième loi : il faut mettre le lecteur dans la confidence d'une partie de l'action que les personnages du roman, eux, ignorent.

Personnellement, c'est lorsque j'ai observé ces lois à la lettre que mes livres ont davantage touché le public. Mais j'ai bien mis dix ans à les découvrir... et vingt ans à les appliquer. Et je continuerai ! En réalité, elles se résument à un principe très simple : pour qu'un lecteur vous soit fidèle, il faut lui proposer à chaque fois un produit rigoureux, c'est-à-dire établi selon des critères que je m'honore d'avoir créés pour ne pas retomber dans les sentiers de l'éternelle routine romanesque. Le lecteur devient facilement casanier. Il a ses habitudes. Je suis certain de lui en avoir données. C'est peut-être pourquoi il me reste fidèle. Et je pense que cette règle peut s'appliquer à tous mes confrères qui ont réussi à s'attacher, de livre en livre, leurs lecteurs. A l'auteur de garder ses habitudes si elles sont bonnes. On n'imagine pas Simenon se mettant à écrire comme Robbe-Grillet !

Tu vois, il y a trois ans, *Le Monde* m'a consacré une page. Je pouvais tout craindre de cette analyse qui — c'est le moins que je puisse en dire — ne m'a rien apporté en dehors de quelques commentaires jaloux du genre : « Vous avez vu ? *Le Monde* parle de vous. » Et au silence qui suivait pour guetter ma réaction, je voyait se dessiner deux types de flatteurs : ceux qui pensaient : « Si *Le Monde* en parle, il faudra que je lise un de ses livres » ; et les autres : « *Le Monde* en parle ? Alors ça, c'est le comble ! » Eh bien, *Le Monde*, qui est un journal à la fois faussement objectif et objectivement faux, a eu, par la plume de Paul Morelle venu m'interviewer, une définition exacte : « Un Guy des Cars est une image de marque comme chaque époque en fait naître. » Il voulait dire que je suis un « produit ». Cela ne me dérange pas, car c'est vrai. Des époques ont eu un Ponson du Terrail, un Georges Ohnet, un Delly, un Pierre Benoit. Un des

Cars, c'est comme le beaujolais nouveau : on l'attend chaque année, avec ses qualités et ses défauts.

Et là, nous arrivons à une nouvelle définition du best-seller. Bien souvent, le best-seller ce n'est plus le livre, c'est l'auteur lui-même. L'auteur qui, régulièrement, livre au public un produit déterminé. C'est ainsi qu'on dira : « Le nouveau Troyat, le nouveau Lartéguy », etc. Et cette confusion — bien compréhensible — peut aboutir à des résultats surprenants. Le public, conquis d'avance, souscrit les yeux fermés à un auteur. Il y a certains auteurs dont les livres sont « vendus » avant d'être mis en vente. Mais si cet auteur écrit tout d'un coup un livre qui a moins de succès, il est un auteur best-seller dont le dernier livre a moins plu. Cela arrive à tous les auteurs de plusieurs livres. Et les gros succès ne sont pas toujours dans les listes de best-sellers...

— Que penses-tu de ces listes ?

— Tu vas peut-être me retrouver assassiné, mais j'ose dire que la plupart du temps elles sont truquées et, au minimum, incomplètes, fausses et arbitraires.

Prenons la liste publiée chaque semaine par *L'Express*, car c'est la plus connue et celle qui, en France, a le plus d'influence. Elle est intitulée : « *Les succès de la semaine* », et la première anomalie réside dans ce titre, car on y trouve en concours des livres en vente depuis... trois, quatre mois, et des livres qui à peine sortis des presses ne sont pas encore en vente dans toutes les librairies de l'hexagone. Après tout, je suis sûr qu'on pourrait y mettre en très bonne place la millième édition des *Trois Mousquetaires* et, pourquoi pas, des livres de cuisine qui sont vite épuisés à chaque tirage, champions hors catégorie et dont on ne parle jamais dans ces colonnes sélectives. Il serait plus honnête de mettre en concurrence des livres publiés à la même date.

Après le mélange des dates, il y a le mélange des genre. Et c'est plus grave. On ne saurait placer sur un même terrain un roman et un document, un livre d'art et un ouvrage technique, un pamphlet et des mémoires, un policier et un album de bandes dessinées. Certains journaux, comme *France-Soir* ou *Valeurs actuelles*, prennent le soin d'établir des différences entre les romans, les essais, les livres d'histoire, les romans policiers, etc. Cette distinction est indispensable. Malheureusement, elle n'est pas une règle absolue. Un ouvrage sur Rembrandt dont le prix est aux environs de cent francs, un livre sur une affaire qui a remué l'opinion comme celle de Bruay-en-Artois et les Mémoires de la dame-pipi du Concert Mayol, ne s'adressent pas au même public. Ils ne peuvent donc avoir le même impact. Leurs chiffres de vente ne sont pas comparables. Selon la catégorie et le prix, une vente de dix mille exemplaires peut représenter un plus beau succès que vingt mille exemplaires : ces distinctions, on ne les trouve pas dans le tableau hebdomadaire de *L'Express.*

J'entends les objections : « Ce ne sont pas les catégories qui comptent, mais les chiffres, seule preuve du succès. »

Les chiffres ? Ah oui, parlons-en un peu...

Si on publiait les bordereaux de vente, c'est-à-dire les chiffres réels, on aurait quelques surprises ! On verrait que tel livre qui figure dans la liste n'est pas, en réalité, un best-seller. On verrait aussi que tel autre, qui connaît un franc succès, n'y figure pas.

Cela mérite une explication. Je vois souvent plusieurs grands libraires, c'est-à-dire des gens qui connaissent bien leur métier : ils savent ce qu'ils vendent, en quantité et en qualité. Eh bien, chaque semaine ou presque, ils sont les premiers étonnés par le tableau de *L'Express.* Parce que souvent, dans les dix livres qui font partie de ce peloton de tête, eh bien, eux, ces libraires, ils n'en ont pas vendu un depuis plusieurs jours ! Quand ils en ont vendu, ce n'est pas en numéro 1 ni même en numéro 10 !

Comment sont établies ces listes ? Officiellement, d'après des renseignements fournis par des libraires, au maximum une cinquantaine dans toute la France, la Belgique et la Suisse de langue française, choisis en fonction de leur importance, de leur « position stratégique ». Mais il faut se méfier. Certaines grandes librairies impressionnantes par le nombre de volumes qu'elles peuvent recevoir, empiler et proposer, ne sont pas obligatoirement celles où l'on vend le plus de livres. Ce sont des lieux de passage. Beaucoup de gens feuillettent, regardent, examinent. Combien achètent ? Je ne suis pas certain qu'en proportion il y ait plus de livres achetés dans le rayon « Librairie » d'un drugstore que chez un libraire de quartier. La gare Saint-Lazare voit passer chaque jour des centaines de milliers de personnes. Toutes ne prennent pas le train.

Interrogeons deux libraires. L'un dira : « C'est le livre de Y... que je vends bien en ce moment. » L'autre répondra : « C'est le livre de Z... » La plus grande librairie de Marmande ne vend peut-être pas les mêmes livres que celle de Nancy. Un libraire près de la gare de l'Est ne vend pas les mêmes livres qu'un libraire de l'avenue Victor-Hugo. L'été dernier, à Saint-Tropez, dans une librairie, c'était le livre de Philippe Bouvard : *Un oursin dans le caviar* qui se vendait bien au moment où je suis passé. A quelques centaines de mètres de là, c'était celui de Pierre Rey : *Le Grec* qui se vendait mieux. Les librairies sont un peu comme les cours d'assises dont les jurys ont, selon les affaires et les endroits, des verdicts différents. Or, je le rappelle : un best-seller est un livre qui se vend bien dans *toutes* les librairies et pas seulement dans quelques-unes.

D'une librairie à l'autre, ces nuances donnent évidemment des résultats différents, voire contradictoires. Comme au tiercé, certains arrivent dans l'ordre, d'autres dans le désordre. Quand ils arrivent ! Car si on prend les autres tableaux que celui publié par l'hebdomadaire de la rue de Berri, on voit que le numéro 1 dans *L'Express* n'est plus que le numéro 5 dans *France-Soir*, et que le numéro 5 de *France-Soir* n'est pas dans *L'Express*. Tiens... tiens...

On pourrait dire de chaque libraire qu'il peut établir sa propre liste. Mais pour avoir un résultat honnête, valable et complet, il faudrait rassembler tous les résultats de tous les libraires de France. Comme c'est évidemment impossible, on s'en tient à des approximations et à des interprétations. C'est, dans le fond, le même principe que celui des sondages d'opinion : on interroge deux mille personnes et on présente leurs réponses à vingt millions de citoyens. Et la minorité interrogée, cela devient : « Voici ce que les Français pensent de tel sujet... »

Allons plus loin. Prenons une librairie « sélectionnée », c'est-à-dire une librairie dont un éditeur sait que ses résultats de vente seront communiqués à un journal pour établir sa liste. Rien n'empêche l'éditeur de faire acheter en sous-main, par une fausse clientèle, plusieurs exemplaires de son propre livre. Si chaque jour, quinze à vingt personnes « l'achètent », le libraire, à court d'exemplaires, en recommande des exemplaires et la lecture à ses clients. En toute bonne foi, il est convaincu qu'il tient là un best-seller puisque c'est le livre — ou un des livres — qu'il vend le plus. Et qu'est-ce que cela coûte à un éditeur de faire acheter mille ou trois mille livres ? Presque rien, surtout quand le résultat est que le livre en question se retrouve dans le peloton de tête, ce qui lui donne officiellement le label « best-seller ». Et si c'est écrit dessus comme sur le fromage du Port-Salut, il y a des chances pour qu'il le soit. Nous savons tous que le succès appelle le succès...

— C'est une accusation ?

— C'est une hypothèse très sérieuse qui m'a été confiée par un grand éditeur généralement bien renseigné.

Pour lutter contre le favoritisme, *L'Express* a éliminé de la sélection les magasins de vente des éditeurs. On a éliminé la librairie Gallimard pour éviter qu'elle ne pousse des livres de Gallimard, etc. On a même éliminé Larousse : chacun sait que le *Petit Larousse illustré* est un redoutable concurrent :

il vend en moyenne sept cent mille exemplaires par an. Quel best-seller !

On a donc changé la liste des librairies pilotes. (Remarquons, au passage, que la librairie de *L'Express* figure toujours parmi les « points référentiels »...) En changeant de librairies, qu'obtient-on ? D'autres listes qui ne sont pas moins sujettes à caution que les premières. Cela ne nous avance pas sur la voie de l'honnêteté et de la réalité. Peut-être y aurait-il une solution si l'on décidait au hasard, au dernier moment, chaque semaine, lesquelles des librairies donneraient leurs résultats. Peut-être...

Mais nous en sommes loin. D'autant que les chiffres ne sont pas seuls à déterminer les conditions pour figurer sur les listes...

Un exemple ? Un exemple parmi d'autres : après Mai 1968, les éditions Tchou publièrent un livre du journaliste Julien Besançon : *Les Murs ont la parole.* Il figura en bonne place dans la liste de *L'Express* à la quatrième ou cinquième position. Au même moment, les éditions de la Pensée Moderne publièrent *Le Petit Livre rouge du Général.* Il se vendait convenablement, mais ne figurait pas dans la liste. Son éditeur s'en étonna. Il fit une enquête discrète mais instructive auprès des librairies concernées et découvrit que si le livres des éditions Tchou se vendait bien, le sien ne se vendait pas mal : en moyenne, deux cents exemplaires par semaine en moins que celui figurant sur la liste. Cette légère différence permettait, théoriquement, au *Petit Livre rouge du Général* de figurer quand même dans la liste, en position 8, 9 ou 10. Mais les semaines passaient sans qu'il y figurât.

L'éditeur écrivit à *L'Express*, mais ne reçut aucune réponse.

Cet éditeur a compris. Il publie maintenant dans son catalogue sa propre liste de best-sellers. Il classe les livres uniquement publiés chez lui. Robert Laffont avait déjà eu recours à cet autopalmarès dans son bulletin : *L'Actualité littéraire.*

Avec ce système, plus de mécontents. Tous les éditeurs ont des best-sellers !

— Mais lorsqu'un de tes livres sort, en général il est dans ce fameux tableau. Tu n'as pas à te plaindre !...

— D'abord, je ne me plains pas. Je dis simplement que ce n'est pas parce qu'un livre est dans cette liste qu'il est best-seller et que ce n'est pas parce qu'il n'y figure pas qu'il ne se vend pas. C'est précisément parce que, en général, mes livres y sont, que j'ai étudié cette cuisine d'un peu plus près. Mes bouquins comme ceux d'autres auteurs grimpent dans les bonnes places, redescendent, bougent, puis disparaissent. Or, longtemps après cette disparition, ils continuent à se vendre. La vente d'un livre ne cesse pas d'une semaine à l'autre. Car il ne faut pas croire que le public vit au rythme de ces listes. Il a tout de même d'autres choses à faire. Il n'y a que les enragés qui achètent les livres dès qu'ils sortent. Eh bien, avec mes propres chiffres en main, j'ai pu constater le trucage de ces tableaux d'honneur. Par moments, les livres disparaissent alors qu'ils dépassent les deux cent mille exemplaires. C'est à se demander ce qu'il faut vendre — ou ne pas vendre ! — pour que les fabriqueurs de listes vous incluent dans ce club où il faut montrer sa carte de faux révolutionnaire pour être admis. Tiens, pendant que nous parlons, des placards publicitaires annoncent dans *L'Express* numéro 1168, du 2 décembre 1973, à la page 165, *Le Défi Démocratique* : 700 000 exemplaires. Et contre ce pavé, le tableau des best-sellers de la semaine : Surprise : *Le Défi Démocratique* n'y figure pas ! Bizarre ! En réalité, la majorité des exemplaires de ce livre a été achetée par le Parti communiste. Ce n'est donc pas un succès « de librairie ». Et cela me fait penser à cette réplique dans une pièce de Sacha Guitry où l'un des personnages, un écrivain, dit à un ami : « Mon livre se vend bien. » « Ah ! répond l'autre, mais est-ce qu'il s'achète ? » Certes, *L'Express* n'est pas responsable des publicités exagérées de ses annonceurs. Mais si un livre est un best-seller, il faut le dire. Si c'est un four, il faut le savoir. Je trouve cela embêtant pour un magazine dont le slogan est : « *Les moyens de savoir et le courage de dire.* »

Et je crois que les libraires, comme la majorité des lecteurs, ont rectifié d'eux-mêmes, sans tambour ni trompette. Contre les trucages et les manipulations, il y a quelque chose de beaucoup plus fort et de beaucoup plus vrai que les sondages, les ordinateurs et les statistiques : il y a un courant qui passe ou qui ne passe pas, c'est le bouche à oreille, l'opinion d'un critique, la *vox populi*, l'instinct. Cela peut s'appeler de différentes façons, mais c'est toujours le même phénomène, et sans lui il n'y a pas de vrai succès : si le public est d'accord, il n'a pas besoin d'être encouragé. Si le public n'est pas d'accord, rien ne pourra le forcer... John Ford, le cinéaste qui a donné ses lettres de noblesse au western, ne s'occupait que de faire des films pour le public. Il disait : « *Un échec artistique, c'est dommage. Un échec commercial, c'est impardonnable.* » Et Louis Jouvet insistait sur ce point : « *Il n'y a qu'un problème au théâtre. C'est celui du succès.* »

— Peut-on dire qu'il y a des critiques qui n'aiment pas les auteurs de best-sellers ?

— Certains, oui. Et pour la seule raison que le public décide, la plupart du temps, sans l'avis des critiques. *La Quinzaine littéraire*, une gazette qui se veut intellectuelle et ne réussit le plus souvent qu'à être obscure, m'a interviewé longuement toujours sur le même problème : comment fabriquer un best-seller. C'est presque lassant, à la fin, de répéter que cela ne se fabrique pas ! L'article (honnête, d'ailleurs) était précédé d'un chapeau où j'ai relevé une phrase inadmissible : « *De tels livres* [*best-sellers*], *la critique, d'ordinaire, n'a pas à parler. Ils ne témoignent ni d'un effort d'écriture ni d'une volonté de renouvellement de la littérature.* » Alors, je pose une question : à quoi servent les critiques ? La réponse est un peu plus loin dans le second volet de l'interview. Rédigé par une autre personne, il est intitulé : « *Aristote égale Guy des Cars.* » L'auteur de ce titre sait-il qu'Aristote est mort en 322 avant Jésus-Christ ? De deux choses l'une : ou bien je suis plus vieux que Mathusalem, ou bien Aristote est un débutant qui va faire parler de lui !

L'auteur de l'article avoue son désarroi : « *Le succès indéfiniment confirmé de la « mauvaise » littérature est un véritable problème. Ceux qui lisent de « bons » livres se demandent toujours la raison de l'engouement que suscite la médiocrité faite livre* [...]. *On dirait que les grands livres, telles des roses, fleurissent et s'étiolent parfois sur ce « fumier » vivace.* » J'ai compris : le collaborateur de *La Quinzaine littéraire* pense que les best-sellers sont des « mauvais livres ». Je poursuis la lecture — ô combien difficile — de son analyse et je tombe sur ce passage qui est une contribution importante à la critique d'aujourd'hui : « *En fonction de la permanence du contenu de la question « curieuse », on peut dire que tous les écrivains, sans exception, sont des humanistes. Si on décentre le sujet (Beckett), si on l'affirme (Sartre), si on travaille à sa déconstruction par une subversion opérée sur le texte (Derrida), on ne cesse de parler de lui et de restituer les instances eschatologiques qui le concernent.* »

Vous avez compris ? Bravo ! Vous êtes digne d'un abonnement à *La Quinzaine littéraire !*

Vous n'avez pas compris ? Rassurez-vous : moi non plus ! Rendez-moi un service : demandez quelques éclaircissements à l'auteur de ce petit chef-d'œuvre : Mme Anne Fabre-Luce, maître assistant de littérature française à l'université de Nanterre. Comme je vous le dis !

Avant la bouillie pour chat de Mme Fabre-Luce, j'ai eu droit à la plume ciselée de M. Jean-François Revel. M. Revel est journaliste — pardon : éditorialiste — à *L'Express*. Chaque semaine, doué d'une langue concise qui s'inscrit bien dans un magazine de petit format, il donne son opinion sur un problème de politique étrangère, d'économie, de sociologie. Et voilà qu'un jour d'octobre 1969, cet esprit supérieur — il n'accepte *Ni Marx ni Jésus* (c'est le titre d'un de ses livres), mais il a tout de même le toupet de faire connaître *Les Idées de notre temps* (titre d'un autre de ses ouvrages) —, voilà donc qu'il se trompe de rubrique et vient à parler de livres. Pire : de romans ! Encore pire : de romans de Guy des Cars ! Pour les traîner dans la boue. Ce qui serait son droit s'il était critique littéraire, romancier, ou même un lecteur ordinaire. Trois qualités que M. Revel ne possède pas. L'ennui, pour lui, c'est que M. Revel m'a lu ou fait semblant de me lire par devoir. Le malheureux ! Comme je le plains !

Ayant constaté que depuis plusieurs semaines, mon roman *La Vipère* talonnait *Papillon* dans la liste de best-sellers et cela — comble d'audace ! — à quelques pages de sa chronique hebdomadaire, il décida de m'ausculter. Je veux dire : de me lire avec la loupe de l'entomologiste qui veut enfin percer un secret bien gardé. Sincèrement, je le plains. Mais nous sommes quittes : moi-même, j'aurais du mal à lire ses œuvres complètes et, Dieu merci, rien ne m'y oblige !

Il a dû souffrir, le pauvre. Tu penses ! Lire du des Cars, lui, Jean-François Revel ! Pour se remettre de ces quelques mauvais moments passés en mon exécrable compagnie, il a écrit d'un stylo vengeur que je ressemblais « *un peu à ces mobiliers qui ne sont ni modernes ni anciens, copies à bon marché d'une salle à manger Louis XVI, vendues à tempérament* ». Eh bien, je ne me vends pas à tempérament et je préfère être encore du faux Louis XVI que du vrai Revel !

Et il conclut que, décidément, le lecteur est un pauvre type qui ne sait pas lire (sous-entendu : les « bons livres »).

M. Revel a osé titrer sa chronique : *Le « bon public »*, après avoir tristement constaté que le grand public est vraiment bon public. Eh bien, M. Revel, laissez-moi, aujourd'hui, un droit de réponse au nom du lecteur.

Le public n'est pas bon. Il est excellent. Et varié. Et difficile. Et exigeant. Et fidèle. Il a le droit d'être tout cela, car ce public que vous méprisez paie ses livres. Il ne les reçoit pas en service de presse. Il les achète. Savez-vous encore ce que c'est, M. Revel, de faire ce geste ? Un geste définitif : si le livre ne vous plaît pas après sa lecture, personne ne vous rembourse. Allons, M. Revel ! Laissez le public se réjouir de ce que vous appelez fielleusement « la production romanesque de divertissement ». Et croyez-moi : le public n'est pas bon. Il est plus dangereux que vous. C'est lui qui décide, pas vous.

Vous avez voulu me régler mon compte. Je me demande si ce n'est pas parce que vous aviez porté aux nues *Papillon*, qui ne m'avait pas retiré mes lecteurs. Maurice Chevalier m'a écrit que j'avais du mérite, car je n'étais pas bagnard ! Vous fûtes sans doute un des premiers lecteurs de ce bagnard-écrivain puisque vous avez rajouté à ses cinq cent dix pages, quatre pages pour expliquer votre émerveillement devant ce que vous appelez « la littérature orale ». *Papillon* cristallisait vos enthousiasmes. Vous avez sans doute voulu empêcher ma *Vipère* de le mordre.

J'invente ? Dans ce cas, monsieur, vous pourrez toujours vous consoler en pensant que, décidément, je fais du mauvais roman...

— A l'opposé du best-seller, il y a les manuscrits qu'aucun éditeur ne veut publier. Il ne reste à ceux qui les ont écrits que la solution du compte d'auteur. Qu'en penses-tu ?

— Il y a quelques années, un jeune homme ayant écrit un roman se décidait à porter son manuscrit chez un grand éditeur dont les bureaux se trouvaient, à l'époque, près de la place de l'Odéon. Il était neuf heures trente du matin. L'auteur, timide, remit son manuscrit à une secrétaire qui l'assura que ce livre serait lu avec le plus grand soin par le comité de lecture et qui nota son adresse pour le tenir au courant... Le même jour, le hasard voulut qu'une heure plus tard, le nouveau directeur littéraire de cette maison d'édition entrât en fonctions et dans son bureau. Récemment nommé à son poste, il arrivait, comme tout nouveau directeur, avec des idées d'organisation.

Il appela sa secrétaire et lui dit :

« Apportez-moi les manuscrits qui ne sont pas entre les mains du comité de lecture. »

L'assistante, zélée, apporta en plusieurs fois sur le bureau des piles de textes dactylographiés représentant tellement d'espoirs et de rêves. Ils s'entassaient en une pyramide poussiéreuse.

« Bon, clame le nouveau directeur littéraire, nous allons commencer par faire un peu de nettoyage par le vide. » Et d'un œil se voulant expert, il parcourt en diagonale les textes qui avaient demandé tant d'efforts à leurs auteurs. En deux jours, l'épuration fut achevée : quatre-vingt-quinze pour cent des manuscrits étaient retournés à leurs expéditeurs. Mais le diable s'était glissé dans le jeu. Le manuscrit apporté par le jeune homme et qui se trouvait sur le dessus de la pile fut renvoyé... vingt-quatre heures après son dépôt, avec cette lettre édifiante : *« Monsieur, après avoir longuement étudié votre manuscrit et recueilli l'avis de plusieurs membres de notre comité de lecture, nous avons le regret... »*

Avec ce refus, le jeune homme essuyait là son quatrième échec auprès d'un éditeur. Le plus cuisant aussi. Partagé entre la colère et le désespoir, cet auteur en quête d'éditeur lut dans les pages littéraires d'un journal du soir un placard publicitaire modeste, mais qui ouvrait la porte aux plus grandes espérances : *« Nouvel éditeur recherche, pour le lancement de ses collections, des manuscrits inédits. »*

C'était le miracle.

Le jeune professeur — il enseignait le français dans un lycée parisien proche de la gare Saint-Lazare

— envoya son texte en recommandé, avec accusé de réception, à cet éditeur récemment installé à l'ombre de Notre-Dame. Il reçut, trois semaines plus tard, une réponse qui fut un autre genre de surprise. Son livre allait être publié ! Enfin ! Malheureusement, à titre de la participation aux frais, l'éditeur demandait à son auteur la somme de dix mille francs actuels...

Le jeune enseignant ne répondit pas. Aveuglé par cette simple phrase magique : « *Compte tenu des qualités de votre manuscrit, nous avons l'intention de l'éditer* », il essaya de réunir la somme demandée. Son père, sous-officier en retraite, fit des sacrifices surhumains pour réunir quelques économies. Mais il manquait deux mille francs pour en faire dix mille.

Le professeur s'apprêtait à faire la tournée de ses collègues et amis quand l'éditeur le relança avec une nouvelle *proposition de contrat* à plus bas prix : il ne lui demandait plus que sept mille francs, ce qui entraînait, évidemment, une réduction du tirage. Le roman ne serait tiré qu'à quinze cents exemplaires au lieu de trois mille.

Peu importait.

Le professeur accepta avec une joie indescriptible. Il paya, il fut imprimé, puis déprimé. En trois ans, il n'a vendu que trente-cinq exemplaires de son roman, dont dix à des collègues de lycée et un à son père...

Les mille quatre cent soixante-cinq autres exemplaires dormaient, il y a encore peu de temps, dans des cartons attendant un sort meilleur.

Le professeur a aujourd'hui trente et un ans. Heureusement pour lui, il enseigne toujours.

Le livre ne lui a apporté que la satisfaction d'être publié. Satisfaction immense. Surtout quand elle se double d'un changement d'identité. N'avait-il pas reçu de son éditeur toute une correspondance où, sur les enveloppes, en dessous de son nom, figurait cette qualité qui vous ferait vendre père et mère : « *Monsieur X..., homme de lettres...* » ?

Cette histoire est authentique. Elle m'a été racontée

récemment par le héros lui-même. C'est une aventure cruelle, mais typique. Des milliers de gens l'ont vécue. Dans la jungle littéraire, l'édition à compte d'auteur constitue un Matto Grosso, un enfer pire que l'Amazonie : il n'est pas interdit d'y pénétrer, mais c'est en courant de gros risques.

Dans l'édition à compte d'auteur, l'éditeur accepte de publier le livre d'un auteur à condition que celui-ci paie les frais de son livre, c'est-à-dire la totalité du prix de revient. C'est une entreprise légale, mais pas toujours honnête. Légale, parce que c'est un genre de louage de services tel que l'assimile la loi du 11 mars 1957. Mais il ne faut pas croire que c'est un phénomène récent. C'est une pratique presque aussi vieille que l'édition : pendant des siècles, on écrivait des livres pour la seule diffusion de la pensée, pas pour en retirer un profit. Il fut même un temps où il était de fort mauvais goût de vendre ses livres. C'était, dit-on, l'opinion de Voltaire et de Boileau qui ne voulaient pas faire « *d'un art divin un métier mercenaire* ».

Des auteurs devenus aujourd'hui des classiques ont, alors qu'ils étaient à peine débutants, publié leurs premiers écrits grâce à une partie de la dot de leur bonne épouse ou grâce à l'héritage laissé par un vieil oncle ayant eu le bon esprit de penser à établir son neveu. J'ai même connu un grand joueur au baccara du casino de Cannes. Ayant réussi à ne pas tout perdre ce qu'il avait gagné, il me dit : Je vais écrire un livre utile : un traité du jeu. Mais pour être sûr qu'il soit publié, je paierai un éditeur [1]. »

Edmond Rostand, Montherlant, Mauriac, Géraldy, Céline, Proust, Hemingway, auxquels on peut ajouter un futur prix Goncourt et un futur académicien français, ont payé leurs premiers livres.

L'auteur que personne ne veut publier dans des

(1) Et je puis révéler qu'en 1910, mon grand-père, le duc des Cars, a utilisé une partie de sa fortune pour publier ses Mémoires chez Plon. La famille avait de mauvaises habitudes !

conditions normales croit qu'on n'est jamais si bien servi que par soi-même. En général, c'est vrai. Dans le compte d'auteur, c'est faux.

N'importe qui a le droit de donner de l'argent pour être édité. C'est, en quelque sorte, une subvention que l'on se fait à soi-même. Et un plaisir. Parce qu'il faut bien le dire : c'est très agréable de voir son nom sur une couverture de livre. Tout va bien quand ce plaisir ne vise qu'à régaler quelques amis et parents à qui l'on offre ses récits enrichis d'une dédicace qui est tout de même la page du livre que l'on rédige avec le plus de joie...

Tout va mal quand, ayant réglé ce qu'on appelle les frais de fabrication et de distribution, on s'attend à se voir dans la vitrine du libraire et, par conséquent, si on est acheté, à toucher des droits d'auteur. C'est à ce moment que l'entreprise légale frise la malhonnêteté.

Car, il faut le savoir : compte d'auteur ne rime pas avec droits d'auteur !

Les livres ne sont jamais mis en vente dans les librairies ou distribués par les circuits normaux. Pour la bonne et suffisante raison que la mise en place des livres suppose un tirage plus important et une organisation qui augmenterait sérieusement le prix de revient. D'ailleurs, les éditeurs à compte d'auteur n'ont pas besoin de vendre les livres qu'ils éditent : leur souci n'est pas de rentrer dans leurs frais. Tout est déjà payé — parfois largement — par l'auteur. C'est un pacte léonin : l'éditeur tire de substantiels bénéfices, l'auteur espère et ne voit rien venir.

Certes, les apparences sont trompeuses.

Une de mes amies a, malgré mes conseils de prudence, confié un manuscrit à une maison florissante qui, selon sa propre publicité, accepte les participations aux frais.

Son roman ayant été « retenu » (c'est-à-dire qu'elle avait accepté de payer près de onze mille francs), l'éditeur — pardon : le service commercial — lui envoya une lettre miraculeuse. Mais comme c'est une maison qui multiplie les miracles, la lettre était une lettre type. Elle disait que non seulement l'auteur serait édité mais encore remboursé de son « soutien financier » ! On lui précisait qu'elle toucherait « 40 % du prix de vente [6,40 F l'exemplaire] sur 2 900 exemplaires commercialisés ». Pour être plus alléchant que ces obscurités de pourcentage, on prenait soin de chiffrer l'argent qui serait gagné : 18 650 F (les auteurs, c'est bien connu, ne savent pas compter ; ils savent seulement recevoir des chèques). Et enfin, dernière — et non la moindre — précaution : ces bénéfices ne porteraient que sur le premier tirage. Ce qui laisse astucieusement supposer qu'il peut y en avoir d'autres...

A cette lecture, la femme entre deux âges qui me demandait conseil avait entendu sonner toutes les cloches du paradis... Editée, remboursée, payée : c'était merveilleux !

Ce livre est paru. Mais en dehors de la famille de l'auteur, personne ne l'a su et personne ne l'a lu.

Le piège de l'édition à compte fonctionne bien. Il fonctionne grâce à la complicité inconsciente de deux catégories de gens : les naïfs et les vaniteux. Je ne dis pas cela par méchanceté. Je dis cela parce que c'est vrai. L'édition à compte d'auteur est certainement l'une des formes les plus élaborées et les plus efficaces de l'exploitation de la crédulité humaine.

Il s'agit pour moitié de gens ayant dépassé la quarantaine et qui veulent à tout prix, un prix fixé par l'éditeur, acquérir une certaine notoriété. On compte, paraît-il, tout de même plus de dix pour cent d'auteurs de moins de vingt et un ans. C'est considérable. Et je crois qu'ils n'ont pas tort : il y a certainement parmi eux des gens qui ont quelque chose à dire pour le plus grand plaisir d'un public. Si, par l'obstination d'un éditeur, qu'elle soit légitime ou non, ce public ne vient pas vers eux, ils jouent les Lagardère de l'édition et vont vers la clientèle. De ce point de vue, cette activité littéraire marginale a eu ses lettres de noblesse. Sans elle, personne n'aurait jamais lu les auteurs que j'ai cités tout à l'heure. Il y aurait des vides dans la littérature...

Malheureusement, les victimes ne sont pas toujours innocentes. Je veux dire qu'elles ne prennent aucune précaution. C'est, il est vrai, très difficile d'être au courant des usages, des tarifs lorsqu'on débarque du train ou de l'avion à Paris, parce qu'on a enfin reçu, après des années, une lettre d'un éditeur qui vous dit : « Oui, votre livre me plaît. Oui, je l'édite. » Quand on arrive dans cet état d'esprit — soit certainement quatre-vingts pour cent des cas — on est en état d'infériorité et c'est bien normal. C'est humain. C'est pathétique.

J'ai connu un homme délicieux, ancien colonel de cavalerie, dont le péché mignon était d'écrire. Il avait d'ailleurs une bonne plume. Dans son bureau encombré de belles éditions, de feuillets traversés d'une écriture — la sienne — majestueuse comme celle de Louis XIV, calfeutré dans une robe de chambre presque historique, il écrivait dès six heures du matin, en pensant : « La littérature appartient à ceux qui se lèvent tôt. » Je l'ai vu travailler, car c'était un ami, et comme il se soutenait en buvant du café, on eût dit Balzac entre deux lettres à Mme Hanska.

A la différence de Balzac, il n'était pas poursuivi par les créanciers, mais par son éditeur — ce qui peut être pire. Celui-ci avait trouvé dans ce charmant officer doté de quelques rentes une excellente source de revenus. Et le colonel écrivait depuis des années. Qu'écrivait-il ? Des ouvrages militaires et d'action, des romans, dont certains étaient moins mauvais que des prix Goncourt. Les héros étaient cocardiers, ils chargeaient bille en tête en criant à pleine poitrine « Haut les cœurs ! » Cela sentait la guerre, la tripe, le héros, l'homme.

Le colonel écrivait pour son plaisir. Comme il avait raison ! Les participations que lui demandait son éditeur ne l'affectaient pas. Sa famille, quelquefois, s'en offusquait avec malice.

Un après-midi où il me racontait son prochain livre,

après que je l'eus écouté avec joie, car c'était un être généreux (pas seulement pour son éditeur) et un homme plein de panache et d'humour, il me dit :

« Je sais ce que vous pensez... Mes filles me disent que mes livres me coûtent plus cher qu'une danseuse. C'est peut-être vrai. Mais, voyez-vous, c'est plus agréable qu'une danseuse : c'est moins fatigant, car je ne suis pas obligé de « lui faire la conversation » ! »

Ce colonel qui m'honora de son amitié est, à ma connaissance, un exemple unique d'auteur au comptant qui ait été heureux de son sort.

Il avait accepté la règle du jeu et il en connaissait les limites.

Mais c'est une exception. Et comment pourrait-il en être autrement ?

Quand votre éditeur vous annonce qu'il va faire passer des placards publicitaires dans la très sérieuse *Bibliographie de la France,* que les critiques recevront un exemplaire de service de presse, que des spots publicitaires (sur des postes périphériques) passeront le jour même où des pages entières des plus grands journaux seront consacrées à la collection où figure votre livre, peut-on ne pas être séduit ?

Tout est beau, tout est merveilleux. Tout cela est vrai.

L'ennui c'est que, sauf exception, il manque ce qu'il y a de plus important pour un livre : être chez le libraire. Le livre à compte d'auteur n'est pas chez le libraire parce qu'il ne peut pas y être... Et il ne peut pas y être parce qu'il n'est pas fait pour être acheté normalement. Il ne peut être vendu que si l'auteur lui-même se fait son propre représentant et son propre libraire.

Cette forme d'édition est tout de même très utile. Elle permet à beaucoup de gens de s'exprimer, et il vaut peut-être mieux se faire éditer que de se ruiner en se droguant. On m'a toujours dit qu'il y avait trois façons de se ruiner : « La plus agréable : les femmes.

La plus rapide : le jeu. La plus sûre : l'agriculture. » Ajoutons-en une : « La plus trompeuse : le compte d'auteur. »

Car il ne faut pas sous-estimer le phénomène. Dans *Le Monde* du 4 octobre 1973, je lis que le catalogue des éditions la *Pensée Universelle* — quelle belle raison sociale — comporte plus de mille titres. C'est considérable. Et il y a d'autres maisons. Mais, évidemment, la *Pensée Universelle* jouit d'un prestige à part. C'est la seule entreprise du genre qui s'offre — aux frais de l'auteur ? — des pages entières dans *Le Monde*. Moyennant quoi, *Le Monde* est pratiquement le seul journal dont certains collaborateurs distillent çà et là quelques gouttes d'appréciation critique sur les ouvrages en question.

Si je prends *Le Monde* à la page 17 du 14 novembre 1973, je vois les trois volets où l'on trouve les auteurs : cinquante pour cent pour les romans (personnellement je trouve cela bien), vingt-cinq pour cent de poésie (on dit que c'est grâce à cela qu'il y a encore des poètes en France) et vingt-cinq pour cent d'essais.

Tout est étonnant dans cet « extrait du catalogue » : les noms d'auteur (sans doute des pseudonymes pour quatre-vingt-dix-pour cent des cas), les titres des livres, les brefs commentaires qui les accompagnent, et même la précision des prix.

Au rayon « Poésie » je trouve : *Mon Curé dans le gnouf*, par Piqueur, 17,12 F.

Au rayon « Roman », je remarque : *Quand les bananes donnent la fièvre,* par Marie-Juliette Barrie. « L'histoire d'une famille d'ouvriers viticoles languedociens », 32,10 F.

Et au rayon « Essai », je retiens : *L'Enterrement du texte,* par Stephen Marick. « Rendre explicite l'implicite face à l'accusation de la comédie », 14,98 F. *Le Monde* du 4 octobre 1973 cite un passage de livre assez délirant : « *Alors, le douanier a ri à s'en décrocher les mâchoires, et son rire grossier ébranla les murs gris de la gare frontalière et faillit faire cata-*

pulter le soleil d'Espagne au-dessus des cimes pyrénéennes. »

M. Alain Moreau, le souriant P.-D.G. de cette jeune maison, a raison quand il dit en parlant des autres éditeurs (ceux qui paient au lieu de faire payer) : « *Trop souvent, la sélection n'est qu'une guillotine. Qui peut se vanter de porter un jugement absolu sur la valeur d'une œuvre ? Les modes, les impératifs commerciaux, les opinions personnelles imposent des décisions subjectives.* »

C'est évident : tous les livres édités normalement ne sont pas dignes de l'être et tous les livres édités à compte d'auteur ne sont pas ridicules et seulement bons à être distribués aux amis.

Après le refus d'un éditeur, il n'y a que le compte d'auteur. Mais là où je ne suis plus d'accord avec M. Moreau, c'est lorsqu'il dit : « *Nous sommes la cour d'appel du talent, sinon du succès.* » (*Valeurs actuelles*, 12 novembre 1973.)

Belle formule, mais formule terrible : on n'obtient « justice » que si on a les moyens « d'aller en appel »... La « justice littéraire » a des tarifs, des taux de T.V.A. Pas question de qualité, passons la monnaie. Et si on est sans le sou, on se retrouve éconduit une nouvelle fois. Si l'on est sans moyens, le compte d'auteur ne répare pas les injustices. Il les renouvelle et les aggrave. C'est vraiment le contraire de l'assistance judiciaire. Une poétesse est venue un jour me voir ici, juste avant un rendez-vous qu'elle avait pris chez un ex-député bourguignon qui, entre un débat à l'Assemblée Nationale et une tournée électorale, grugeait les poètes et romanciers en mal d'éditeur. Depuis des années, cette brave femme économisait franc après franc pour se faire éditer. Je l'avertis :

— Je vous assure que vous serez déçue... Vous ne reverrez pas vos économies...

Elle me regardait, incrédule :

— Mais personne d'autre ne veut m'éditer ! Que faire ?

— Baissez de cinquante pour cent le prix que cet homme vous demandera. Il acceptera sûrement, et ce sera encore du vol !...

Elle partit, un peu rassurée. Deux heures plus tard, elle revenait dans ce bureau, complètement effondrée, avec cette seule explication :

« Il m'a demandé trop cher... Je n'ai pas assez de talent. »

Du talent, cette pauvre femme en avait. Il ne lui manquait que « des talents »...

L'édition est un club fermé. C'est, hélas, vrai : n'y entre pas qui veut, quelle que soit la forme choisie. Dans l'édition normale, il peut être utile d'avoir des amis. Dans l'édition marginale, il est indispensable d'avoir de l'argent et de pouvoir en perdre.

— Si tu en avais eu les moyens quand tu voulais écrire, aurais-tu eu recours à ce système ?

— Sûrement pas et, d'ailleurs, la question ne se posait pas. Au début, je n'avais aucun moyen ; après, des éditeurs m'ont fait confiance. Mais, à l'époque, ce n'était pas comme aujourd'hui. La rage d'écrire et d'être publié ne s'était pas emparée des gens comme c'est maintenant le cas. Et dans les années d'après-guerre, il ne devait guère y avoir que les gens qui avaient fait fortune dans le marché noir pour pouvoir, éventuellement, se faire éditer. Je crois, franchement, que j'aurais évité ce moyen. Pour une seule raison : il vous prive du contact avec le lecteur. Le lecteur est un compagnon, un ami. Mais pour un romancier, il est davantage : il peut être une mine d'aventures, de situations, de problèmes réels. Le roman vient de la réalité et il y retourne par le biais de la fiction.

Sans lecteur — fût-ce un seul lecteur —, j'aurais été dans l'impossibilité d'écrire des romans vrais.

Le lecteur, c'est la vie. Et souvent la réalité surpasse la fiction...

3

LA REALITE SURPASSE LA FICTION

— Dans tes romans, quelle est la part de la réalité et celle de la fiction ?

— Elles ont autant d'importance l'une que l'autre. Un livre qui ne restitue que la réalité est un récit, un témoignage, une sorte de long reportage. Un livre qui ne fait appel qu'à l'imagination est un essai, un poème, une fantaisie, un exercice de style.

Ni l'un ni l'autre ne sont des romans.

François Mauriac a bien analysé ces rapports réalité-fiction dans quelques pages qui portent un beau titre : *Le Romancier et ses personnages.* On peut y lire : « *Les personnages que les romanciers inventent ne sont nullement créés si la création consiste à faire quelque chose de rien. Nos prétendues créatures sont formées d'éléments pris au réel ; nous combinons, avec plus ou moins d'adresse, ce que nous fournissent l'observation des autres hommes et la connaissance que nous avons de nous-mêmes. Les héros de romans naissent du mariage que le romancier contracte avec la réalité* [...] *La vie fournit au romancier un point de départ qui lui permet de s'aventurer dans une direction différente de celle que la vie a prise* [...]. *Et cependant, grâce à tout ce truquage,* de grandes vérités partielles ont été atteintes [...].

« *Le roman, c'est la transposition du réel et non la reproduction du réel.* »

Ces lignes, écrites en 1933, me semblent très exactes. Le roman, c'est une vérité inventée que l'imagination transforme en vérité possible. Un bon romancier est celui qui arrive à faire croire à ce qu'il écrit, surtout si ce qu'il écrit est incroyable.

Dans *De cape et de plume,* j'avais confié à mes lecteurs les événements authentiques à l'origine de chacun de mes romans jusqu'en 1964. Depuis, j'ai écrit huit romans. Tous, comme ceux qui les ont précédés et ceux qui, j'espère, les suivront, ont un point de départ authentique : personnages, situations, milieux. Mon travail essentiel a été de construire une histoire autour.

Si je prends par exemple le *Faussaire,* l'histoire d'un jeune peintre très doué qui est la proie d'un marchand de tableaux peu scrupuleux, c'est parce que j'avais rencontré un tel personnage. Le marchand existe et il est très connu. Cette base m'a servi de toile de fond — si j'ose dire — pour dépeindre les trafiquants et le trafic des fausses toiles de maîtres en Europe et aux U.S.A. Entre les veuves abusives, les escroqueries, les expertises et les contre-expertises, la peinture sort souvent de la chronique des beaux-arts pour entrer dans celle des procès. D'autant que le faux en matière de peinture est l'une des escroqueries les moins punies par le Code pénal. C'est déplaisant. Mais qu'on le veuille ou non, c'est vrai, cela existe.

Si je prends *L'Entremetteuse,* l'histoire piquante d'une reine parisienne de la galanterie organisée, ai-je besoin de rappeler que de telles femmes existent ? Je dis des femmes et non une seule. Mon héroïne, Mme Carole, n'est pas Mme Claude — comme on l'a prétendu. Mon entremetteuse est une synthèse. Et personne ne peut, évidemment, nier l'existence de ce commerce de luxe qu'est la vie en rose pas tout à fait clandestine. Pas tout à fait puisqu'elle fonctionne pour la plus grande satisfaction de tous, policiers et clients...

Si, enfin, je parle de mon roman *Le Donneur*,

l'histoire d'un homme qui, discrètement, tire un profit confortable de sa semence, je puis garantir qu'en France cet homme existe — et il existe à plusieurs dizaines d'exemplaires. La presse a d'ailleurs consacré à ce type de personnage encore méconnu de notre société la place qui lui revient. Que l'on soit scandalisé comme cette dame qui m'a écrit « *277 pages pour du sperme, c'est vraiment trop, monsieur !* », ou que l'on comprenne cette activité, il faut bien reconnaître que déjà aujourd'hui une partie de l'avenir de l'homme est, si j'ose dire, entre les mains des donneurs... Le personnage qui m'a servi de modèle est d'ailleurs un homme passionnant qui travaille dans une grande entreprise de la Région parisienne connue dans le monde entier.

Mais ce qu'il y a de plus étonnant, ce n'est pas la réalité qui sert de point de départ au roman. C'est la réalité qui rejoint le roman et, parfois, le dépasse.

Je l'ai constaté car, après chaque livre, je reçois un courrier extraordinaire parce qu'il est extrêmement varié. J'ai dit, au début de ce livre, que les lettres du courrier du cœur étaient parfois inventées. Celles que je reçois sont toutes authentiques. Elles constituent même le roman le plus incroyable et le plus fabuleux que l'on puisse concevoir. Elles vont de madame X... (je gomme le nom, mais tu le vois toi-même) qui me demande d'urgence l'adresse d'un chirurgien esthétique, à cette lectrice parisienne qui me déclare « *Chaque fois que je vous lis dans le métro, je rate ma station !* »

Je n'accorde pas une importance excessive aux lettres de louanges ou de félicitations pas plus qu'à celles de déception, voire de reproches, sauf quand elles viennent de gens sincères, objectifs et documentés. Beaucoup plus étonnantes sont celles qui me disent : « *Monsieur, c'est incroyable : votre livre, c'est mon histoire ! Comment avez-vous pu en avoir connaissance ?* » Ou bien : « *Cette histoire est arrivée à mon ami*[e]*, il y a trois ans. Comment avez-vous su ?* »

Quatre-vingt-dix-neuf fois sur cent, je n'ai jamais entendu parler, avant d'écrire le roman, de l'histoire de madame X... ou de celle de monsieur Y... Je l'ai imaginée. Et, souvent, l'actualité vient donner une couleur crue — celle de l'authenticité — à ce qui n'est que de l'affabulation romanesque.

C'est donc que si la fiction part de la réalité, souvent la fiction aboutit à la réalité. Ce cycle, c'est la vie. Le roman, c'est une vérité. Mais dans la vie peuvent coexister plusieurs vérités voisines, seulement différenciées par quelques nuances. Le roman c'est une de ces vérités, la vie c'est toutes les vérités.

Trois semaines après la sortie du *Faussaire,* en 1967, éclatait à Paris l'affaire de la Galerie Romanet : treize toiles venaient d'y être déclarées fausses. Le 3 juillet, je recevais de Barcelone la lettre d'un expert en tableaux anciens et modernes, établi à Zurich. Il me disait : « *Je reviens de New York et j'ai été très étonné de voir chez tous les marchands une quantité innombrable de Bernard Buffet, d'Utrillo et de Chagall. J'ai eu la preuve que le Park Bernet Gallery était sous l'influence de grands marchands, tous juifs comme il se doit. Il importe de mettre fin aux escroqueries du gang très puissant et très bien organisé des marchands new-yorkais.* » Un lecteur perspicace m'a même écrit pour me demander si je n'avais pas eu connaissance de l'affaire Van Maegeren. Comme elle eut un retentissement spectaculaire, il eût été difficile de ne pas en entendre parler. J'avais donc étudié le cas de cet artiste antiquaire hollandais condamné à un an de prison le 12 octobre 1947 par le Tribunal d'Amsterdam pour avoir peint, notamment *Le Christ et la femme adultère,* un tableau que les experts les plus compétents avaient attribué à Vermeer. Pendant la guerre, le maréchal Goering, qui avait, entre autres spécialités moins plaisantes, le goût de la belle peinture, acheta des Vermeer qui n'étaient que des Van Maegeren... J'avais disséqué cette affaire, celle-là et beaucoup d'autres.

Je regrette qu'un autre lecteur, courroucé, m'ait

écrit que je me complaisais dans « *La pire des littératures : celle où une imagination de la plus contestable fantaisie le dispute à la nullité de la documentation* ». Permettez-moi, cher monsieur, de vous faire remarquer que l'imagination est précisément ce qu'on attend d'un romancier. Quand vous ajoutez que « *ces histoires n'intéressent plus que les femmes de chambre émancipées faisant leur chemin dans le monde* », vous avez tort de sous-estimer la fascination qu'exerce sur un public plus vaste qu'on ne le pense le problème des vrais et des faux tableaux. Cela me fait penser à Henry Chapier, alors critique cinématographique de *Combat*, qui écrivit le 22 janvier 1969 à propos du film de Claude Chabrol *La Femme infidèle* : « *C'est le monde de papa... Voilà bien des problèmes d'une certaine préhistoire. En quoi peut-il concerner une société qui évolue à pas de géants et dont les problèmes au niveau de l'individu sont tellement plus passionnants et plus complexes ?* »

Je ne savais pas que, depuis Mai 68, les histoires de cocus n'avaient plus cours !

Les aventures rocambolesques et les combines de la fausse peinture sont un vrai roman qui intéresse — dans tous les sens de ce verbe — beaucoup de gens. Un magistrat instructeur de la cour d'appel de Paris m'a écrit le 18 juillet 1967 pour me dire que j'étais encore en dessous de la vérité car, disait-il, « *depuis huit ans, je monopolise en quelque sorte l'instruction des grandes affaires de faux en matière artistique. Et, croyez-moi, on y trouve des gens de tous les milieux plongés dans des aventures que même vous, monsieur, malgré votre imagination, auriez eu du mal à sentir* ».

N'oublions pas que depuis 1945 sont entrés aux U.S.A. au moins 140 000 Utrillo, 9 428 Rembrandt, 113 254 sanguines de Watteau, et que la Mona Lisa au sourire énigmatique (*La Joconde*) existe en 24 exemplaires en Amérique du Nord ! Sur certaines de ces toiles, elle sourit franchement : elle y est peinte toute nue ! Dans ce tableau, seul le sourire est vrai.

N'oublions surtout pas que le faux est, dans sa grande majorité, une industrie essentiellement française...

Vers 1960, un marchand de tableaux parisien s'embarque pour New York, avec une centaine de copies de Corot, de Manet et de Monet.

Un complice prévint, peu de temps avant son arrivée, la douane new-yorkaise que ce marchand allait tenter de faire pénétrer clandestinement aux Etats-Unis des tableaux authentiques déclarés comme faux.

A l'arrivée, les douaniers épinglèrent le marchand. Il protesta sagement qu'il ne s'agissait que de copies qui seraient vendues comme telles. Les experts de la douane ne crurent pas cet homme qui protestait de sa bonne foi. Et, pour lui montrer qu'il avait tort de les prendre pour des imbéciles, ils passèrent ces toiles au crible de leur conviction et, dans la foulée, authentifièrent soixante des cent copies.

Suprême astuce du marchand : il baissa la tête et paya une forte amende, c'est-à-dire les droits appliqués par la loi américaine à une œuvre authentique. Mais, six mois plus tard, il avait encaissé près de sept milliards en revendant ses copies, de vrais faux qui étaient devenus de faux vrais grâce aux certificats de la douane new-yorkaise !

Peu de temps après la sortie du livre, un grand collectionneur parisien me raconta l'histoire suivante dont il avait été le héros.

La scène se passe dans une vente aux enchères. On adjuge les toiles d'un peintre récemment disparu. C'est sa veuve, pressée par des besoins d'argent, qui vend les dernières toiles de son mari. Elle en profite pour faire savoir que certains autres tableaux vendus depuis des années risquent d'être des faux et qu'elle seule peut dire sans risque que telle ou telle toile de son pauvre époux est bien de sa main... Plusieurs propriétaires se pressent autour d'elle. Parmi eux, le collectionneur en question présente un petit tableau. La veuve, jetant à peine un regard dessus, déclare :

« Monsieur, cette toile n'a pu être exécutée par mon défunt mari... C'est un faux et un faux grossier ! »

A ce moment, le collectionneur sort d'un dossier une lettre du peintre lui-même, écrite plusieurs années auparavant. Dans cette lettre, l'artiste expliquait les raisons financières très particulières pour lesquelles il vendait ce tableau... à l'insu de sa femme, car il avait une maîtresse qui le ruinait. Cette lettre, plus efficace que le plus authentique des certificats, était irréfutable.

Le collectionneur avait promis de garder le silence du vivant du peintre. Il conclut :

« Madame, voyez cette lettre : c'est votre mari lui-même qui me l'a vendu ! »

Il y eut un silence gêné. Puis la veuve, toujours parfaitement maîtresse d'elle-même, laissa tomber cette phrase splendide :

« A la réflexion, monsieur, c'est possible. Mais croyez-moi, c'est sa plus mauvaise toile ! »

La veuve oubliait simplement de préciser qu'elle n'était que la troisième épouse du peintre et que lorsque celui-ci, assez diminué, l'avait épousée, il ne peignait pratiquement plus. Et le tableau en question avait été peint sous le règne de la seconde épouse, quand la troisième n'était que la maîtresse...

On voit que la peinture est aussi une jungle.

On ne s'y bat pas au stylo, on s'y bat au couteau.

Après *L'Entremetteuse*, j'ai reçu d'un très haut fonctionnaire (je ne peux évidemment le nommer, mais c'est un lecteur fidèle et exigeant), j'ai reçu ces lignes datées du 11 juillet 1970 et qui me semblent d'une piquante actualité : « *... Il est très consolant d'apprendre que malgré les politiciens moralistes, les « maisons » d'autrefois ont subsisté dans les beaux quartiers. Pour le conservateur que je suis, cette fixité est rassurante même si, pratiquement, elle n'est pas exploitée.*

« *Je vous ferai cependant deux remarques.*

« Quand vous citez des prix, vous donnez des chiffres exorbitants : vous allez faire grimper les cours ! » (Saluons au passage le souci du fonctionnaire à lutter contre l'inflation !)

« En tant que familier du quartier de la Madeleine dont la réputation, en ce domaine, n'est plus à faire, savez-vous que Casanova louait une maison vers la rue de l'Arcade ? Bien qu'il ait été abbé et docteur en droit canon, ce ne devait pas être pour y avoir des lectures pieuses... »

Jacques Chastenet, éminent académicien français et historien qui a su faire revivre la IIIe République, m'a écrit que « L'Entremetteuse *était une savoureuse contribution à l'histoire de notre temps* ». Mais c'est la lettre d'une lectrice toulousaine que je préfère :

« J'allais écrire mes Mémoires et vous m'avez devancée. C'est à croire que vous me connaissez. Votre livre est le récit authentique d'une certaine partie de ma vie. C'est incroyable ! Tout y est relaté, même la mort de mon cher mari qui s'est tué en voiture en 1964. Bien sûr, je n'y retrouve que les grands moments de mon existence, la longue période où j'étais en contact avec la clientèle huppée qui était la mienne. Songez que je suis la plus vieille prêtresse des amours cachées de ma bonne ville de Toulouse. Je ne suis pas « Madame Carole », je suis Mamie, du Mylord l'Arsouille. *Hélas ! L'âge et la maladie m'ont obligée à passer les dés... Et dans ma retraite, j'ai voulu écrire ma vie, bien avant que je ne m'occupe d'organiser la galanterie, mais à l'époque où j'étais l'une des plus belles filles de Toulouse. C'est vous qui avez écrit ce livre. Il est vrai. Vous pouvez contrôler mes dires. Qui ne connaît pas à Toulouse Mamie du* Mylord l'Arsouille ? *Je fais partie des monuments ! »*

Merci, chère lectrice, vous que je ne connaissais pas. Et j'ai pris bonne note que la splendide cathédrale Saint-Sernin et le grandiose Capitole n'avaient qu'à bien se tenir : pour les visites, il y a de la concurrence !

Après *Une certaine dame*, j'ai reçu une lettre pathétique qui exige l'anonymat. Ce roman posait le problème d'un petit garçon élevé comme une fille par sa mère et qui après un traitement hormonal et une opération devient... une dame. Les transsexuels existent, qu'on le veuille ou non, je ne les ai pas inventés. Et leur « situation » dans la société, qui fait rire les niais, est, en réalité un drame. Cette lettre me dit : ...« *Trop effeminé pour conserver un emploi d'homme suffisamment rémunérateur et trop fier pour m'exhiber ou offrir mon corps, je me suis jeté sous un camion sur la R.N. 7. Il m'a évité en percutant le mur en face. En me sauvant, le chauffeur s'est tué, fixant pour ma vie entière cette vision d'horreur dans ma mémoire. Cet homme avait 26 ans, il était sur le point de se marier. N'ayant pas été inquiété, j'ai vécu pendant deux ans sans goût, envoyant un peu d'argent aux parents de ce garçon, après avoir obtenu — ce fut très difficile — leur adresse à l'hôpital. J'ai fini par me marier avec une jeune femme que je m'efforce de combler. Mais elle n'est pas heureuse et s'impose comme un devoir de ne pas m'abandonner. Nos rapports physiques sont laborieux mais avec du temps et sa compréhension, j'ai pu lui donner un enfant. C'est horrible. J'ai épousé cette femme pour sauver les apparences, croyant que j'aurais une vie normale. Hélas... Je me sens une double nature et pour tout vous dire, je préfère, même si cela paraît monstrueux, me « sentir femme » que me sentir homme. A trente ans, ayant provoqué la mort d'un homme, ayant gâché la vie d'une femme, j'ai l'impression d'être un fossoyeur.*

L'idée du suicide m'obsède. J'avoue attendre la conclusion d'une demande d'assurance-vie en faveur de ma femme et de mon fils pour disparaître accidentellement. Et cette fois, je dois y parvenir, pour expier. Mais avant, je voulais vous remercier d'avoir écrit ce livre... »

— Ton public est surtout féminin : près de soixante pour cent de tes lecteurs sont des lectrices. Est-ce que cela ne t'oblige pas à choisir des sujets particuliers, à mettre l'accent sur des préoccupations de la femme ?

— Pas du tout. D'abord, si beaucoup de femmes me lisent, leurs maris, leurs amants me lisent aussi. Après elles. Mon courrier en témoigne. Il faut dire qu'être lu par les femmes vous donne la chance d'être lu par les hommes. L'inverse est beaucoup plus rare. Ce n'est pas parce que les femmes ont souvent plus de temps pour lire que leurs compagnons masculins. Malheureusement — je dis bien : malheureusement — les femmes travaillent de plus en plus. Mais s'agissant de romans, peut-être sont-elles davantage disposées à l'évasion, au besoin de se distraire et de penser à autre chose que les hommes.

Si dans tous mes livres (sauf dans *L'Officier sans nom*), il y a des femmes, c'est bien parce qu'elles me semblent beaucoup plus passionnantes que les hommes. Leurs qualités et leurs défauts sont des mines d'or pour les romanciers. Et l'on n'a pas encore lu un grand roman sans femme présente au fil des pages, qu'elle soit épouse, maîtresse, mère, collaboratrice, amie ou ennemie. Comme j'aime la femme, j'ai essayé de la peindre. Cela m'a donné des héroïnes et des lectrices. Beaucoup de lectrices car les femmes les plus féminines adorent observer, analyser et juger leurs semblables. Ce sont elles qui, furieuses ou contentes, m'envoient les lettres les plus engagées.

Et si j'ai traité certains problèmes ressentis surtout par les femmes, c'est pour une raison romanesque : c'est parce que ces problèmes ont une immense influence sur les hommes dont elles partagent la vie ou qu'elles croisent quotidiennement.

Il y a cinq ans, une lectrice — elle avait à peine vingt-deux ans — m'a écrit pour me suggérer un livre sur la chirurgie esthétique. « *J'étais laide,* me disait-elle. *J'ai fait modifier mon visage. Je suis devenue jolie mais jusqu'à présent, cela n'a rien changé à ma vie. J'ai tout au plus perdu un petit complexe. Et aujourd'hui, je me demande si cela en valait vraiment la peine. Peut-être trouverez-vous là matière à un livre ?* »

Cette lettre était frappante. Elle représentait la synthèse d'une obsession féminine très actuelle et qui l'est toujours, bien que plus discrète que les prétendues volontés d'indépendance criées par les passionarias du M.L.F. : le besoin de se sentir belle.

Oui, il y avait là matière à un livre. Ecrit après des mois d'enquêtes et grâce à l'aide d'un grand chirurgien bien connu des milieux du cinéma et du théâtre, ce livre est devenu *L'insolence de sa beauté.*

Il m'a permis de constater que la laideur — du moins l'idée que s'en font les femmes — ne connaît ni les frontières de l'âge, ni celles du milieu social, ni même celles de l'argent. Je ne puis évidemment révéler des secrets d'ordre professionnel mais la clientèle des chirurgiens esthétiques est parfois surprenante. Et la gamme des tarifs n'exclut pas qu'une personne aux ressources modestes puisse, moyennant des sacrifices, envisager une opération esthétique. Evidemment, pour d'autres plus fortunées, le centimètre de peau neuve est hors de prix. C'est, si j'ose dire, une question de tête...

Les affiches, les magazines, la publicité éliminent la laideur en ne vantant que la beauté. Une beauté à la portée de toutes ou presque. Et pourtant, les femmes courent ainsi un très gros risque dont on ne parle pratiquement jamais : elles font le sacrifice de leur personnalité.

C'est particulièrement délicat pour une vedette du grand ou du petit écran. Elle se fait refaire le nez, son visage est plus harmonieux mais il lui manque un je ne sais quoi de charme et de caractère qu'il avait avant d'être soumis au bistouri. Cette femme qui avait l'avantage d'être une jolie laide n'est devenue qu'une beauté fade, terne. Et pour se venger, en général, une telle créature se dit « C'est raté. « Il » (le chirurgien) m'a ratée. » Evidemment, elles ne le clament pas sur les toits. Mais elles ont tort. Avant, elles avaient un visage intéressant. Et ce sera toujours plus attirant que la beauté.

En approfondissant mon enquête, j'ai découvert une réaction féminine curieuse : une femme devenue belle cesse souvent d'être aimable, gracieuse, agréable.

Cela surprend mais c'est moins rare qu'on ne le pense. A priori, enfin comblée, débarrassée d'une angoisse sourde, décomplexée, la nouvelle femme devrait être heureuse, donc agréable. Eh bien non : elle se venge d'avoir été laide !

Un de mes amis qui dirige un laboratoire d'analyses avait une fille pas spécialement jolie. Mais ses yeux, splendides, éclairaient à eux seuls ce visage ingrat. Elle en faisait un complexe stupide, incontrôlable et tenace comme tous les complexes. Son père a fini par céder (elle était mineure : l'opération requérait le consentement des parents). Il lui a fait refaire son visage.

Je fus l'un des premiers à la revoir après l'opération. Techniquement, celle-ci avait parfaitement réussi. Psychologiquement, c'était une catastrophe : la jeune fille se prenait pour une autre et en particulier pour Greta Garbo ! Elle était devenue odieuse, puante de prétention. Et je crois que c'est à cause de ce résultat imprévu que j'ai intitulé mon livre un peu méchamment *L'insolence de sa beauté.*

Au risque de soulever les protestations des chirurgiens esthétiques — personne ne peut leur reprocher de tenter de donner satisfaction à des clientes — je dirai aux femmes tentées de tricher avec la Nature, c'est-à-dire avec elles-mêmes, ceci, si tu permets : restez telles que vous êtes ! C'est cela votre charme : N'oubliez pas que la beauté est souvent très ennuyeuse. Et ne me dites pas que c'est l'homme de votre vie qui vous a demandé de subir cette opération. S'il vous aime, c'est pour ce que vous êtes, pas pour ce que vous pourriez devenir.

Il y a des hommes que ces mutations rendent furieux et qui vont même jusqu'à demander le divorce pour une telle raison. Je les comprends. L'un d'eux m'a même écrit une lettre rageuse et fort bien sentie à ce propos. Il s'agit de M. le duc de Lévis-Mirepoix, de l'Académie française, historien scrupuleux et lecteur fidèle. Cet homme exquis m'a ainsi avoué, le 11 juillet 1972 : « ... *Je ne pardonne pas à votre chirurgien d'avoir diminué la poitrine de votre héroïne ! L'ampleur de cette cuirasse qui aime le danger, c'est la gloire et la saveur de la féminité ! La magnifier oui ! La diminuer, jamais !* »

Quelle élégante façon de dire : « Vive les gros seins ! »

Enfin, on est souvent tenté de dire « Quel beau couple ! » devant deux êtres splendides. Mais la beauté associée à la beauté n'est pas assurance tous risques. Personnellement, je n'ai jamais constaté que deux êtres très beaux aient longtemps vécu heureux ensemble. Peut-être parce qu'ils sont axés sur leur seule beauté et sur l'effet qu'elle produit ?

— Mais toutes ces lettres, ces confidences te transforment un peu en confesseur...

— Je n'ai rien d'un vicaire écoutant ses ouailles ! Ces lettres sont ma joie. Avec les séances de signatures, elles constituent le seul moyen d'avoir un contact avec son public. Ces lettres sont merveilleuses de franchise et de pudeur. Certes les gens aiment se raconter. Et, le plus souvent, personne n'est là pour les écouter. D'où la vogue des émissions de « radio-strip-tease »...

Pendant plusieurs mois, en compagnie de la journaliste Danièle Lord, j'ai participé à l'émission vedette de R.T.L. « *Un homme, une femme* ». Danièle Lord interviewait les hommes, j'écoutais et je parlais avec les femmes. Toutes et tous cherchaient un compagnon ou une compagne dans la vie.

Cette émission aurait pu être effroyable, racoleuse, de mauvais goût, triste. Elle fut émouvante, vraie, bienfaitrice. On l'a blaguée, on a blagué son succès. Moi, ce succès ne m'a pas étonné. La solitude étant ce qu'il y a de plus répandu, cela fait beaucoup de monde à s'y intéresser.

On n'a pas dit — car c'était souvent délicat — les drames cachés, les épisodes cocasses vécus par les gens qui se sont confiés à notre micro. Depuis le prêtre défroqué jusqu'aux jumelles faisant la course au mari en passant par l'institutrice qui souffrait de ne pas avoir d'enfant après avoir élevé ceux des autres, c'était la vie de tous les jours, des élans magnifiques, des gestes dérisoires, bref des hommes et des femmes.

Quelques-uns étaient des lecteurs. Pas toujours. Mais en bavardant avec eux, en essayant de tracer leur portrait aussi fidèlement que possible, j'ai retrouvé mon public : des gens à qui il arrive beaucoup de choses, souvent incroyables et que l'on croise tous les jours, c'est-à-dire des héros de romans...

Après *Le Donneur,* l'actualité a encore surpassé la fiction. Le 7 juillet 1973, on apprenait — à la une des quotidiens — que Margaret Tuttle, ravissante épouse d'un détenu britannique, protestait parce que le ministre anglais de l'Intérieur lui refusait « la paternité par correspondance ». En clair, les autorités interdisaient au prisonnier d'avoir avec sa femme un enfant par insémination artificielle. Motif : la loi anglaise interdit toutes relations sexuelles entre époux quand l'un des deux ou les deux sont détenus.

Le donneur devint un personnage à la mode, et le mot prit un sens bien différent de celui de mouchard dans une histoire policière. Les Français découvrirent avec surprise que, depuis plusieurs mois déjà, fonctionnaient des banques du sperme installées dans de grands hôpitaux. Elles ont pris la relève officielle des « artisans », bienfaiteurs anonymes appartenant à la préhistoire de l'insémination artificielle. Sujet scandaleux ? Sujet scabreux ? Franchement, je ne crois pas. Sujet délicat et insolite, certainement. Mais sujet vrai et inédit. Et c'est pour cela uniquement qu'il m'a semblé intéressant. Le scandale ne m'intéresse pas, car c'est par définition temporaire et provisoire. Tandis que, s'agissant de la condition humaine, même sous ses formes les plus inattendues, il me semble que nous n'en avons pas encore fait le tour.

Je l'ai étudié comme j'ai étudié tous les cas pathologiques autour desquels j'ai construit des histoires.

— Tout de même, tu choisis toujours des cas extrêmes, bizarres. Tu ne trouves pas que c'est un peu facile ?

— Facile ? Je voudrais t'y voir ! Le roman romanesque tel que je l'aime n'est pas, contrairement à ce que l'on pense, le « roman à l'eau de rose ». C'est même tout le contraire ! On ne fait pas de bon roman avec des bons sentiments. Les qualités des femmes et des hommes sont beaucoup moins intéressantes que leurs défauts. Quand je dis défauts, j'entends ce mot dans son sens large. Il s'agit aussi bien des atavismes que des accidents, des petites mesquineries comme des gros travers. En bref, tout ce qui constitue un caractère. Et chacun sait que les gens qui ont un caractère — c'est-à-dire mauvais caractère — sont plus intéressants que les autres.

Je ne peins pas des types humains isolés. C'est le fait de les cerner dans un roman qui les isole. Le donneur, c'est un homme qui fait des enfants pour les autres. Ce n'est pas rarissime, loin de là. Je n'ai pas à dire si cela est bien ou mal. Je ne suis ni moraliste, ni philosophe, ni médecin. Je n'exploite pas les travers du cœur et du corps humain. Je sais seulement que dans un roman, les qualités c'est comme la beauté sans charme : cela devient vite ennuyeux. Et l'ennui, Bernard Shaw l'a dit, c'est un crime.

Je peins ceux de mon époque et je ne porte pas de jugement sur eux.

Le Donneur a surpris certains de mes lecteurs. C'est en effet un sujet surprenant. Voici une lettre datée d'août 1973. Elle est anonyme et non signée. Je la cite donc *in extenso,* telle que :

« Fidèles lectrices de vos romans que nous avons toujours lus avec un plaisir renouvelé, nous avons acheté Le Donneur *en confiance, certaines d'être satisfaites. Profondément déçues par l'histoire de ce couple odieux que vous avez accepté de faire publier sous votre nom (et c'est ce qui nous navre le plus), nous ne voulons ni le conserver dans notre bibliothèque où figure pourtant la presque totalité de vos œuvres, ni en faire don comme nous le faisons quelquefois à une bibliothèque municipale, de crainte qu'il ne fasse plus de mal que de bien. Nous vous adressons donc cet exemplaire, persuadées que votre ami Lucien Mardoux, alias Adolphe ou Menelas, saura, lui, en tirer un petit profit pécuniaire, s'entend... naturellement. Peut-être ignore-t-il qu'il est tellement plus simple (et surtout plus propre, étant donné le but méprisabe : l'Argent, que recherchent cette Adrienne et ce Lucien) de faire ce que nous avons souvent vu faire autour de nous : l'adoption d'un enfant abandonné.*

> *« Un groupe de femmes, les unes mariées, les autres célibataires, qui ne voudraient en aucun cas avoir recours à ce procédé vulgaire d'insémination.*

« P.J. un exemplaire du roman susdit. »

Mesdames, Mesdemoiselles, permettez-moi de vous remercier pour le « roman susdit ». C'est la première fois qu'on me renvoie un exemplaire. D'habitude, c'est pour une dédicace. Et je préfère de loin ce « retour au narrateur » à un don à une bibliothèque municipale. Les bibliothèques sont en effet des endroits que tout auteur n'aime guère. Il y a dans la noblesse d'un livre — je parle de l'objet — quelque chose de très beau qui explique qu'on l'achète ou même qu'on le vole. Mais prêter un livre pour une somme dérisoire ou gratuitement, je trouve que cela est presque une insulte. Et de la tricherie : le lecteur ne prend ainsi aucun risque. L'éditeur et l'auteur, eux, ont pris ces risques de vous déplaire... Voyez-vous il y a, phrase terrible, celle d'un lecteur qui vous dit : « Je n'ai pas aimé votre livre. Je n'en ferai pas de réclame autour de moi. » Mais il y a une phrase encore plus terrible. Il y a les gens qui vous disent : « Je vous lis grâce aux prêts de la bibliothèque de mon quartier... »

Vous me direz que les livres sont chers. Je n'y suis pour rien, et les miens sont parmi les moins chers. Et je fais partie des auteurs qui ont un immense public dans les collections de format de poche, c'est-à-dire à des prix accessibles à tous.

Cela dit, il est de votre droit de ne pas avoir aimé ce livre. Il était de mon droit à moi, romancier mettant en scène des personnages contemporains, d'étudier le donneur. Vous écrivez que l'insémination artificielle est un procédé scandaleux parce que *« fondé sur l'argent et qu'il est plus simple de faire ce que vous avez souvent vu autour de vous : adopter un enfant »*.

Je ne sais si vous avez le bonheur d'avoir des enfants. Si, malheureusement, la nature vous privait de cette joie, sachez bien ceci : l'adoption d'un enfant n'est *jamais simple*. C'est grave, c'est magnifique. Sauf accident, la responsabilité de la réussite ou de l'échec de l'adoption incombe aux « parents ». Dans les années 1960, un retentissant fait divers a, soudain, attiré l'attention du grand public sur certains malentendus qui pouvaient, malgré les précautions draconiennes, se glisser dans le phénomène d'adoption. Il s'agissait d'une jeune fille que ses parents avaient adoptée en pensant à leur propre intérêt au lieu de penser à son bonheur à elle. Ce drame s'est terminé par un meurtre. Cette affaire bouleversante m'a ému comme tous ceux qui en eurent connaissance et, excusez-moi de me citer, je lui ai consacré un livre, *La Révoltée*. Non, l'adoption n'est jamais simple. Vous dites l'avoir vu faire autour de vous. Si vous aviez vous-même adopté un enfant, vous n'auriez pu m'écrire que c'était simple.

Enfin, ni vous ni moi ne pouvons empêcher cette constatation : grâce à l'insémination artificielle, l'un des deux « parents » au moins est un véritable ascendant de l'enfant : la mère. Il y a donc tout de même un lien de sang indiscutable, naturel, même s'il a été tissé artificiellement. Et ce lien, l'adoption même la plus parfaite ne peut l'établir. C'est la raison pour laquelle des centaines de couples — des milliers aux U.S.A. et au Japon — préfèrent, s'ils le peuvent et malgré les inconvénients que vous devinez, avoir recours à ce procédé que vous qualifiez de vulgaire. Permettez-moi de vous dire qu'il n'est rien de vulgaire pour un couple qui voit en cette solution le dernier espoir. C'est pourquoi, je pense, le professeur agrégé David, directeur de la banque du sperme de l'hôpital Bicêtre, à déclaré : « *L'insémination artificielle correspond à un besoin croissant. Dans de nombreux pays, elle tend à se substituer en grande partie à l'adoption.* » (*Le Quotidien du médecin*, 22 juin 1973.)

Vous n'êtes pas seules, chères lectrices, à ne pas apprécier ce personnage étrange. J'ai reçu de Manouche — celle dont Roger Peyrefitte a écrit la biographie — une carte postale de Corse. Elle venait d'annoncer son prochain mariage qui, on l'apprit quelque temps après, n'était qu'un canular. Elle m'écrivait : « *Oh ! île d'amour ! Mon fiancé, Pascal Tambourini, est en pleine virilité. Je n'ai pas besoin de donneur !* »

Vous voyez...

Je terminerai en vous assurant que, dans un roman, je ne suis ni pour ni contre quoi que ce soit. Encore une fois, la mission du romancier n'est pas de juger. Elle est de raconter une histoire et de dépeindre des personnages.

— C'était un sujet actuel. Est-ce que, en ne choisissant que des thèmes « dans l'air », tu ne cours pas le risque de dater et, un jour, d'être démodé ?

— D'abord, il y a sept ans que je pensais au donneur et que je savais qu'un jour j'en ferais un livre.

Ensuite, je n'ai pas la prétention d'écrire pour l'éternité ! J'ai déjà la chance d'écrire et d'avoir des lecteurs depuis près de trente-cinq ans. Les enfants de mes premiers lecteurs me lisent aujourd'hui. Franchir le seuil redoutable d'une génération est déjà beaucoup. Près de quarante pour cent de mes lecteurs ont moins de vingt-cinq ans. C'est merveilleux. Avoir des lecteurs de presque tous les âges — je dis presque parce que je ne suis pas Tintin ! — c'est très consolant. En vieillissant, je reste jeune. Je ne me sens pas ancien combattant de la plume ! C'est d'ailleurs une source de jalousies féroces...

Je ne traite pas des problèmes uniquement actuels, c'est-à-dire trop liés à une époque déterminée. Si c'était le cas, un livre comme *L'Impure,* l'histoire d'un mannequin qui contracte la lèpre, et qui fut publié en 1946, il y a donc près de trente ans, ne continuerait pas à se vendre régulièrement. Or, curieusement, mes lecteurs fidèles ne m'ont pas toujours lu par ordre chronologique. Souvent même, ils terminent par les premiers livres. Si j'en juge par leurs réactions, ils n'ont pas alors le sentiment de lire un texte datant de l'époque mérovingienne !

Derrière un thème actuel, je m'efforce de faire appel à des vérités éternelles : celles du cœur. Et je crois qu'il n'y a pas d'authentique aventure romanesque si l'intrigue ne porte que sur des données historiquement trop précises. Il en faut peut-être, mais il faut aussi et surtout un ressort solide comme la jalousie ou la vengeance, c'est-à-dire un sentiment qui a déjà fait couler beaucoup d'encre et qui en fera couler encore des tonnes. Les lois du cœur expliquent que le roman soit le genre littéraire où il y ait le plus de tentatives et le plus vaste public. Le cœur, dans un roman, ça ne vieillit pas, ça ne date pas. Il y aura toujours des *Madame Bovary. Climats,* le très beau livre d'André Maurois, a pour cadre les années 1925. Mais sa psychologie de l'homme face à plusieurs femmes est éternelle. Quelqu'un a écrit : « *Le romancier doit chercher à exposer, sous un aspect éternel, les aspects changeants de l'époque où il vit.* » Ce quelqu'un est un très grand monsieur et un très grand romancier, certainement le plus lu des romanciers romanesques de la première moitié du XXe siècle. C'est Pierre Benoit. Cela peut surprendre certains et en faire sourire d'autres, mais on lit toujours *L'Atlantide, La Châtelaine du Liban, Koenigsmark,* c'est-à-dire des livres parus entre 1919 et 1929. Des livres où, dans un décor moderne, on rencontre des sirènes et des sylphides. Des livres qui ont résisté à l'épreuve de la guerre qui a, comme toutes les guerres, démobilisé et mis à la retraite littéraire de nombreux romanciers.

— On t'a souvent comparé à Pierre Benoit. Es-tu d'accord ?

— On a fait cette comparaison parce qu'on a la manie des étiquettes. Ce n'est pas à moi de dire si elle est justifiée. Je ne revendique pas cette parenté (et n'en revendique aucune, d'ailleurs). Je ne la refuse pas non plus, car elle ne peut que me faire plaisir.

En réalité, notre plus grand point de comparaison est peut-être le nombre de livres que nous avons publiés. Pierre Benoit a écrit quarante-six romans. J'en ai publié trente-trois et j'en ai actuellement une bonne dizaine en tête.

Cette parenté me fait plaisir parce que Pierre Benoit était un magicien du récit, un grand conteur et un écrivain authentique. Comme moi, il fut découvert et lancé par Francis Carco. Et il s'est montré à mon égard le plus indulgent des aînés. Le créateur d'Antinéa me reçut dans un bureau de *La Revue des Deux Mondes* après la parution de *L'Impure.* Entrevue inoubliable pour le débutant que j'étais. Il me dit :

« C'est vous Guy des Cars ? Je lis peu, mais je sais lire. Vous, je vous ai lu ! » (Je n'ai jamais entendu de la part d'un écrivain consacré un compliment aussi extraordinaire.)

« Vous avez réussi, continua-t-il, à me raconter dans votre *Impure* qu'un pasteur protestant, un grand mannequin parisien et un ténor italien de la Scala de Milan dégustaient un Christmas-pudding un soir de Noël pendant qu'une missionnaire jouait de l'harmonium, tout cela dans une île perdue de l'archipel des Fidji... Le plus fort, c'est que je l'ai cru ! »

Cher Pierre Benoit... S'est-il douté de la joie qu'il m'a faite ce jour-là ?

Il m'a aussi dit, plus tard : « *Je n'ai jamais écrit une ligne sans avoir pendant trois quarts de l'année pensé à son sujet. Une idée ? Je la note au vol. Un détail de paysage, une phrase, un mot ? Je les note. Et peu à peu, l'ensemble prend corps... Je fais un plan minutieux, chapitre par chapitre. Je sais par avance ce qui va arriver, que j'ai besoin de tant de pages... Ce n'est point par hasard que les chants de* L'Enéide, *que les pièces de Racine ont sensiblement le même nombre de vers, la même durée... Mon livre est fini. Alors, je me le raconte à moi-même. Je l'écris, si vous voulez. Prendre le lecteur par le bras, c'est toujours ce que je me suis efforcé de faire. Le lecteur est un prisonnier dont il s'agit, même à son insu, de favoriser l'évasion.* »

Je souscris entièrement à cette confession. Il ne faut jamais oublier qu'écrire est un métier.

Ce que dit Pierre Benoit est une autre façon de dire que le romancier travaille tout le temps, surtout s'il n'a pas l'air de travailler. Et il ne peut en être autrement : le roman c'est la vie, et la vie ne s'arrête pas. Un critique américain m'a demandé si je travaillais plutôt le matin que le soir. Je lui ai répondu que pour un romancier cela n'a pas d'importance. Le roman ne vous quitte pas. Il n'a pas d'heures ni de vacances. Il vous tient. Sauf quand il est terminé. A ce moment, il ne vous appartient plus.

— Quand on te chiffre, on voit : « Trente-trois romans en trente-cinq ans, près de vingt millions d'exemplaires vendus, des dizaines de traductions étrangères. Un Français sur vingt lit Guy des Cars... » Tout cela donne un peu une impression d'usine, de travail à la chaîne. Tu n'aimes pas qu'on parle du « phénomène Guy des Cars ». Pourquoi ?

— Parce que je ne suis pas un phénomène ! Il n'y a rien de phénoménal pour un romancier d'écrire des romans ! Et ce n'est pas phénoménal d'en écrire régulièrement... Régularité ne veut pas dire surproduction. On est plus ou moins bien inspiré, c'est vrai. Il y a des auteurs qui donnent un livre de temps en temps. Je crois qu'il est plus dangereux de ne rien publier que de publier un livre qui a moins de succès. On peut vite perdre la main. Chaque lecteur est un rendez-vous perpétuellement reporté au livre suivant. Et il ne faut pas croire que, avec le temps et l'expérience, c'est plus facile. On ne dure pas si on ne se renouvelle pas tout en faisant la même chose. Le public vous attend au tournant. Graham Greene a déclaré, il y a peu de temps : « *Ecrire un roman ne devient pas plus facile en vieillissant.* » J'ajouterai : « C'est de plus en plus difficile ! » Séduire est plus facile que retenir. Et ne me parle pas de travail à la chaîne ! Tu es placé mieux que personne pour savoir que je ne suis ni une officine d'écriture où des collaborateurs obscurs me préparent la tâche, ou une société anonyme. Certains critiques ont cru pouvoir dire : « Guy des Cars ? Combien sont-ils ? Plusieurs, ce n'est pas possible autrement ! » Eh bien, si c'est possible, et je ne suis heureusement pas seul dans le cas. Renseignez-vous, messieurs : je suis un artisan. Il y a encore des artisans dans la République des Lettres. De moins en moins ? dites-vous. Cela m'étonnerait. Mais dans ce cas, les romanciers seront peut-être les derniers...

— Pour toi, qu'est-ce que c'est que le succès ?

— C'est comme pour tout le monde : c'est très agréable et très trompeur. Il y a plusieurs années, au cours d'un voyage en Allemagne, je suis descendu à Munich dans un hôtel très célèbre : le *Bayerische Hof*. Le directeur du grand magazine allemand *Quick* m'y avait invité pour me proposer d'écrire un livre spécialement pour ses lecteurs. Cela, d'ailleurs, ne put aboutir, car je suis incapable d'écrire un livre sur commande. Mais enfin, comme tous mes livres sont traduits en Allemagne et que j'y ai un public fidèle, j'avais accepté le voyage.

Un appartement — somptueux, je dois le dire — m'était réservé dans cet hôtel. Au milieu du salon, un gigantesque bouquet de roses trônait, accompagné de la carte du directeur... C'était aimable, mais un peu insolite : des fleurs, pour un homme ? Des roses rouges ? Je chassai mes scrupules en pensant qu'il s'agissait peut-être là d'un usage. Après tout, à Tahiti...

Dix minutes après mon arrivée, le garçon d'étage apporte un... nouveau bouquet de roses. Avec les compliments d'un journaliste. J'étais perplexe. Au troisième bouquet — j'avais l'impression d'être dans une serre —, je me décidai à appeler le concierge pour en avoir le cœur net. Cela devenait très gênant tous ces bouquets envoyés par des hommes. Les fleurs, j'ai l'habitude d'en offrir, pas d'en recevoir. Il ne put me fournir d'explication, mais promit de s'informer sur-le-champ. Quand le quatrième bouquet — une véritable corbeille ! — arriva, j'étais au bord de la panique. Mais la carte qui l'accompagnait était encore plus inquiétante : elle disait simplement : « Merci pour tout et bravo ! » Que veux-tu, des lecteurs comme cela, on n'en voit pas tous les jours ! La Callas en aurait été jalouse : mon salon ressemblait à une loge d'Opéra un soir de gala.

Le directeur parut enfin. Je le reçus, fou de rage tout de même : ces parfums vaporeux rendaient l'air irrespirable. Le pauvre prit un air très « directeur embarrassé » :

« Herr des Cars ! commença-t-il désolé, les fleurs ne sont pas pour vous. C'est une erreur stupide. Je vais les faire emporter. »

Alors là, j'ai été déçu !

« Ah ! Et à qui étaient-elles destinées ? demandai-je à regret.

— A votre compatriote Martine Carol, qui occupait

cet appartement hier soir et qui a dû partir précipitamment... »

Depuis, je me méfie de toutes les fleurs, y compris des lauriers...

— Es-tu content de nos entretiens ?

— Je suis toujours content de bavarder avec toi.

— M'as-tu dit la vérité ?

— J'ai répondu à tes questions. Enfin, il me semble...

— Tu as sûrement quelque chose à ajouter ? Je ne t'ai jamais vu ne pas avoir le dernier mot !

— J'en aurais mille. Mais dans ce fatras, il y a un souvenir qui me paraît plus souriant que les autres.

— Je me disais aussi...

— ... Un de tes oncles, avocat, avait installé son cabinet dans les anciens locaux d'une grande maison de couture. Et un jour, il eut la bonne idée de me faire visiter les pièces sous les toits, les anciens ateliers du couturier. Il eut même une idée encore plus délicate : il me laissa seul au milieu de ce passé, dans ce musée insolite et, heureusement, ignoré.

J'ai l'impression que, ce jour-là, il m'avait tendu un piège amical, convaincu que cet endroit où flottait un parfum de temps perdu exciterait mon imagination.

Je suis tombé dans ce piège. Et là encore, je n'ai pas pu résister au besoin de noircir du papier. Ces impressions pourraient s'intituler : *Le Grenier aux souvenirs.*

Jadis... Un jadis qui n'est pas tellement éloigné puisqu'il coïncide avec mon enfance, les élégantes — et il faut englober sous cette appellation enviée les femmes du monde et du demi-monde, les majestés régnantes et les reines en exil, les épouses de présidents et les princesses lointaines, les ambassadrices et les étrangères de qualité, les anciennes et les nouvelles riches aux comptes en banque bien approvisionnés — n'allaient que très rarement chez « le grand couturier » pour assister à ce qu'on appelle encore aujourd'hui une présentation de collection. Toutes ces belles dames préféraient rester chez elles, dans leur somptueux hôtel particulier du faubourg Saint-Germain ou leur appartement luxueux de la plaine Monceau, attendant que « le grand couturier » vînt leur y rendre visite.

Le plus souvent, cette visite coïncidait avec « le jour » habituel de réception de l'une de ces dames de qualité. Ses amies recevaient alors le bristol sur lequel étaient gravés en permanence et en lettres anglaises pour la durée de la saison, ces mots qui résumaient la principale activité de la maîtresse de maison : « *La marquise de X... recevra tous les premiers mardis du mois à l'exception des mardis de carême* », ou bien « *Madame Y... sera chez elle tous les troisièmes vendredis du mois, d'octobre à mai inclus, à l'exception du vendredi saint* ».

Ces cartons voulaient dire que, les jours fastes, ces dames trôneraient dans leurs demeures devant des tasses de thé, copieusement agrémentées de délicieuses pâtisseries de *Latinville* ou de succulents petits fours enrobés de papier tuyauté portant la marque *Aux Délices.*

Et les anciennes amies de pension ou les épouses des amis de leurs époux — pour qui ce moment était parfois celui du cinq à sept — viendraient se régaler sous des lambris dorés, en babillant, principalement sur la mode et ses colifichets.

Mais quand le grand couturier venait agrémenter ces agapes de sa tourbillonnante présence, après y avoir été convié par la maîtresse de maison, celle-ci rajoutait à la main sur le bristol : « *Monsieur X... nous fera le plaisir de présenter sa nouvelle collection.* » Cette seule annonce suffisait à remplir les salons hospitaliers de la grande dame.

Entouré de tout son état-major qui lui permettait

de présenter ses dernières créations dans les meilleures conditions, le couturier se rapprochait de ces marchands navigateurs d'autrefois qui, revenant des mers lointaines, en rapportaient toute une pacotille de brocarts, d'or, de colliers clinquants et de pièces d'étoffes rares qu'ils présentaient à la cour des seigneurs désireux de voir se renouveler les atours des dames de leurs pensées.

Un grand couturier de ces années sages d'avant la Première Guerre mondiale — et qui le resta même une dizaine d'années au lendemain de l'hécatombe — portait alors un nom dédoublé et à trait d'union : il se nommait Deuillet-Doucet.

Cela parce que la maison était née d'une brillante association : celle de M. Deuillet et de M. Doucet. Deux hommes charmants qui sont parvenus à régner en maîtres absolus et universellement admirés, pendant plus d'un quart de siècle, non seulement sur la haute couture française, mais aussi sur la haute couture mondiale puisqu'il n'existait alors qu'une seule haute couture : celle de Paris. On sait que, depuis, Rome, Madrid, Londres, New York et même Tokyo sont aussi devenues des capitales de la femme.

Mais entre 1895 et 1925, date vers laquelle fut fermée l'illustre maison, nul ne put lutter contre Deuillet-Doucet. Les assises et les ateliers de la firme triomphante se trouvaient dans une artère du centre de Paris, à mi-chemin des moelleux écrins à bijoux de la place Vendôme et des grands cafés du boulevard des Italiens où l'on pouvait déguster, entre autres, des tasses de chocolat onctueux en regardant passer l'omnibus Madeleine-Bastille. Le nom de cette rue était déjà synonyme de luxe, d'élégance et de raffinement : rue de la Paix. Et au numéro 19, chez MM. Deuillet et Doucet, tout n'était que luxe, élégance et raffinement.

Lorsque ces deux hommes débarquaient chez leurs clientes de choix, ils le faisaient avec un équipage digne des fastes de la Belle Epoque. Leur aimable cohorte se composait d'abord de « la première » se nommant soit Jeanne Lanvin, soit Mme Bruyère. Puis venait « le maquettiste » s'appelant Paul Poiret, accompagné du coupeur qui était soit M. Worth, soit M. Lelong. Il y avait aussi « la modiste » attitrée, ayant la délicate mission de compléter les modèles de prodigieux chapeaux et qui répondait au nom de Caroline Reboux. Il y avait, enfin, l'indispensable coiffeur qui parachevait le chef-d'œuvre présenté par les mannequins-maison en accommodant les boucles — qu'elles fussent blondes, brunes ou rousses — aux insatiables exigences de la mode.

Ce dernier personnage se nommait M. Desfossé et se déplaçait le plus souvent à bicyclette, cet « instrument de transport individuel », comme on disait alors, qui n'était réservé, en cette époque de véhicules hoquetant et de limousines flanquées de boîtes à pneus, qu'à quelques privilégiés : de belles dames déambulant le dimanche sur l'avenue des Acacias après la messe de dix heures à Saint-Honoré d'Eylau, et des champions moustachus, en maillots de corps zébrés, qui s'aventuraient dans ce qui n'était pas encore le périlleux Tour de France inventé par M. Desgranges.

Après la présentation des modèles portés par des mannequins vivants, toutes ces dames transmettaient leurs désirs à MM. Deuillet et Doucet qui allaient de l'une à l'autre, le carnet de commande à la main. Puis leur succédaient « la première » et « le coupeur » qui tenaient une fiche propre aux mensurations de chacune. Il est rare — même chez les créatures académiquement parfaites — qu'un tour de taille ne varie pas d'un ou deux centimètres, d'une saison à l'autre. Tout était relevé avec le plus grand soin sur l'« original », bien en chair à cette époque et pas tellement en os, pour être scrupuleusement reporté, dès le retour à l'atelier, sur le « double » de Madame...

Ce « double » ne quittait jamais la rue de la Paix. C'était un mannequin rembourré, posé sur un trépied, qui reproduisait fidèlement les avantages et les inconvénients du buste de la cliente. On aperçoit encore de temps en temps, principalement dans les vitrines de couturières de petites villes de province, les silhouettes rebondies et sans âge de ces mannequins qui, malgré l'absence de tête, de bras et de jambes, parviennent quand même, grâce au miracle de la poitrine, de la tournure et des hanches, à dégager leur personnalité propre. Un mannequin rembourré ressemble beaucoup moins à un autre mannequin rembourré qu'un mannequin vivant d'aujourd'hui qui n'a qu'un but : ressembler à tous les autres mannequins vivants...

Devant moi, dans ce grenier, les mannequins rembourrés étaient là, serrés les uns contre les autres dans la pénombre, comme s'ils cherchaient à constituer le dernier carré d'une élégance disparue. Une centaine de mannequins rembourrés qui semblaient me narguer dans leur mutisme et leur immobilisme de grenadiers de la mode, figés au garde-à-vous du souvenir. Sur chacun d'eux, il y avait, épinglée à hauteur de la taille, une étiquette portant le nom de la titulaire de ces formes moulées dans une peau claire de tarlatane. Certes, quelques-unes de ces poitrines, dont l'original avait dû affoler bien des regards, disparaissaient sous une poussière comparable à celle recouvrant les odalisques en plâtre qui décorent les avant-scènes de nos théâtres subventionnés et sur lesquelles la tête-de-loup aurait oublié de répandre ses caresses depuis un siècle.

Mais il suffisait, sur les mannequins potelés du grenier, de passer un doigt pour dissiper la poussière et retrouver l'éclat du temps où ces femmes sans tête avaient de la conversation.

Sur les étiquettes jaunies, j'ai pu lire les titres et qualités des créatures huppées qui avaient servi de modèle. C'était ainsi que « Mme la duchesse d'Alençon » avait pour voisine la « princesse de Mérode », elle-même côtoyant la belle « Cléo » qui s'était permis de s'affubler de son nom grâce à la complicité amoureuse d'un roi. C'était ainsi que le buste insolent de

Lyane de Pougy faisait face à celui, moins rembourré, de Jane Avril : c'était normal puisque, de leur vivant, elles s'étaient détestées... Il y avait le « double » de l'« infante Eulalie » écrasé par celui, volumineux, de sa voisine, « Sa Majesté la reine Amélie du Portugal »...

De duchesses en reines du demi-monde, de princesses du sang en Schéhérazade des Mille et Une Folles Nuits, avec ou sans grands-ducs russes, tout le Gotha, tout le Bottin mondain et même les noms les plus sublimes qu'on trouve aujourd'hui dans les annuaires téléphoniques se retrouvaient dans ce grenier qui, après avoir été le grenier de l'oubli, devenait brusquement pour moi un émouvant petit musée parisien aussi passionnant que les coulisses de l'Opéra voisin.

Comme ces femmes n'avaient pas de visage, j'imaginai de leur rendre le leur. Celui que MM. Deuillet et Doucet avaient dû charmer lorsqu'ils se pavanaient sous les lustres de leurs salons.

En prêtant l'oreille, il me sembla les entendre, me disant entre un sourire d'orgueil et une larme de regret :

« Mais oui, nous étions ainsi. Le monde entier admirait nos formes quand le grand couturier avait bien voulu les habiller. »

Et de dos, ces « femmes-doublures » étaient-elles aussi séduisantes ?

Elles l'étaient et elles étaient aussi femmes que leurs modèles : elles avaient leurs petits secrets. Ils étaient épinglés, ces secrets, sur une fiche. Peut-être était-ce la même fiche qui avait été rédigée avec soin au moment délicieux de la commande ? On y lisait les charmantes tricheries dont il fallait tenir compte pour que les belles dames soient toujours belles. On lisait : « *Attention ! Madame la Duchesse a fait sa cure* », ce qui signifiait qu'il fallait resserrer la taille ; ou bien : « *Mlle de Pougy n'a pas pris les eaux* », ce qui indiquait qu'il convenait au contraire de donner un peu d'ampleur à la tournure... Et ces notations étaient signées soit Jeanne Lanvin, soit Paul Poiret.

Oui, ce grenier était bien un musée et ces autographes, qui feraient les délices des collectionneurs ou des historiens de Paris, mériteraient d'y être exposés sous vitrine dorée. Autour d'eux, on disposerait harmonieusement ces mannequins grâce à qui des gloires et des célébrités de jadis nous sont mieux connues que sur les photographies, presque intimement...

Le soir était tombé sur le grenier des élégantes. Je refermai sa porte avec attendrissement, comme si je m'étais trompé de siècle. Je n'avais plus qu'à me retirer sur la pointe des pieds.

J'étais à nouveau devant le n° 19 de la rue de la Paix, quand je vis passer deux élégantes du temps présent. Leurs jupes très courtes découvraient largement leurs genoux. Des genoux, cela peut avoir de l'esprit, mais c'est assez rare. Ceux-là n'en avaient aucun. Ils couronnaient des jambes tellement maigres qu'elles semblaient s'être mises en deuil d'elles-mêmes. Les deux silhouettes des jeunes femmes étaient d'ailleurs décharnées, les épaules voûtées devenaient des salières au-dessus de poitrines confidentielles. C'étaient des femmes à la mode...

Le vieux Parisien qui m'habite n'avait qu'à se taire et à regarder passer la nouvelle beauté.

Mais je me suis tout de même demandé si un jour les mannequins décharnés tout en os ne disparaîtraient pas sous un nouvel assaut des mannequins rembourrés tout en chair...

L'un des fantômes que j'ai croisés dans ce grenier aux souvenirs a dû attendre ce printemps 1974 pour revivre. Il s'agit de Paul Poiret auquel Paris rend enfin justice, trente ans après sa mort. Et c'est vraiment justice puisqu'on l'avait surnommé « Monsieur Paris ».

Poiret, le grand, le fastueux, le magnifique couturier tient de nouveau salon dans ce huitième arrondissement qu'il avait conquis. Je veux parler de l'exposition que lui a consacrée le Musée Jacquemart-André.

Après son passage dans la maison de la rue de la Paix, Poiret a vite régné sur la mode et la vie parisiennes. N'a-t-il pas imposé le soutien-gorge et la jupe entravée ? N'a-t-il pas délivré la femme du carcan de la Belle Epoque pour lui ouvrir la porte aux audaces des Années Folles ? Comme l'a été Christian Dior, Paul Poiret fut l'un des hommes qui ont réinventé la femme en la parant d'une nouvelle silhouette.

Et si je parle de lui, ce n'est pas pour raconter ce que l'on sait en général, mais parce que j'ai la chance de l'avoir connu. Pas à l'époque de sa grandeur, certes, mais à celle, grandiose aussi en un sens, de sa déchéance et de sa fin, connues des seuls spécialistes.

C'était à Cagnes-sur-Mer, au début de 1942. Dans un pigeonnier perché au bout d'un escalier difficile, j'écrivais mon premier vrai roman, *La Dame du Cirque.* Et un soir, devant les fenêtres ouvertes sur les senteurs d'une nuit douce, quelqu'un frappa à la porte. Je n'attendais personne. Je me trouvai devant un gros homme presque soufflé mais qui avait une grâce de libellule. « Je suis Paul Poiret », me dit-il. « Autrefois, j'ai habillé votre mère... »

J'étais émerveillé. Je savais qu'il vivait dans les parages. Ou plutôt qu'il survivait mais j'ai ressenti sa visite dans mon modeste logement comme un grand honneur parce qu'il appartenait à la race des créateurs. Et même à la race encore plus belle des créateurs qui donnent du travail et une raison de vivre à des milliers de gens, de la cousette au modéliste, du mannequin au dessinateur en passant par les innombrables femmes qui, célèbres ou non, portèrent une robe signée Poiret. Pendant trois mois, jusqu'au mois de mai, je l'ai vu régulièrement. L'homme était amer mais l'artiste était toujours étonnant.

Celui qui avait inventé une mode de luxe n'était plus qu'un clochard mondain. Il était devant moi tel qu'il fut à cette époque : vêtu d'un pardessus jaune, ci-devant peignoir de bain et d'un pyjama rose. Même sous la pluie. Quand ce personnage étrange se découpait sur les rochers rouges de La Napoule, il n'avait droit qu'à ce seul commentaire :

« C'est un fou... »

Ceux qui disaient cela ne savaient pas. Ou pire : ils avaient oublié. Ce barbu massif — on l'avait aussi surnommé « le Tarass Boulba du frou-frou » — avait ébloui Paris et le monde par ses fêtes dans son hôtel particulier et sa façon élégante de couper largement dans une étoffe parce que, disait-il « rien de grand ne se fait avec des petits bouts »... Savaient-ils, avaient-ils oublié ces gens qui le critiquaient, qu'il avait aussi hébergé, rincé, et surtout fait rêver des personnalités, telle la danseuse Isadora Duncan ou le légendaire Boni de Castellane ? Lui dont les doigts de fée avaient su faire d'un tissu une robe et de la femme la plus effacée une élégante ?

Mais voilà que par une vengeance du destin, lui, qui avait réinventé la femme, était vaincu par une femme, la grande Mademoiselle de la haute couture : Coco Chanel. Une exposition organisée par Poiret en 1925 et qui aurait dû être son triomphe fut son chant du cygne. Et sa chute. Prince des mille et une nuits modernes, Poiret avait continué d'habiller les femmes en sultanes ou en houris, ces créatures promises au jardin d'Allah, alors que Mademoiselle Chanel leur proposait des pull-overs, des pantalons et parlait déjà d'une mode « week-end »... « Une mode pauvre », disait Poiret en parlant de Chanel.

Une mode qui le ruina. Il dut tout vendre : yacht, maison de campagne, toiles de maîtres. Ce ne fut pas assez. Il dut s'inscrire au chômage.

Lui qui avait imposé une mode était à son tour victime de la nouvelle mode.

Ce soir-là, il me proposa de le suivre. Je n'oublierai jamais cette première soirée. Pour survivre, lui qui avait toujours incarné la cigale méprisant la fourmi, récitait les *Fables* de La Fontaine dans les petits bistrots du vieux Nice et d'ailleurs. C'était inouï, incroyable. Poète, la rime lui était naturelle. Il aurait pu se contenter de bien dire ces textes qui sont les premiers classiques appris par l'enfant. Mais non. Chacune des fables qu'il distillait prenait dans sa bouche une nouvelle dimension. Je me souviens notamment du *Loup et l'Agneau*. C'était devenu une véritable tragédie.

Pourtant, autour de moi, à son arrivée devant les tables beaucoup de clients le prenaient pour un artiste raté, une gloire éteinte du Caf' Conc'.

Une pipe éteinte jaillissant de sa barbe grise lui donnait l'air d'un loup de mer. Et pendant qu'il magnifiait ces vers, l'un de ses bras, qui était paralysé, était pris de tremblements. Sa main tournait et retournait le bouton de la veste du pyjama. Mais au bout de quelques mesures — car on avait l'impression qu'il « parlait » de la musique — on oubliait ces faiblesses du corps pour n'entendre qu'un grand comédien.

Lorsqu'il eut fini, il récolta un joli succès. Alors ses yeux pleins de larmes retrouvèrent la joie. Celle du temps perdu. Appuyé sur sa canne, il vint vers ma table. Je le félicitai sincèrement. Il n'eut qu'un regret :

« J'aurais tant voulu ne pas disparaître, me dit-il, avant d'avoir habillé dans une féerie quelques personnages de ces fables... »

Pendant des mois, il me renouvela ce souhait. Et un matin de mai 1944, on le trouva mort dans son lit.

On dit que sur le mur de sa chambre, il avait eu le

temps d'écrire le nom de tous ceux qui l'avaient trahi, escroqué et bafoué.

La Presse ne lui consacra que quelques lignes.

De même qu'il y a eu des poètes, des musiciens, des peintres maudits, je me demande si Paul Poiret n'est pas le premier couturier mort comme un génie, seul et oublié, avec l'ingratitude pour unique oraison funèbre.

— J'ai l'impression que notre entracte est terminé. Puisqu'il en est ainsi, je suppose que tu vas te remettre à ton prochain roman ?

— Je n'ai pas cessé d'y penser, même en te parlant. Tu sais très bien que c'est lorsque j'ai l'air de ne rien faire que je travaille le plus.

— Tu as l'air tout de même tendu, nerveux, presque agacé. C'est toujours comme ça quand commencent chez toi les grandes douleurs de l'accouchement romanesque ?

— Oui. C'est à la fois épouvantable et merveilleux. Construire une histoire est une souffrance, mais une souffrance libératrice. Actuellement, je suis encore dans la période de gestation. Le livre n'est encore qu'à moi seul. Aucune secrétaire, aucune machine à écrire ne me l'a volé. Comme j'écris tout à la main, je retarde toujours l'intervention de la machine. Je ne sais d'ailleurs pas taper, car je préfère le vrai manuscrit : la main est rageuse, elle corrige, elle rature, elle peine. Elle permet de mieux dompter la phrase et, comme disait Colette, de domestiquer les mots qui finissent par s'assouplir et prendre leur place.

— Et que va-t-elle faire naître, cette main ?

— Une histoire d'envoûtement, une histoire terrible, pleine d'aventures, à laquelle je songe depuis des années et qui se passe au Brésil. Pourtant, c'est une histoire très actuelle, dont certains éléments viennent de se dérouler quelque part, à moins qu'ils ne soient sur le point de se produire... Je ne sais plus très bien... *L'Envoûteuse* — ce sera le titre du roman — est une femme qui me fascine. Ce qui me laisse espérer qu'elle fascinera aussi mes lecteurs.

— Elle t'attend ?

— Je sais qu'elle me guette. Mais ma chance à moi est d'avoir contre elle la meilleure des armes : je l'aime. Je l'aime de cet amour passionné que j'ai toujours eu pour les personnages auxquels je me suis efforcé de donner la vie. Et peut-être est-ce là ce qu'on appelle, chez un romancier, l'amour du métier ?

ÉDITIONS J'AI LU
31, rue de Tournon, 75006-Paris

Exclusivité de vente en librairie
FLAMMARION

IMPRIMÉ EN FRANCE PAR BRODARD ET TAUPIN
6, place d'Alleray - Paris.
Usine de La Flèche, le 20-05-1975.
6155-5 - Dépôt légal 2e trimestre 1975.